LA REINA DEL MAR

MIRA A TU ALREDEDOR LIBRO 2
LAS DOCE PUERTAS LIBRO 10

Vicente Raga

addvanza books

Vicente Raga

Nacido en Valencia, España, en 1966. Actualmente residiendo en Irlanda, pero mañana ¿quién sabe? Jurista por formación, político en la reserva, ávido lector, escritor por pasión, guionista, articulista de prensa, viajante impenitente y amante de su familia. Viviendo la vida intensamente.
Carpe diem.

Autor superventas de la serie de éxito mundial de ***«Las doce puertas»***, traducida a varios idiomas. Número 1 en los Estados Unidos, México y España. TOP 25 en Europa, Canadá, Australia y Nueva Zelanda.

AVISO IMPORTANTE

Esta novela es el décimo y último libro de la colección de ***Las doce puertas***

Para poder disfrutar de una mejor experiencia, **es necesario respetar el orden de lectura de las novelas:**

LIBRO 1 LAS DOCE PUERTAS

LIBRO 2 NADA ES LO QUE PARECE

LIBRO 3 TODO ESTÁ MUY OSCURO

LIBRO 4 LO QUE CREES ES MENTIRA

LIBRO 5 LA SONRISA INCIERTA

LIBRO 6 REBECA DEBE MORIR

LIBRO 7 ESPERA LO INESPERADO

LIBRO 8 EL ENIGMA FINAL

LIBRO 9 MIRA A TU ALREDEDOR

LIBRO 10 **LA REINA DEL MAR → LIBRO ACTUAL**

En cada una de las novelas se desvelan hechos, tramas y personajes que afectan a las posteriores. Si no respeta este orden, a pesar de que hay un breve resumen de los acontecimientos anteriores, es posible que no comprenda ciertos aspectos de la trama.

Primera edición, diciembre de 2020
Segunda edición, enero de 2022
Tercera edición, marzo de 2020
Cuarta edición, febrero de 2023

Fotocomposición y maquetación: Addvanza

Ilustraciones: Leyre Raga y Cristina Mosteiro

ISBN: 978-84-1229651-8

El presente libro, junto con su antecesor, fueron escritos en circunstancias muy especiales, una pandemia que causó un inmenso dolor a muchas personas. También se coló en mi propia casa. Hemos visto la generosidad y la entrega de otras, trabajando sin mirar el reloj.

Va por todos vosotros.

ÍNDICE

NOTA DEL AUTOR

Esta novela está basada en hechos reales.

La práctica totalidad de los personajes existieron en la realidad. La mayoría de ellos con sus nombres verdaderos, a otros les cambio el apellido o el nombre y, a los menos, se lo altero completamente. Hay que tener en cuenta que narro hechos delicados y no quiero remover conciencias más de lo estrictamente necesario, tan solo deseo contar una historia. Pensad que, aunque todos los personajes de la parte histórica han fallecido, aún pueden pervivir sus hijos y sus nietos.

Tenga en cuenta que algunos personajes de la saga de Las doce puertas aparecen en esta novela. Por eso siempre recomiendo haber leído la saga con anterioridad, aunque no sea necesario. La disfrutará de igual manera. La única diferencia es que, los lectores de la saga obtendrán, entre las líneas del presente libro, un gran valor añadido que no se esperan y que concluye una gran aventura: el verdadero final de la saga, tal y como fue concebida en sus orígenes, hace más de ocho años.

Ahora sí, termina un ciclo.

Un ciclo no solo literario, sino vital.

1 EN LA ACTUALIDAD, VALENCIA, 21 DE JUNIO

—Este año no te escapas.

—¿Por qué me dices eso?

—Porque ya no te quedan excusas que darme.

—Bueno, mi tía...

—El pretexto de tu tía ya lo utilizaste el año pasado. Lo siento, no cuela.

—Pero hemos de ser discretas, ¿no lo recuerdas?

—¡Y un cuerno! ¿De qué sirve tener dinero y juventud si no las utilizamos?

Carlota había forzado la conversación. Llevaba cuatro años intentando irse de vacaciones de verano con Rebeca, pero siempre le ponía algún pretexto para no hacerlo. Hace dos años se fue con un grupo de amigos de la Facultad a Grecia y, el pasado, con su tía Tote a Noruega, que se acababa de separar de su pareja, Joana. El año pasado no insistió mucho por este motivo, pero, ahora, no pensaba soltar su presa con facilidad.

Rebeca y Carlota se conocían desde los ocho años y ya tenían veintidós. Habían estudiado en el mismo colegio, Albert Tatay, uno de los más prestigiosos de Valencia, tristemente desaparecido. A pesar de que cada una siguió caminos diferentes, habían mantenido el contacto al abandonar la escuela. Se reunían todos los martes en un conocido local de la ciudad, el *pub* Kilkenny's, junto con otros amigos del mismo colegio, así no habían perdido la amistad. Se hacían llamar el *Speaker's Club*, porque no callaban ni para beber su cerveza favorita, la *Murphy's Irish Red*.

Hacía poco más de nueve meses que se habían enterado que eran mucho más que amigas. Nada más y nada menos que hermanas gemelas, separadas al nacer. Aquello supuso un impacto muy importante en sus vidas, ya que también se enteraron de que eran ricas. Sus padres, fallecidos en accidente de tráfico cuando ellas eran muy jóvenes, les habían dejado en herencia una cantidad indecente de millones de euros. Podrían vivir el resto de sus vidas sin trabajar, pero decidieron no contárselo a nadie y, así, poder continuar con su vida cotidiana, como si el dinero no existiera. Eran felices y no querían cambiar.

—También tengo una oferta de los compañeros de la radio —siguió Rebeca, que ya conocía de sobra los excesos de su hermana, y le daba auténtico pavor pasar unas vacaciones en Ibiza con la desenfrenada de Carlota. Se temía dos semanas de bacanal continuada.

Rebeca trabajaba para un periódico local llamado *La Crónica*. Pero eso no era lo importante. Disponía de su propio programa de radio, en la emisora local del mismo grupo de medios al que pertenecía el periódico, además, colaboraba en el *magazine* matinal *Buenos Días*, de Javi Escarche y Mar Maluenda, que se emitía para toda España, con una audiencia superior al millón y medio de radioyentes. También era tertuliana ocasional en un programa de televisión matinal, también de gran audiencia. En muy poco tiempo, había pasado de ser una anónima escritora de artículos de Historia en un periódico «de provincias» a saltar a la fama nacional. Hasta había ganado un Premio Ondas.

—Tampoco cuela —insistió Carlota—. ¿Te crees que eres la única que tiene ofertas? Yo también, pero este es nuestro año. Eso no lo podrás dudar, con todo lo que nos ha ocurrido. Ha sido el más intenso de nuestras vidas.

Carlota era una *influencer* en redes sociales. Se ganaba muy bien la vida, ya que tenía muchísimos seguidores en *Instagram* y marcaba tendencias. Precisamente esa cuestión era la que le daba espanto a Rebeca. Sabía que el trabajo de su hermana consistía en subir fotos a las redes y ella era muy vergonzosa. Imaginarse dos semanas con Carlota en Ibiza, iba a ser como vivir un *reality show* de sus vacaciones, emitido en directo. Algo así como *Las Kardashian*, pero en versión española, *Las Mercader*, que era su verdadero apellido.

Por otra parte, Carlota tenía razón. Llevaban más de un año montadas en una vagoneta de una montaña rusa. La tensión que habían acumulado era enorme. Habían resuelto un misterio del siglo XIV y, las dos, eran custodias de ese gran secreto. Toda una responsabilidad.

Los judíos españoles de mediados del siglo XIV, temerosos de la creciente violencia de los cristianos hacia su pueblo, habían decidido ocultar todos sus tesoros, dispersos entre las diferentes aljamas de la Corona de Aragón y el Reino de Castilla, en un único lugar. Habían elegido la ciudad de Valencia, cuya judería era de tamaño medio, no tan grande como las de Toledo, Sevilla o Córdoba, por ejemplo, pero disponía de tres grandes virtudes. La primera era la anterior, su tamaño medio le otorgaba una discreción que consideraban fundamental para su objetivo. La segunda era su poca conflictividad, en comparación con las otras tres. Y la tercera también era muy importante. Si debían trasladar sus dispersos tesoros, necesitaban que el lugar elegido estuviera bien comunicado. Por Valencia trascurría la Vía Augusta romana y, además, disponía de un puerto marítimo muy dinámico. A pesar de ello, les costó treinta años concluir la tarea, ya que no podían permitirse llamar la atención.

La desgracia para los judíos fue que, apenas dos años después de concluir su colosal tarea, en 1391, se produjo el asalto y la destrucción de más de sesenta juderías en la Corona de Aragón y el Reino de Castilla, entre ellas la aljama de Valencia. No obstante, estaban preparados para esa eventualidad. Habían creado un Gran Consejo, compuesto por diez miembros, cuya labor era preservar ese tesoro. Cada uno de ellos disponía de un fragmento de un mensaje que, una vez unidos, conducía al emplazamiento del tesoro. Por si sucedía lo que terminó ocurriendo, diseñaron un plan de escape, que denominaron *Las doce puertas*. Gracias a esa previsión consiguieron que su tesoro permaneciera oculto y a salvo, a pesar de la completa destrucción de la aljama de Valencia.

Con el trascurso de los siglos, en tiempos de la Inquisición Española, que perseguía con verdadera saña a los judíos y con la expulsión de España de los pocos que quedaban por los Reyes Católicos, se demostró que el Gran Consejo ya no era útil para custodiar ese tesoro. Demasiado numeroso para reunirse sin llamar la atención. Así que se decidió que tan solo fueran dos personas, cada una portando una mitad del mensaje secreto, las verdaderas custodias del tesoro, que ellos denominaban «el árbol».

La casualidad había querido que, esas dos personas, fueran, en la actualidad, las hermanas gemelas, Rebeca y Carlota. En recuerdo al plan inicial de escape denominado *Las doce puertas*, que era el número de puertas que tenía la muralla medieval de Valencia en el siglo XIV, ellas se denominaban *undécimas puertas*. No pertenecían al Gran Consejo, pero protegían su gran secreto.

—¿Te suena de algo el número once? —le replicó Rebeca, haciendo referencia a lo anterior—. Ya te he dicho que debemos ser discretas y no llamar la atención. No se me ocurre una manera más inapropiada de actuar, que irme contigo a Ibiza. Estoy segura de que saldríamos hasta por la televisión.

—Todo eso ya lo hemos hecho. En prensa, en radio y en televisión, y aquí estamos. ¿No crees que nos merecemos relajarnos un poco? —Carlota seguía a la carga.

—¿Relajarme contigo en Ibiza, en pleno mes de julio? —se rio Rebeca—. ¿Cuántas horas piensas que dormiríamos?

Carlota también se rio.

—Bueno, hasta en el caos existe cierto tipo de orden, no lo olvides. A mí me relaja la fiesta.

—A ti te relaja otra cosa —le respondió Rebeca, mientras le guiñaba el ojo—, que ya nos conocemos...

—¡Oye! —exclamó Carlota, fingiendo hacerse la ofendida—. ¡Qué somos hermanas gemelas!

—Pues en eso no nos parecemos demasiado.

—Eso es lo que tú quieres aparentar. Vas de *mosquita muerta*, pero a mí no me engañas. El *poliamor* es la mejor filosofía de vida. Además, confluyen dos curiosidades.

—A ver, ilumíname —respondió Rebeca, esperando cualquier explicación extravagante de su hermana, muy habituales en ella.

—¿Sabes que la palabra *poliamor* ya supone una unión muy especial? Se juntan el griego y el latín en una misma expresión. «Poli», en griego, significa «muchos» y «amor» proviene del latín y ya conoces lo que quiere decir. Además, ¿sabes qué día es hoy?

—¿Qué clase de pregunta idiota es esa? Pues claro que lo sé, 21 de junio.

—¿Y qué se celebra en un día como hoy?

Rebeca se quedó un par de segundos en silencio.

—¿El solsticio de verano? —aventuró.

—¡Exacto! Pues también se celebra el día del *poliamor*. ¿No me digas que no es casualidad? Las estrellas están alineadas. No puedes rechazar mi oferta y lo sabes.

Rebeca sonrió. «Carlota en esencia pura», pensó. No se pudo aguantar.

—No se me ocurriría un argumento más estrafalario para convencerme de unas vacaciones en Ibiza, pero claro, viniendo de ti, parece hasta racional. Además, lo tuyo no es *poliamor*, es directamente promiscuidad.

Carlota ignoró la *pulla* de su hermana y continuó al ataque.

—¿Sabes la cantidad de tíos buenos que habrá allí? Dos semanas, a uno o dos por noche, suman unos veinte o veinticinco, aproximadamente. ¿Te lo imaginas?

—Perfectamente, y eso es lo que me espanta. Para mi desgracia, ahora soy algo conocida en España. ¿Qué parte de «pasar desapercibidas» no entiendes?

—Vamos a ver, pero ¿te has mirado al espejo? Tienes un cuerpo diseñado específicamente para pecar. No le falta ni un solo detalle, muy rubia, muy guapa, muy sensual... Eres un clon de Taylor Swift, pero con bastantes años menos que ella.

Rebeca la interrumpió, lanzándole un cojín a la cabeza. Estaba harta de que la compararan con la cantante estadounidense, aunque debía de reconocer que se parecía bastante.

—No soy creyente, ya lo sabes. Eso de los pecados no me va.

—Pues deberías fundar una religión. Si te lo propones, en menos de un año, tendrías más fieles *rebequianos* que la propia iglesia católica. El verdadero cuerpo de Cristo lo tienes tú. Si, además, te crucificas desnuda, ya ni te cuento... te pondrían más velas que a la propia virgen de Lourdes.

—¡No seas blasfema! —rio Rebeca, con las ocurrencias de su hermana.

—Y tú no seas mojigata. Tan solo te estoy proponiendo pasar dos semanas en Ibiza como hermanas. Tendremos tiempo de hablar, que creo que nos vendrá muy bien. No mires el lado lúdico, mira el lado familiar —Carlota intentó cambiar su estrategia.

—Pues, en ese caso, para un viaje familiar como hermanas, propongo la zona de Benasque, en el Pirineo aragonés. Hay rutas de senderismo preciosas. Nos hartaríamos de hablar y, además, haríamos deporte —Rebeca se la devolvió.

—Vamos avanzando —dijo Carlota, que no parecía haber encajado el golpe—. Ya pareces convencida en el tema de las vacaciones juntas. Ahora hay que llegar a un acuerdo en el lugar. Además de hablar, ¿quieres deporte? Pues Ibiza es perfecto para eso. Durante el día hablaríamos todo lo que quieras y, por la noche, haríamos algo de deporte.

—¡No puedo contigo! —exclamó Rebeca, riéndose.

—¿Eso es un sí? —más que una pregunta, Carlota daba la impresión de que lo estaba afirmando—. Estupendo, déjame la organización a mí.

—¡Qué dices, insensata! Aún recuerdo la última vez que escuché esa frase de tus labios, en la organización de nuestro veintidós cumpleaños. Para la absoluta extravagancia de aquella fiesta, por llamarla de alguna manera, tan solo faltó un elefante rosa.

Para sorpresa de Rebeca, Carlota ya se había ido corriendo, sin escuchar la última frase de su hermana.

«Seguro que me voy a arrepentir de esto», pensó Rebeca.

2 EN ALGÚN LUGAR DEL MAR MEDITERRÁNEO, 3 DE MARZO DE 1943

—¡Esto es una catástrofe!

—¿Estás completamente segura?

—Llevo dos horas de comprobaciones. Lo más extraño es que, cuando subimos al submarino y antes de partir de la base naval, revisé todos los equipos. Funcionaban perfectamente.

—Pero de eso hace apenas diez horas.

—Lo sé, pero eso juega a nuestro favor.

—No te entiendo. ¿Una catástrofe juega a nuestro favor?

—No, eso no. Está claro que tenemos que volver a La Spezia de inmediato y sustituir los equipos defectuosos. No podemos navegar así.

—Navegar sí que podemos, lo que no disponemos es de comunicaciones.

—Es lo mismo. Por favor, avisa al comandante y dile que acuda a mi camarote de inmediato.

El Obersturmführer Markus Rietschel se quedó mirando a su compañera en las Waffen-SS, la Hauptsturmführer Cornelia Schiffer. Ambos pertenecían al Sicherheitsdienst, es decir, el servicio de inteligencia de las SS, la élite de la Wehrmacht, el ejército alemán. A pesar de su juventud, veintidós años, ya habían alcanzado el grado de oficiales superiores. Markus era teniente y Cornelia capitán.

—¿No crees que las formas son un poco bruscas? —le preguntó Markus—. Tú eres la oficial de mayor rango a bordo, pero estamos en inmersión, dentro de un *U-Boot*. Aunque Otto Hartmann tenga el grado de *Oberleutnant zur See*, o sea, el equivalente a teniente, él es el comandante de esta nave.

—¡Las formas no me importan en absoluto! —exclamó Cornelia, levantándose de la silla, muy enfadada—. Cada minuto que pasa estamos más lejos de la base y, en consecuencia, nos costará más tiempo regresar.

—Si eso es lo que deseas, obedeceré tus órdenes —se plegó Markus. Conocía a Cornelia desde hacía tres años y sabía que no la iba a convencer. De inmediato, abandonó su camarote, en busca del comandante del *U-77*.

Cuando Cornelia se quedó sola, recordó las instrucciones precisas de la misión. El *Reichsführer* Heinrich Himmler, el superior máximo dentro de las *SS*, se las había impartido en persona. Le otorgó el mando del submarino al teniente Otto Hartmann, con el único objetivo de que dejara a Markus y a ella en unas coordenadas precisas de la costa española. No era una patrulla más de un *U-Boot* cualquiera, que solían atacar a buques mercantes, con el objetivo de que no llegaran armas ni provisiones a Europa, procedentes de América. En realidad, esta no era una patrulla de bloqueo, sino una misión de trasporte.

«Pero no una cualquiera», se dijo Cornelia, pensando en las instrucciones que tenían, tanto Markus como ella, cuando llegaran a tierra firme.

El ruido de la apertura de la puerta del camarote sacó a Cornelia de sus pensamientos.

—*Hauptsturmführer* Schiffer, no esperaba verla tan pronto. Apenas hemos salido hace unas horas de nuestra base, en La Spezia —dijo Otto, mientras tomaba asiento en una de las sillas del camarote.

—De eso se trata.

—No la entiendo, capitán.

—Para empezar, dado que vamos a pasar bastante tiempo juntos, por favor, si le parece, prescindamos de los rangos, que hacen farragosas las conversaciones.

—¿Debo de decir «a sus órdenes»?

—No tiene ninguna gracia, Otto —le respondió Cornelia, muy seria.

Otto se dio cuenta, por la severidad del rostro de Cornelia, de que algo no iba bien. «No es que sea la alegría de la huerta, pero tampoco suele ser tan seca», pensó.

—¿Qué ocurre? —le preguntó—. ¿Hay algo que no sea de su agrado en el camarote? Lo resolveremos de inmediato.

—Tenemos que volver a La Spezia.

—¿Qué? —preguntó Otto, sorprendido.

—Las comunicaciones no funcionan.

—Eso no es posible —afirmó con rotundidad Otto—. Fueron revisadas en persona por el tercer oficial del submarino, el *Leutnant zur See* Walter Velten. Es uno de los mejores técnicos de radio de la *Kriegsmarine*. Si lo desea, le hago venir.

—No hará falta. Yo también lo hice —le respondió Cornelia—, y le puedo asegurar que, en el momento de la partida de nuestra base de La Spezia, se encontraban en perfecto estado de funcionamiento.

—Es muy extraño. De todas maneras, no será necesario regresar. Entiendo que nunca haya sido tripulante de un *U-Boot* y no lo sepa. Todos los submarinos disponen de equipos de sustitución, precisamente para el caso de que el principal falle, cosa que, aunque no sea nada frecuente, puede ocurrir. Estamos preparados para todo tipo de eventualidades, no se preocupe.

Cornelia se quedó mirando a Otto, con una expresión de furia en su rostro.

—¿Se cree que soy idiota? —le preguntó, levantando la voz—. Entre otras muchas cosas, soy especialista en comunicaciones militares. El equipo principal de trasmisiones de este submarino es un *Telefunken S-400-S*, que trasmite entre las frecuencias de 3 a 30 megahercios, con una potencia máxima de 200 vatios, fabricado en 1940. El equipo de reserva es un *Lorenz*, modelo *40K39a*, con una potencia de 30 vatios. En cuanto a los receptores, este submarino está equipado con un *Telefunken E-437-S* y el de reserva es otro de la misma marca, pero, en este caso, el modelo *E-381-S*, de menor potencia también. Soy capaz de desmontarlos, revisarlos y volverlos a montar en menos de una hora, con los ojos cerrados. Haga el favor de no insultar mi inteligencia. Llevo más de dos horas intentando arreglarlos y le aseguro que no se puede. Cuando le digo que no funcionan y que no se pueden reparar a bordo, haga el favor de no discutírmelo. ¿Le ha quedado claro?

Otto estaba perplejo, no solo por la demostración de conocimientos que acababa de hacer Cornelia, sino también por la extrema cólera que apreciaba en su rostro.

Se quedó en silencio, mirándola.

—¿Me permite que llame al tercer oficial, Walter Velten?

—¿No se fía de mí? —le retó Cornelia.

—Le aseguro que es muy bueno. Apenas perderemos cinco o diez minutos.

A pesar de la furia de Cornelia, pareció aceptar la propuesta del comandante.

En apenas un minuto, Walter estaba comprobando todos los equipos de radio. En diez minutos más, concluyó su inspección y se quedó mirando a Otto y a Cornelia.

—Me temo que la *Hauptsturmführer* Schiffer tiene razón —dijo, dirigiéndose al comandante del submarino—. Es la primera vez que me ocurre. He tenido que reparar multitud de equipos de radio en mis muchas patrullas oceánicas, pero que fallen los cuatro a la vez, incluidos los reservas, es algo inaudito. Además, no responden de ninguna manera. Me temo que tan solo hay dos causas posibles que puedan explicar esta insólita situación.

Cornelia permanecía en silencio. Ella ya había llegado a ese mismo razonamiento, hacía más de una hora.

—¿Le importaría explicarse, Walter? —le preguntó Otto.

—La primera causa es que el problema no esté en los aparatos mismos, sino en la antena omnidireccional telescópica que está instalada en el puente. Eso podría tener solución, pero deberíamos emerger para poder comprobarlo con absoluta seguridad.

Otto estaba preocupado.

—Estamos navegando a más de cien metros de profundidad y no tenemos programada una emersión hasta dentro de cuatro horas —objetó el comandante—. No hace falta que les recuerde la naturaleza de esta misión.

Una de las debilidades tácticas de los *U-Boot*, aparte de su escasa velocidad en inmersión, que no superaba los ocho nudos, era su escasa autonomía, también en inmersión. Ello era debido a que tenían que recargar las baterías de los motores diésel en superficie, lo que les hacía vulnerables a la artillería costera, si se encontraban cerca de ella, o a la aviación enemiga. La *Kriegsmarine,* la Armada naval alemana, estaba desarrollando un dispositivo llamado *snorkel*, que habían descubierto en submarinos capturados a los holandeses, que permitía la carga de las baterías a profundidad de periscopio. Para su desgracia, el *U-77* no estaba equipado con él.

—Señor, creo que hemos de asegurarnos de que no haya un problema con la antena —insistió Walter—. Me parece que es importante.

Cornelia seguía sin abrir la boca. Iba dos pasos por delante del tercer oficial.

—Está bien —decidió Otto—. Ordenaré la emersión de inmediato. Tan solo permaneceremos en superficie el tiempo mínimo imprescindible. Supone un gran riesgo que no pienso prolongar más allá de treinta minutos.

Así lo hicieron.

En cuanto estuvieron en la superficie, el *Leutnant zur See* Walter Velten revisó la antena telescópica. Cornelia se limitó a observarle.

—Señor, la antena funciona perfectamente —afirmó, cuando concluyó su inspección.

—Entonces, debemos de volver de inmediato a La Spezia —Cornelia rompió su silencio.

—No podemos hacer eso. Tenemos una misión que cumplir y las comunicaciones tampoco son imprescindibles en esta misión —afirmó Otto.

—Me parece que no lo comprende —insistió Cornelia—. Toda la misión está en peligro.

—¿No cree que está exagerando?

—¿Sabe cuál es la segunda causa que Walter ha insinuado hace un momento, que ahora es la única que justificaría el no funcionamiento de todos los equipos de radio?

Walter la sabía, pero no se atrevió a decirla. Otto se quedó mirando a Cornelia, esperando la respuesta.

—Sabotaje. Tenemos un *topo* a bordo del submarino.

3 BERLÍN, 3 DE MARZO DE 1943

—Por motivos obvios, no hace falta que les diga que esta reunión es absolutamente confidencial. No solo es una orden directa a los militares presentes, sino que la hago extensiva al único civil. Tan solo nosotros cuatro vamos a ser testigos de lo que aquí se va a tratar, así que, si me entero que ha trascendido el más mínimo detalle de este encuentro, ordenaré matarles a todos. ¿Lo tienen claro?

Los tres asintieron con la cabeza, en silencio.

—Sé que los militares me son fieles, ya me lo han demostrado en numerosas ocasiones, pero debo pedirle que se exprese con palabras —dijo el orador dirigiéndose al único civil presente en la sala.

—Por supuesto. Ya saben que siempre he colaborado de forma entusiasta con el *III Reich*. Me va a disculpar, pero creo que no le debo demostrar nada. Mis empresas controlan más de ciento treinta campos de trabajo privados, que producen una parte significativa del armamento que ustedes utilizan en la guerra. Aunque formalmente no sea militar, casi se puede considerar que lo soy.

Aquella persona era Alfried Krupp, propietario de *Friedrich Krupp AG Hoesch-Krupp*, que era un conglomerado de empresas que empleaban mano de obra de los campos de concentración para producir armamento.

—Disculpe mi aparente rudeza, Herr Krupp, pero quería oírlo de su propia boca.

El industrial asintió con la cabeza.

—Una vez las cosas han quedado claras, vayamos con el objeto de esta reunión. Todos los presentes conocen nuestra vergonzosa derrota, hace apenas un mes, en la batalla de Stalingrado. Ello ha supuesto el colapso de nuestro Frente Oriental, en el que confiábamos para ganar esta guerra. Aun así, eso no es lo más significativo. Tampoco lo es que haya sido la batalla más sangrienta jamás librada, con más de dos millones de muertos, una gran parte valerosos soldados alemanes.

—Entonces ¿qué considera que ha sido lo más significativo? —intervino Reinhard Gehlen.

Gehlen ostentaba el rango de general dentro de la *Wehrmacht*, pero no asistía a la reunión por ese motivo. Además, era el jefe de la *Fremde Heere Ost*, más conocida por sus siglas, FHO. Era una organización de inteligencia militar, perteneciente al Comando Supremo de las fuerzas armadas alemanas, especialmente dedicada a analizar a la Unión Soviética y sus países satélite. Quizá fuera la persona, dentro de la *Wehrmacht*, que más conocimientos acumulara en esta materia.

—Nos hemos mostrado vulnerables al mundo. Ya no somos ese ejército que se pasea por Europa, conquistando países sin apenas esfuerzo.

—Estoy totalmente de acuerdo. Quizá esta derrota pueda marcar un punto de inflexión en la guerra. Espero que no, ya que nuestro ejército es formidable, pero la mera posibilidad asusta —reflexionó el tercer invitado a la reunión, Otto Skorzeny.

Skorzeny ostentaba el rango de *Hauptsturmführer* dentro de las *Waffen-SS*, equivalente a capitán dentro del ejército. Tomó parte activa en la invasión de la Unión Soviética, luchando en varias batallas del Frente Oriental, ganándose la Cruz de Hierro al valor, hasta que fue herido y trasladado a Berlín hacía tres meses. Ahora estaba en la reserva. Pero tampoco asistía a la reunión por estos motivos. Era especialista en infiltración detrás de las líneas enemigas y en operaciones especiales en territorio hostil. Por ello, el mes que viene iba a ser trasladado a los servicios de inteligencia exteriores de Alemania, junto a Walter Schellenberg, que era el jefe de la *Sicherheitsdienst*, los temidos servicios secretos de las *SS*, que tan solo reportaba ante su superior, el *Reichsführer* Heinrich Himmler.

Precisamente, este último era el cuarto invitado o, más bien, el anfitrión de la reunión.

—He estado enviando, durante meses, informes de inteligencia a nuestro *Führer*, acerca de la superioridad del Ejército Rojo en ese tipo de escenarios. En pleno invierno y en un terreno desconocido para nosotros, la derrota era lo más previsible. Cada vez que los leía, no quería creerlos y se podían oír sus gritos desde el exterior de su búnker. Eso me lo han comentado y me lo creo —informó el general Gehlen.

—¿Por qué no le hacía caso? —le extraño a Alfried Krupp—. Le designa al frente de la inteligencia militar en el Frente Oriental, para luego ignorar sus informes.

—No lo sé —le respondió Gehlen—. Supongo que no quería escuchar malas noticias. Prefirió encerrarse en su jaula de cristal y pensar que íbamos a derrotar a la Unión Soviética, cosa que, a medida que pasaba el tiempo, era más improbable.

—No nos quiso escuchar a nadie, ni siquiera a su *Reichsführer* —confirmó Himmler.

—No creo que conozcan los detalles concretos de lo que allí se vivió —continuó el general Gehlen—, ya que, por orden expresa del *Führer*, oculté toda la información y destruí todas las pruebas. No existe ninguna constancia documental en la oficina de inteligencia de la FHO.

Himmler pareció interesarse. Presumía de estar al tanto de todo lo relacionado con el *III Reich*, pero aquello se le escapaba.

—¿Qué es exactamente lo que le ordenó destruir el *Führer*?

—Todos los detalles de la humillante derrota y su grado de participación en la misma. Estamos entre amigos, y creo que puedo expresarme con total libertad. El *Führer*, haciendo caso omiso a todos los informes que le llegaban, actuó con una lógica inexplicable e inhumana. Con sus incomprensibles decisiones tácticas, agravó la humillante derrota hasta extremos innecesarios. Porque sé que hubiera acabado arrestado y fusilado a los diez minutos, pero llegué a pensar en redactar un informe de todo lo sucedido. Nuestro *Führer* cavó su propia tumba en esa batalla.

—Adelante, puede exponernos, de forma verbal, ese informe que jamás escribió —le animó Himmler—. Le aseguro que nadie le va a fusilar.

—Lo que van a escuchar es horrible, pero se corresponde exactamente con lo que ocurrió en la realidad. No tiene nada que ver con los documentales oficiales —dijo, a modo de preámbulo, Gehlen.

El general les narró que, desde el principio, los servicios de inteligencia militares desaconsejaron una guerra de guerrillas en la ciudad de Stalingrado, ya que ni la *Wehrmacht* en su conjunto, ni las divisiones de las *Waffen-SS* en concreto, estaban preparadas para ese tipo de batalla. En ese campo, los soldados alemanes estaban constantemente bajo la presión enemiga.

—¿Y nuestras divisiones blindadas? —preguntó Krupp—. Mis fábricas no paran de construir tanques.

—En ese escenario, eran casi inútiles. El general Friedrich Paulus, que estaba al frente del asalto a la ciudad, nos informó que, entre el 50 % y el 70 % de los soldados alemanes enviados al interior de la ciudad, no regresaban. A todas luces era una cifra inasumible. No estábamos preparados para la *Rattenkrieg*, es decir, la guerra de ratas, porque nosotros éramos las ratas. En resumen a su pregunta, es cierto de que disponíamos de mejores medios técnicos militares que los soviéticos, pero, en ese escenario, eran muy poco operativos.

—Hasta ahora no nos ha contado nada que no supiéramos —intervino Himmler.

—Mientras tanto —continuó el general—, llegó el invierno. Nuestros soldados debían soportar temperaturas cercanas a los veinte grados bajo cero.

—Pero esas condiciones las soportaban ambos ejércitos —indicó Skorzeny.

—Desde luego, pero nuestros soldados no estaban tan acostumbrados a ese clima tan severo cono los soviéticos. Entretanto, pudimos conocer como la STAVKA, el alto mando del Ejército Rojo, preparaba una gran ofensiva. Redacté el correspondiente informe, que, como la práctica mayoría, fue ignorado por el *Führer*. El resultado fue devastador para nuestras posiciones. Hitler incluso se atrevió a manifestar, después de aquello, que «ninguna fuerza humana conseguirá arrancarnos de allá», cuando la situación de nuestro ejército empezaba a ser angustiosa. Imaginaos la desesperación, que nuestros soldados se llegaron a comer doce mil caballos, porque no tenían alimentos. El general Paulus, al frente del ataque, no se cansó de solicitar la negociación de una rendición en numerosas ocasiones frente al *Führer*. ¿Saben cuál fue su respuesta?

Todos supusieron que era una pregunta retórica, así que aguardaron a que el Gehlen continuara su explicación.

—Su respuesta fue ascender a Mariscal de Campo al general Paulus, ya que jamás un Mariscal alemán se había rendido o caído prisionero. Esa fue su genial táctica. ¿En qué ayudaba eso a nuestros soldados o a nuestras posibilidades de victoria?

Otra pregunta retórica.

—Por supuesto, en nada, No solo no ayudó, sino que terminó por minar la poca moral y paciencia que le quedaba al general Paulus. Se lo tomó como una orden de suicidio que, por supuesto, no obedeció. Su enfado fue monumental, hasta el extremo de atreverse a decirles a sus subordinados que no tenía intenciones de dispararse «por ese cabo bohemio», en referencia a Hitler. En ese momento, Paulus sentía un profundo desprecio hacia su superior. Él era un militar de raza, al mando de uno de los ejércitos de élite alemanes y consideró que Hitler se estaba comportando como un político mediocre, no como el militar que pretendía aparentar. Consideró que no se encontraba en pleno uso de sus facultades mentales. En consecuencia, acabó rindiéndose y, en sus informes, ahora destruidos, indicaba como principal culpable de la derrota a la megalomanía de Hitler, al que tildaba de «una persona enferma». Consideraba que había mandado a la muerte a sus hombres por una lucha de vanidades frente a Stalin. Narraba algunas conversaciones con él, que, analizándolas fríamente, denotaban cierto tipo de desconexión con la realidad de nuestro líder. Detallaba todas sus irracionales instrucciones. Yo las pude leer y es cierto que eran alocadas. En definitiva, nuestro amado líder acabó siendo el responsable de la aniquilación del 6.º Ejército, nuestra joya militar, además del 4.º Ejército Panzer y el grupo de Ejércitos Don, por no hacer una lista del interminable y valiosísimo armamento que perdimos. Les aseguro que lo vamos a echar mucho de menos, porque no lo podremos reponer a la velocidad que lo hemos destruido de esta manera tan irracional.

—No me extraña que el *Führer* mandara destruir esos informes y diera otra versión de los hechos —comentó asombrado Skorzeny.

—Todos los esfuerzos de mis fábricas para nada —intervino ahora Krupp—. Los blindados a la basura.

—Usted parece que tan solo ve la parte material —le echó en cara el general—. ¿Sabe que le pasó a los soldados de esos ejércitos que no murieron en la batalla, una vez rendidos?

—Disculpe, no pretendía... —comenzó Krupp.

Gehlen le interrumpió.

—Los noventa mil supervivientes fueron obligados a caminar sobre la nieve. La llamaron «marcha de la muerte». La mitad murieron y la otra mitad fueron recluidos en campos de concentración. Esas imágenes han dado la vuelta al mundo. Las consecuencias ya las podemos intuir. Hemos perdido nuestros principales ejércitos. La *Wehrmacht* ya no dispone de los medios logísticos suficientes para aguantar en todos los frentes y hemos limitado muy seriamente la capacidad aérea de la *Luftwaffe*. Me temo que vamos a tener que pasar a la defensiva. Y todo ello porque nuestro *Führer* sufrió un ataque de vanidad.

—Caramba —dijo escuetamente Himmler.

—Entonces, ¿podemos perder esta guerra? —preguntó un atemorizado Krupp.

—Negaré siempre haber dicho esta frase, pero, a la vista de lo expuesto, con nuestro líder desequilibrado, entra dentro de lo posible —aventuró Himmler.

—¿Y qué vamos a hacer? —Krupp seguía con el miedo en el cuerpo.

—Supongo que ese es el motivo de que estemos reunidos aquí hoy, ¿no es así, mi *Reichsführer*? — Skorzeny se dirigió a Himmler.

Durante un instante, se hizo el silencio entre los cuatro.

—*Die Spinne* —respondió enigmáticamente el jefe de las *SS*.

La araña.

4 EN ALGÚN LUGAR DEL MAR MEDITERRÁNEO, 3 DE MARZO DE 1943

—¿Está de acuerdo usted con la teoría de la capitán Schiffer?

—Me temo que sí, comandante —le respondió el tercer oficial, Walter Velten—. Creo que comprenderá que es extremadamente improbable que ocurra una cosa así por casualidad. No se estropean los cuatro sistemas de trasmisión y recepción de un *U-Boot* al mismo tiempo, habiendo sido revisados, por mí mismo, hace apenas unas horas. No tiene ninguna lógica.

—Yo también los revisé —intervino Cornelia—. Ya se lo hice saber al comandante. Les aseguro de que funcionaban perfectamente.

Otto Hartmann se quedó pensativo.

—Walter, avise al primer oficial, Waldemar Sichart von Sichartshoff y al segundo, Hans Schwarz. Quiero una reunión de urgencia ahora mismo. Que dejen todo lo que estén haciendo y acudan al camarote de la capitán Schiffer. Usted también asistirá. Ponga un marinero vigilando la puerta. No quiero intromisiones.

—Sí, señor —dijo Walter, mientras salía a cumplir sus órdenes.

A los tres minutos, ya estaban los cinco sentados en el interior del camarote de Cornelia.

—Señores —comenzó el comandante Otto—. Tenemos un problema y quiero valorar sus opiniones. Lo que van a escuchar es confidencial y no tiene que salir de esta habitación. El resto de la tripulación no debe enterarse. ¿Lo tienen claro?

Asintieron con la cabeza.

—Adelante, Walter, póngales al día de la situación.

Walter les explicó los problemas que habían surgido con las comunicaciones del submarino y su teoría acerca de la causa.

Cornelia permanecía callada, observando al comandante y a los tres primeros oficiales del submarino. Estaba entrenada para ello, siempre alerta, observando cualquier gesto o reacción en sus rostros.

—Waldemar, quiero una evaluación de la situación —dijo Otto, dirigiéndose a su primer oficial.

—Estoy de acuerdo con las apreciaciones de Walter. Es muy preocupante lo que acabamos de escuchar.

—¿Considera que deberíamos abortar la misión?

—Señor, esa es una decisión que le corresponde a usted.

—Lo sé, pero le estoy preguntando su opinión como primer oficial.

Waldemar se quedó unos segundos en silencio, valorando la situación.

—No, señor. Creo que, tomando determinadas medidas de seguridad a bordo, podríamos continuar. Ya sabe que las comunicaciones en los *U-Boot* no son esenciales. ¿Recuerda la segunda patrulla que ejecutamos toda la dotación actual, en este mismo submarino?

—Por supuesto —le respondió el comandante—. En aquella ocasión vivimos una situación complicada.

—Creo que todos los que estamos a bordo de esta nave lo recordamos. A pesar de que se suponía que no debía ocurrir, por las circunstancias de la navegación, entramos en combate con barcos de guerra de la *Royal Navy* británica. Nos vimos obligados, para nuestra propia defensa, a torpedear al buque especializado en misiones antisubmarinas *HMS Stork*, dañándolo gravemente y obligándolo a volver a su base. Aunque inesperado, fue un gran combate que nos puso a prueba.

Cornelia no entendía lo que estaba escuchando, pero no le gustaba. No se pudo aguantar.

—Me van a disculpar —intervino—. Estoy segura de que tuvieron una experiencia de combate satisfactoria, pero ¿qué tiene que ver todo esto con el problema de las comunicaciones que padecemos ahora?

—Deje seguir a Waldemar con las explicaciones y lo entenderá —le respondió Otto.

—Los británicos conocían, por los informes del *HMS Stark*, nuestra ubicación aproximada, cercana a la costa de Argelia. Esa posición estaba muy próxima a su base naval de Gibraltar. Después de dañar a uno de sus buques de guerra antisubmarina, supusimos que no se iban a quedar de brazos cruzados, e hicimos bien. Al día siguiente, la Armada británica mandó a sus corbetas *HMS Lotus* y *HMS Poppy*, con el único objetivo de darnos caza y hundirnos. Dos corbetas preparadas con instrumental de guerra antisubmarina contra un simple *U-Boot*. No parecía un combate equilibrado.

Cornelia se empezaba a impacientar. Estaban perdiendo un tiempo precioso con explicaciones que no sabía adónde querían llegar.

Otto se dio cuenta.

—Capitán Schiffer, le ruego que escuche atentamente lo que va a explicar a continuación nuestro primer oficial. Es importante.

—Como medida de precaución, decretamos el silencio total de radio. A pesar de ello, nos localizaron y nos lanzaron varias cargas de profundidad. No pudieron con nosotros. Eso ocurrió el día 12 de noviembre del año pasado. Aunque no lograron hundirnos, sí que nos causaron daños que nos obligaron a abortar la misión y a regresar a nuestra base en La Spezia. Arribamos el día 5 de diciembre.

Cornelia hacía gestos evidentes de nerviosismo. Waldemar se anticipó.

—Antes de que vuelva a preguntarme qué tiene que ver mi relato con la situación que estamos padeciendo ahora, le diré que, después de comunicar al mando de submarinos de la *Kriegsmarine* los daños sufridos en el *U-77*, navegamos en completo silencio de radio desde el día 12 de noviembre hasta nuestra llegada a La Spezia. Es decir, tres semanas sin mediar ninguna comunicación por radio.

—Eso es lo que le intentaba explicar —intervino Otto, dirigiéndose a Cornelia—. Las comunicaciones en un *U-Boot* son muy importantes en operaciones de combate, sobre todo cuando atacamos convoyes mediante la *Rudeltaktik*, que es la palabra que el almirante jefe de la *Kriegsmarine*, Karl Dönitz, denomina a la táctica que consiste en atacar, conjuntamente, varios submarinos, de forma coordinada, a convoyes enemigos. En ese caso, conformamos una manada de lobos o, como nos prefieren denominar los británicos, un *Wolfpack*.

Ahora, Cornelia comprendió el motivo de la explicación de Waldemar.

—Me parece estupendo lo que acabo de escuchar —intervino—, pero esa situación, a pesar de que quieran hacerla pasar por similar a la actual, no tiene nada que ver. Para empezar, aquella decisión del silencio de radio fue voluntaria, por su seguridad, ya que se encontraban en una situación de combate. Ahora ni el silencio de radio es voluntario ni estamos siendo atacados. Además, omiten un importante detalle. Estamos siendo saboteados desde el interior del submarino. Ahora han sido las comunicaciones, pero ¿qué será lo próximo? ¿Creen que el traidor va a cesar sus actividades?

Se produjo un silencio incómodo. Parecía que ninguno de los cuatro marinos presentes quería contestar a Cornelia. Finalmente, fue el comandante el que lo hizo.

—Capitán Schiffer, no pretendemos comparar, punto por punto, la situación pasada con la presente, tan solo que comprenda que las comunicaciones, para un *U-Boot* en una misión que no sea de combate, no son imprescindibles.

Cornelia estaba a punto de perder la paciencia.

—¡Eso lo dirá usted! —dijo, levantando el tono de su voz—. ¿Tengo que recordarle que debo estar en permanente contacto con el *Reichsführer* de las *SS* Heinrich Himmler? Esas son parte de mis instrucciones, que creo que él mismo dejó muy claras en su presencia.

Otto se sorprendió por la reacción de Cornelia. También se enfadó.

—*Hauptsturmführer* Schiffer, ¿tengo que recordarle que yo también tengo mis propias instrucciones del *Reichsführer*? Usted también estaba presente. Mi misión consiste en trasladarla, a usted y a su compañero, hasta unas determinadas coordenadas de la costa española, con la mayor brevedad posible. Eso lo puedo hacer sin comunicaciones. No formamos parte de ningún grupo de combate y navegamos en solitario.

Cornelia estaba, cada vez, más alterada.

—¿Para qué se cree que dispongo de este camarote particular? ¿Para evitar tumultos a bordo? Le aseguro que eso no ocurriría. Al primer marinero que intentara algo contra mí, en dos segundos se le habrían quitado las ganas. Con la primera lección, los demás ya no intentarían nada. Esa no es la verdadera razón de la costosa modificación de este *U-Boot*.

—¿Y cuál es? Claro, si la puede compartir con nosotros... —continuó Otto, aguantándole el pulso a Cornelia.

—Me imagino que todos conocen el aparato instalado en aquella esquina —respondió, señalándolo.

Todos se giraron.

—Esa es la verdadera causa de que disponga de mi propio camarote privado. Mi comodidad no me importa en absoluto. Les aseguro que he estado en situaciones que ni se imaginan, en condiciones mucho peores que a bordo de un submarino y con hombres mucho más peligrosos que ustedes. No se dejen confundir por mi aspecto femenino. Aunque pueda parecer un ángel, como ya he escuchado en dos ocasiones en las últimas horas, en realidad, soy un auténtico demonio.

Cornelia había señalado hacía el rincón donde se encontraba la máquina de cifrado *Enigma*.

Antes de ser interrumpida de nuevo, quiso concluir su explicación.

—¿Creen que nuestro *Reichsführer* se tomaría la molestia de instalar esta sofisticada tecnología de comunicaciones cifrada sin un motivo en concreto? Este submarino ya dispone de una máquina *Enigma*, sin embargo, yo tengo la mía propia, además, un modelo más avanzado que el suyo propio. ¿No se preguntan el motivo? Pues es muy sencillo. Tengo instrucciones precisas de reportar diariamente a Heinrich Himmler sin que nadie de esta tripulación pueda escucharnos, por eso dispongo de este camarote privado. Está claro que sin comunicaciones, no lo puedo hacer.

Los cuatro marineros se quedaron de nuevo en silencio, ante la apabullante intervención de Cornelia. Todas las miradas se fijaron en el comandante Hartmann, que estaba reflexionando. Al final, tomó su decisión.

—Comprendo que usted tenga sus propias instrucciones, pero no olvide lo que ordenó el *Reichsführer* acerca de la misión. Eso prevalece sobre cualquier cuestión secundaria. Le voy a recitar las palabras exactas de Himmler: *«El día 3 de marzo de 1943, partirán hacia un lugar determinado de la costa española. Las condiciones de la navegación serán evitar riesgos innecesarios y silencio absoluto de radio, salvo para cuestiones de emergencia, con el objeto de no ser localizados por las estaciones de escucha enemigas. La prioridad de la misión es dejar a los dos oficiales de las SS en las coordenadas que tiene en el sobre que le he entregado hace un rato. Luego de completar la misión, volver a La Spezia con el mayor sigilo. Esta misión no quedará registrada en los libros de navegación ni en la base. Oficialmente, jamás habrá existido*». Me parece que el *Reichsführer* fue muy claro y preciso. No volveremos a La Spezia y la misión continuará. Es mi decisión.

En una fracción de segundo, Cornelia se abalanzó sobre el comandante y le puso un cuchillo en el cuello.

—Volvemos a La Spezia. No solo soy la oficial de mayor rango dentro de este submarino, también estoy entrenada para cumplir mis instrucciones a la fuerza, si ello fuese necesario. Estoy autorizada para matar, cosa que ya he hecho en otras misiones anteriores. No me obliguen a repetirlo. La condecoración de la Cruz de Hierro de primera clase no me tocó en un sorteo.

La rapidez de la reacción de Cornelia dejó a todos los marinos sorprendidos.

Bueno, a todos no.

5 BERLÍN, 3 DE MARZO DE 1943

—¿Y qué será de nosotros si perdemos la guerra? —preguntó el industrial Alfried Krupp—. ¡Nos matarán! Suponía que la teníamos ganada ya.

—Eso te pasa por creerte nuestra propia propaganda —le replicó el general Reinhard Gehlen.

—Que quede muy claro —intervino Heinrich Himmler—. A pesar de todo, esta guerra la vamos a ganar. La derrota en el Frente Oriental nos ha hecho mucho daño, eso es evidente, pero seguimos contando con un ejército muy poderoso. El motivo de esta reunión no es ser pesimistas y lamentarnos como cobardes de un traspié bélico, por importante que sea. También hay que mirar la parte positiva, tenemos consolidadas muchas posiciones en otros frentes —dijo, dirigiéndole la mirada a Krupp, con toda la intención.

Otto Skorzeny, que ostentaba el rango de *Hauptsturmführer* dentro de las *Waffen-SS*, y, en consecuencia, era el que mejor conocía a Himmler de todos los presentes, intervino.

—Supongo que el motivo de esta reunión es *Die Spinne*, la araña, que no tengo ni idea qué significado tiene.

—Supones bien, estimado amigo —le respondió Himmler—. A pesar de que, como ya he dicho, creo firmemente en nuestra victoria en esta guerra, hay un imponderable que no podemos obviar.

—¿A qué se refiere? —preguntó Krupp.

—Puedo observar, por sus reacciones, que tanto Gehlen como Skorzeny me han comprendido. La guerra en Europa la tenemos ganada, pero, desde el ataque japonés a la base estadounidense de *Pearl Harbor*, en diciembre de 1941, ya no se trata simplemente de un conflicto meramente europeo, ya tiene proporciones mundiales.

—¿Ese es el imponderable? —siguió Krupp.

—¡Pues claro! —le respondió Gehlen—. Que no le confunda nuestra propaganda. Los americanos disponen de un ejército temible. Según nuestras actuales estimaciones de inteligencia, en estos momentos, incluso superior al nuestro.

—Pero está en América, no en Europa —Krupp no cedía.

—Eso es lo que nos salva. Mientras permanezcan tan alejados, podremos controlar la guerra, pero si consiguen desembarcar sus unidades militares en Europa, el conflicto se igualaría de una manera muy peligrosa para nosotros, sobre todo en un momento en el que tenemos que defender demasiados frentes.

—El general Gehlen, como siempre, tiene razón —intervino Himmler—. Quizá hayamos pecado de un exceso de ambición. Ello nos ha conllevado a desplegar nuestros ejércitos en una amplia extensión de terreno. Tiene sus ventajas, pero también sus inconvenientes. Si las fuerzas enemigas, apoyadas por el ejército americano, concentraran su ataque en una sola zona, nos pondrían en serios apuros. La propia Alemania, nuestra patria, podría quedar expuesta.

—¡Eso es terrible!

—Eso aún no ha pasado y es muy probable que no ocurra nunca —Himmler estaba muy serio—, pero muy probable no significa imposible. Ese el motivo de nuestra reunión.

—¿Qué podemos hacer nosotros para impedir una posible invasión de tropas americanas? —preguntó Krupp.

—Nada —le respondió de inmediato Himmler.

—¿Cómo? —exclamó alarmado el industrial.

—De eso ya se ocupa nuestro ejército, que ha fortificado todas las posibles zonas de un hipotético desembarco americano. Si se atreven a venir, se van a encontrar con sorpresas desagradables que no se esperan.

—Entonces, si no podemos hacer nada, ¿qué hacemos aquí reunidos?

—Como ya ha dicho Skorzeny hace un momento, el motivo es la araña.

Los tres se quedaron expectantes, esperando que Himmler les desvelara el significado de aquella extraña palabra.

—Los presentes en esta sala no podemos evitar, de manera directa, una improbable, aunque no imposible derrota, pero sí que podemos prepararnos para sus efectos.

—¿Qué quiere decir? —preguntó Krupp.

—Que es nuestra obligación, como patriotas alemanes, tener en cuenta todas las posibilidades. Muy a nuestro pesar, una de ellas es que perdamos la guerra. No nos podemos permitir no estar preparados para esa contingencia.

Ahora, por fin, Skorzeny entendió qué hacía él en aquella reunión. Comprendió por qué el general Gehlen no se sorprendiera en absoluto, ya que manejaba información de inteligencia auténtica, no la basura de propaganda que el pueblo alemán escuchaba. También comprendió la presencia del acaudalado magnate Alfried Krupp. La sorpresa era que el anfitrión fuera el *Reichsführer* Himmler, uno de los hombres con más poder en el *Reich* y fiel hasta la muerte con el *Führer*, a pesar de todo lo que habían escuchado de boca del general Gehlen.

—Por su expresión, *Hauptsturmführer* Skorzeny, observó que lo acaba de comprender. El general Gehlen ya lo había hecho, creo que incluso antes de acudir a la presente reunión. Al que veo todavía descolocado es a usted, *Herr* Krupp —dijo Himmler.

—Es cierto, lo estoy. Comprenda que yo soy el único civil en la sala. Ustedes son militares de altísimo rango. Yo me limito a seguir sus instrucciones y a fabricar todo tipo de material bélico para abastecer a sus ejércitos, pero no pregunto nada ni manejo ningún tipo de información. Lo que he escuchado esta noche aún me tiene descolocado, como usted bien dice, *Reichsführer.*

—Voy a ser muy claro, para que me comprenda. No nos podemos permitir perder la guerra y no estar preparados para esa eventualidad. Necesitamos crear una estructura que preste apoyo logístico a todos los patriotas que han luchado a nuestro lado. No los podemos dejar abandonados a su suerte. Para ello hace falta una poderosa estructura logística y cobertura política, cual tela de araña, y también mucho dinero.

—*Die Spinne* —dijo Skorzeny.

—Exacto —confirmó Himmler—. La guerra, sea cual sea su resultado, no acabará en el próximo año. Es el tiempo del que disponemos para crear, de una manera organizada y secreta, toda su estructura.

—¿De una manera organizada? — Skorzeny había captado el matiz. Himmler siempre hablaba con mucha propiedad, parco en palabras, pero siempre las más adecuadas.

—Eso es lo que he dicho.

Ni Gehlen ni Krupp captaron lo que Himmler había querido decir, con ese sutil matiz.

—¿Cuándo nos pondremos en marcha? —preguntó el general.

Skorzeny no se pudo aguantar.

—Me parece que, por lo que acaba de contar el *Reichsführer* Himmler, la operación ya ha sido iniciada.

—¿Qué? —preguntó el general de inteligencia, sorprendido—. No tengo ninguna noticia de ello.

—Eso es una buena señal, ¿no? —le dijo Himmler, que ahora parecía divertido.

—¿Quién está al cargo?

—Desde hoy mismo, lo estará el Hauptsturmführer Otto Skorzeny.

La afirmación sorprendió al general y al industrial, por diferentes motivos. Gehlen pensaba que sería el escogido, ya que su rango y sus conocimientos de inteligencia eran muy superiores a los de Skorzeny. Por su parte, Alfried Krupp estaba sorprendido porque Himmler hubiera iniciado la operación, a espaldas de todo el *III Reich*, incluido el propio *Führer* y todos sus colaboradores más cercanos.

Sin embargo, no sorprendió a Skorzeny. Conocía a Himmler y sabía que le gustaba planificar las operaciones con una precisión casi enfermiza. Le gustaba rodearse de los mejores en cada especialidad, sin tener en cuenta rangos, familias e incluso procedencia étnica. Sabía que había colaborado en el pasado incluso con judíos, a sabiendas de que lo eran. No le importaba, tan solo se guiaba por la meritocracia y la capacidad de desempeño en cada una de las funciones.

—¿Cuándo y cómo se inició? —le preguntó el general.

—Hace casi un año.

—¡Pero eso fue antes del derrumbe del Frente Oriental! Entonces llevábamos una clara ventaja en la guerra.

—Debería saber, general, que me gusta planificar los problemas desde todos los ángulos posibles. Desde el ataque japonés a Pearl Harbor, fui consciente que el conflicto podría llegar a alcanzar unas proporciones inasumibles para Alemania, si entraba el ejército estadounidense en la guerra, como así ha acabado sucediendo.

—Pues es usted un visionario. Ahora, en 1943, todos lo vemos como una opción posible, pero en 1941, a nadie le cabía ninguna duda de que íbamos a conquistar Europa con mucha facilidad.

—Ya ve usted que a nadie no. Quizá fui la excepción.

—Teniendo en cuenta que esta reunión es confidencial, ¿podría darnos algún detalle más acerca de esta operación tan secreta, que ni yo mismo me he enterado?

Himmler miró al general con cierta indulgencia.

—Ya sabe de los inmensos recursos de los que dispongo. Si así lo deseara, podría ponerle una bomba en el culo a nuestro amado *Führer* y ni se enteraría. Pero volviendo a su pregunta, hasta ahora me he limitado a colocar a determinados peones en diferentes puntos de un gran tablero de ajedrez. Tan solo son peones aislados entre sí, que no están coordinados ni se conocen. Por no saber, ni siquiera saben cuál es su verdadera misión, no han sido informados. Hay otros peones, e incluso alguna que otra pieza de más valor, como una torre, que están en camino y pronto entrarán en juego. Se podría decir que son como arañas aisladas. Lo que pretendo ahora es conectarlas y que tejan, de forma conjunta, una inmensa tela. Por eso la operación tiene el nombre en clave de *Der Spinne*. La araña madre será Skorzeny, pero contará con una estructura secreta de colaboradores, entre los que estarán ustedes dos —dijo, dirigiéndose ahora al general y al magnate empresarial.

Himmler se dio cuenta de que el general estaba decepcionado por la elección de Skorzeny.

—General Gehlen —le dijo—. No se sienta desencantado. Usted será el rey de la partida de ajedrez y Skorzeny será la reina. Los necesito a ambos, pero cada uno en el papel que mejor van a desarrollar. Gehlen, usted controla una parte de la inteligencia militar exterior de la *Wehrmacht*. Yo, a su vez, controlo, a través de la *Sicherheitsdienst,* la inteligencia de las *SS,* y sus unidades de élite de los *Einsatzgruppen,* es decir, todas las operaciones encubiertas en el exterior. Pero eso es solo una parte de la inmensa tela de araña que vamos a tejer.

Necesitamos una persona que pueda moverse en todas direcciones, como una reina en el tablero de ajedrez, que no llame la atención y que, además, sea especialista en esta materia. Ese será Skorzeny. Estará al cargo de *Die Spinne.*

Krupp estaba asistiendo a toda la conversación sin abrir la boca. Él no era militar y no disponía de ninguna de las cualidades que había enumerado Himmler. Precisamente, ahora se dirigió a él.

—En cuanto a usted, *Herr* Krupp, será uno de los responsables de las finanzas de la operación. Por supuesto tendrá, junto a usted, a otros empresarios afectos a la causa, pero su gran experiencia y éxito empresarial me causa una profunda admiración. No olviden que esta operación no es exclusivamente militar. Se podría decir que está basada en tres puntales fundamentales. El militar ya lo he explicado muy brevemente, el económico, del que formará parte usted y el político lo dirigirá Skorzeny. Todos son igual de importantes. La parte militar nos dará cobertura armada, la parte económica se encargará de que no nos falten fondos y la parte política quizá sea la más importante. Tendrá que lidiar con gobiernos amigos para que nos faciliten tejer telas de araña en diferentes países, como Argentina o España. Como ya les he explicado, tenemos peones colocados en esos y otros lugares. Ahora están en camino piezas más importantes.

En ese momento, alguien llamó a la puerta de la sala.

—Silencio —ordenó Himmler, mientras se dirigía a la puerta.

Los otros tres asistentes a la reunión observaron que una señorita, vestida con el uniforme de las *SS*, conversaba con Himmler, pero sin poder escuchar lo que se decían. No escuchaban, pero sí veían la cara del *Reichsführer.* Estaba visiblemente afectado. Despidió a la señorita y se dirigió a los tres presentes.

—Me temo que debo de dar por concluida la reunión. Les convocaré en breve —les dijo, mientras les abría la puerta para que abandonaran la sala.

Una vez Himmler se quedó solo, abandonó también la habitación para dirigirse a la sala de comunicaciones. En cuanto entró, el oficial al mando le dio la noticia.

—*Reichsführer*, hemos perdido al *U-77.* No se han puesto en contacto a la hora prevista, ni siquiera en su primera comunicación.

Himmler se dirigió a la sala privada de comunicaciones. Estaba aislada y contaba con una máquina de cifrado *Enigma.*

Se quedó un momento, mirándola. Debía tomar una decisión importante.

Mandó un mensaje urgente.

6 EN ALGÚN LUGAR DEL MAR MEDITERRÁNEO, 3 DE MARZO DE 1943

Cornelia estaba perfectamente entrenada para producir esa sensación. La absoluta sorpresa, en apenas una fracción de segundo. Si se lo hubiera propuesto, los cuatro marinos hubieran muerto sin darse ni siquiera cuenta, pero eso no lo podía ni lo quería hacer. Tan solo deseaba volver a La Spezia y reemplazar los equipos de comunicaciones. Estimaba que perderían uno o dos días a lo sumo, algo perfectamente asumible para su misión. En cuanto al saboteador, Cornelia pensó que ya se encargarían Markus y ella, una vez resuelto el problema actual.

Podía comprender la sorpresa generada por su violenta y súbita reacción, pero no les podía explicar los verdaderos motivos. Si no se comunicaba con Himmler con cierta periodicidad, que ya estaba preestablecida de antemano, el *Reichsführer* podría suponer que la misión había fracasado. Ese era el sentido de poseer una máquina *Enigma* privada. Si no se producían esas comunicaciones, Himmler podría estar tentado de poner en marcha el «Plan B», que lo llevaría a cabo un equipo de los Grupos de Operaciones Especiales de las *SS*, los temidos *Einsatzgruppen*, a los mismos que pertenecía Cornelia. No podía permitir que aquello sucediera. Se podían torcer las cosas de forma muy grave. Pero claro, toda esa información no la podía compartir con los presentes.

Mientras tanto, Cornelia continuaba con el cuchillo en la garganta del comandante Otto Hartmann y, al mismo tiempo, observando a los cuatro marinos.

Algo llamó poderosamente la atención de su entrenada mente. El comandante y dos marinos más estaban aterrorizados, podía hasta oler su miedo, pero había algo extraño en el comportamiento de la cuarta persona.

Fijó su atención en ese marino. Se sorprendió, ya que reconoció perfectamente su mirada. De hecho, no le extrañó cuando se dirigió hacia ella, sin demostrar ningún temor.

No dijo nada, tan solo se levantó la manga de su uniforme y le mostró algo.

Allí estaba.

—Supongo que sabe lo que esto significa —le dijo a Cornelia.

—Antes de que me lo mostrara, ya lo sabía —le respondió, sin deponer su actitud.

—Lo sé, lo he visto en su mirada. Por eso me he atrevido a acercarme. Sabía que no me iba a atacar.

—¿Qué es lo que quiere?

—Nada de todo esto es necesario. Deponga su actitud y deje que salgan todos de este camarote. Quedémonos a hablar a solas. Por supuesto, ninguno de los presentes contará ni tendrá en cuenta nada de lo sucedido. El tema quedará olvidado, a todos los efectos.

—¿Por qué debería de hacer eso? —preguntó Cornelia.

—Ya se lo he dicho, tengo la solución a su problema.

—¿Y por qué debo de creerle? —insistió.

—¿No le basta con lo que ha visto?

Cornelia se quedó pensativa durante un par de segundos. Estaba entrenada para valorar situaciones excepcionales con una rapidez fuera de lo normal.

—Sí, tiene razón. Me basta —dijo, mientras retiraba el cuchillo del cuello de un aturdido Otto.

—Ahora, hagan el favor de salir del camarote. Me permito recordarles que olviden lo sucedido.

Otto había pasado del pavor a la indignación.

—¿En serio estaba dispuesta a matarme? —le preguntó a Cornelia.

—Por supuesto que no, pero hay determinadas cuestiones que usted no conoce ni debe saber. Le pido disculpas si le he causado algún daño, aunque no creo, ya que he tratado de ser muy delicada.

«¡Menos mal!», se dijo Otto. «Si esto ha sido actuar con delicadeza, no me quiero ni imaginar cuando lo haga con rudeza».

Este simple pensamiento le bastó para decidirse.

—Abandonemos este camarote. Tal y como acaban de escuchar, nada de lo que han sido testigos ha ocurrido jamás —ordenó el comandante.

Ahora se encontraban a solas Cornelia y el marino, en pie, mirándose el uno al otro.

—Quizá estuviéramos más cómodos sentados —dijo el miembro de la dotación.

—¿Qué hace usted a bordo de un *U-Boot*? —le preguntó Cornelia, mientras ambos tomaban asiento.

—Esa es una historia muy larga, que no creo que le interese, aunque trataré de resumirla. No siempre he sido *Oberleutnant zur See*, como habrá podido comprobar. ¿Puede creer que provengo de una familia de rancio abolengo de origen prusiano? Yo mismo tengo un título nobiliario. Quién lo diría, ¿verdad?

—Me había fijado en sus formas refinadas, impropias de un tripulante de submarino, desde primer momento, por eso me ha sorprendido lo que he visto en su mirada. Lo de su antebrazo ya lo suponía.

Los miembros de las *Waffen-SS* llevaban el llamado *Blutgruppentätowierung*, es decir, un tatuaje en el antebrazo con su grupo sanguíneo, para casos de emergencia. Los miembros de los Grupos de Operaciones Especiales de las SS, además del grupo sanguíneo, solían incluir, como signo distintivo, tres minúsculas estrellas, tal y como aparecían en uno de sus escudos.

—Permítame que me presente de nuevo. Soy el *Obersturmführer* Waldemar Sichart von Sichartshoff. Además de oficial de submarinos, también pertenezco, como usted, a los *Einsatzgruppen.*

—¿Cómo sabe que yo también pertenezco a ellos? Esa información es secreta. Ni siquiera se le facilitó al comandante Otto Hartmann.

Waldemar se permitió una pequeña sonrisa.

—Lo conozco por el mismo motivo que usted lo sabe de mí. Estamos bien entrenados, ¿verdad? Es difícil no reconocer la manera de comportarse de un compañero, aunque, en este caso, sea una compañera y, por lo que he podido observar, de las buenas.

—¿Sigue en activo, teniente? —preguntó Cornelia—. Comprenda mi extrañeza, no estaba informada de la presencia, a bordo del submarino, de otro oficial de los Grupos Especiales.

—No estoy en activo, capitán. Por decirlo de alguna manera, mi familia me «aconsejó» que me dejara las *SS*, por la peligrosidad de sus misiones, ya me entiende. Ahora soy primer oficial de la flota de submarinos de la *Kriegsmarine.* En confianza, creo que era más seguro mi anterior empleo —le respondió, manteniendo su sonrisa.

—Como ha utilizado el presente para referirse a que era miembro de...

Waldemar le interrumpió.

—He empleado el presente porque, como sabe, los miembros de los *Einsatzgruppen* lo seguimos siendo siempre, aunque lo abandonemos por otra rama dentro de la *Wehrmacht*, nuestro ejército.

«Eso es cierto», pensó Cornelia.

De repente, le vino a la mente la cena en casa de Himmler, hacía siete meses. Se acordaba que el *Reichsführer* había afirmado que seleccionó la tripulación del submarino de forma personal, uno por uno.

—Sí —se anticipó Waldemar.

—Sí, ¿qué? —preguntó Cornelia, sorprendida.

—Es la respuesta a la pregunta que se está formulando ahora mismo. Conozco a Heinrich Himmler personalmente. Nuestras familias son amigas desde hace bastante tiempo. Me ofreció servir como primer oficial de este submarino, pero no me informó de su presencia ni tengo ninguna información acerca de su misión, en eso puede estar tranquila. Tan solo la he reconocido por su forma tan especial de actuar contra el comandante. Esa velocidad, precisión y control de la situación me eran muy familiares. Puede relajarse, mi única misión a bordo es ejercer de primer oficial, especialista en el armamento y torpedos. Nada más.

Cornelia supo que le decía la verdad, pero tuvo que reconocer la extrema brillantez de la mente de Himmler. Aunque no le informara de nada, había considerado, con evidente acierto, que la presencia en el submarino de otro miembro de los *Einsatzgruppen*, quizá podría servir de ayuda.

Pensando en ayuda, Cornelia cayó en la cuenta que llevaba diez minutos hablando con Waldemar, y aún no le había explicado cómo le podía ayudar, tal y como había afirmado.

—Bueno, una vez aclaradas todas las dudas, pasemos al motivo principal de esta conversación —cambió de tema Cornelia—. Teniente, ¿cómo me puede ayudar con las comunicaciones inoperativas del submarino?

—De ninguna manera —le respondió tajante.

—¿Qué? —se sorprendió Cornelia, que se levantó de golpe de la silla.

—El tercer oficial, Walter Velten, es uno de los mejores técnicos de radio y comunicaciones de la *Kriegsmarine*. Si él afirma que no se puede solucionar el problema, le recomiendo que lo crea.

—Entonces, ¿para qué me ha mentido? —se estaba empezando a enfadar.

—¿Quién ha dicho que le he mentido?

—Usted, ahora mismo.

—No. Le he dicho que creo que las comunicaciones del submarino no se pueden arreglar.

—¿Acaso no es lo mismo?

—Desde luego que no.

—¿Se puede explicar un poco mejor?

—Para dar una respuesta a su pregunta, necesito dos cosas. La primera, que se vuelva a sentar en su silla y la segunda, que me permita abandonar su camarote tan solo por un minuto.

Cornelia, no supo muy bien por qué, se sentó. Intentó tranquilizarse.

—De acuerdo. Un minuto exacto. En caso contrario...

—No será necesario que me busque —le interrumpió Waldemar, mientras salía del camarote.

Cornelia se quedó pensativa. Entre los miembros de los *Einsatzgruppen* existía una camaradería especial. La mayoría de sus misiones eran de altísimo riesgo y se desarrollaban en terreno enemigo, por supuesto en secreto. La vida de todo un equipo dependía de la competencia y la confianza de cada uno de sus individuos. Jamás cuestionaban una orden ni osaban desobedecerla, por extraña que les pudiera parecer.

Aunque Waldemar ya no participara de misiones especiales y ahora tuviera un puesto dentro de la marina, seguía siendo un teniente de los *Einsatzgruppen*, y ella era su oficial superior, capitán. Aunque no sabía cómo, no se imaginaba a Waldemar intentando engañarla.

Cornelia no había terminado sus pensamientos, cuando se abrió la puerta de su camarote y apareció el teniente, con una bolsa negra.

—¿Qué es eso? —preguntó Cornelia.

—Ábrala por usted misma y lo sabrá.

Cornelia le obedeció.

Cuando observó su contenido, casi abraza a Waldemar.

7 EN ALGÚN PUNTO DE LA COSTA MEDITERRÁNEA, ESPAÑA, 3 DE MARZO DE 1943

—¡Mensaje entrante de *Enigma*! —gritó el *Rottenführer* Konrad Shreiber.

Era ya tarde y toda la unidad acababa de cenar. Tan solo había quedado de guardia el cabo.

—Konrad, apártese de la máquina y déjeme solo —le respondió de inmediato el líder del grupo, el *Sturmscharführer* Helmut Albrecht.

—¡A sus órdenes! —le respondió Konrad a su jefe, que su rango era el más elevando dentro de los suboficiales. Equivaldría a suboficial mayor.

Todos eran técnicos especialistas en comunicaciones pertenecientes a las *Waffen-SS*, en concreto a su servicio de inteligencia, el *Sicherheitsdienst*.

Durante la guerra civil española, Hitler envió a la denominada *Legión Cóndor* para ayudar a Franco a vencer en la guerra. En realidad, Hitler, se ayudaba a sí mismo, ya que probaba, en un escenario bélico real, sus nuevas armas, sobre todo en materia de comunicaciones, carros de combate *Panzer I* y prototipos de aviones. La Legión Cóndor había contado con la cobertura legal del régimen franquista, pero los alemanes aprovecharon para introducir, en paralelo, otras células secretas para evaluar el rendimiento de sus armas.

Cuando concluyó la guerra, la mayoría de estos grupos secretos volvieron a Alemania, ya que su labor ya no era necesaria, pero la división que se encargó de evaluar los dispositivos de comunicaciones permaneció en España. Disponían de máquinas de cifrado *Enigma* de uso militar, mucho más sofisticadas que las convencionales. Los militares españoles, a pesar de disponer de una veintena de máquinas *Enigma* cedidas por Hitler, eran del modelo comercial y no eran capaces de descifrar las comunicaciones alemanas.

Himmler reconvirtió estas unidades en postes de escucha y trasmisión, para el apoyo de operaciones encubiertas. Contaban con una red de pisos francos, que también servían de cobertura para los *Einsatzgruppen,* cuando les enviaba a alguna misión especial.

Operaban sin cobertura oficial, es decir, si eran descubiertos, podían ser ejecutados. A pesar de las buenas relaciones entre Hitler y Franco, este último desconocía la existencia de estas células secretas.

En teoría.

La realidad es que no era así. El servicio de radiotelegrafía militar español había captado emisiones codificadas por máquinas *Enigma,* que las suyas propias eran incapaces de descifrar. Comprendieron que Hitler no les había suministrado las mismas máquinas que los alemanes utilizaban en sus operaciones militares. En definitiva, Hitler no quería que los españoles escucharan sus comunicaciones confidenciales.

Al general Franco no le sentó nada bien conocer esta información, ya que consideraba que Hitler era un aliado. No solo no le había entregado la última tecnología, sino que mantenía en España a células secretas, cuya actividad y finalidad desconocía, que se comunicaban con Alemania, y cuyos mensajes no eran capaces de descifrar.

Por ello, Franco creó una unidad especial dentro del servicio de radiotelegrafía militar, encargada específicamente de localizar estas unidades alemanas. Además de desmantelarlas, pretendía hacerse con una de las codiciadas máquinas *Enigma* de última generación, que tan la solo utilizaban los alemanes. No escatimó en medios. Puso al frente de la unidad al mejor experto que disponía, al comandante Antonio Sarmiento, que era el jefe de la Oficina de Escuchas y Descifrado del Cuartel General del Alto Estado Mayor del Ejército. También creo una unidad militar especial, que servía de apoyo logístico a los técnicos del departamento del servicio radiotelegráfico. Para Franco, localizar a estas células seretas alemanas se convirtió en una obsesión.

Los miembros de estas células secretas alemanas, como buenos miembros de su servicio de inteligencia, estaban bien entrenados. Nunca permanecían en un mismo lugar más de tres semanas y sus comunicaciones eran las mínimas imprescindibles para sus operaciones. Sabían que los españoles, si se lo proponían, podrían triangular su señal y localizarlos. Eso no lo podían permitir jamás. Por ello, cuando recibían un mensaje, sabían que siempre era algo de mucha importancia. Para las trasmisiones convencionales de rutina, los alemanes no utilizaban estas células secretas. Eran demasiado valiosas. Se servían de equipos de comunicaciones convencionales y no les importaba que sus mensajes fueran interceptados. No contenían información relevante.

Toda la célula estaba pendiente de la máquina *Enigma.*

El único con autorización para descifrar y conocer su contenido era el jefe del equipo, en este caso, el *Sturmscharführer* Albrecht. En ello estaba.

Las máquinas *Enigma* de las que disponían estas células eran similares a las que utilizaba la *Kriegsmarine*, pero no su modelo *M3*, sino el *M4*, una versión más sofisticada, con cuatro rotores y más combinaciones de cifrado. El *Heer*, el ejército de tierra alemán y la *Luftwaffe*, la aviación, utilizaban un modelo más simple, de tres rotores. Las *Waffen-SS* siempre disponían de la tecnología más puntera. Himmler no dudaba en dotarlos del mejor material.

Albrecht leyó la cabecera del mensaje cifrado. Le daba información para configurar su máquina.

2015 1TLE 047 CBFP

«2015» significaba la hora en que se había emitido el mensaje. «1LTE» era una abreviatura del alemán 1 *Teile*, que indicaba el número de partes del que constaba el texto cifrado, en este caso, una sola. Los tres siguientes números «047», les informaban del número de caracteres y, por fin, las letras «CBFP» eran las posiciones que debía situar los cuatro rotores de la máquina, para poder descifrar el mensaje:

NNIH WTUO ZHWB CCOF
RCZB PHZU QZGX QGRW
PRQY UYIS YMRR QGL

Una vez descodificado, el mensaje comunicaba lo siguiente:

RETRASO DEL PAQUETE
ESPERAD EN POSICIÓN
NUEVAS ÓRDENES
RF

Helmut Albrecht mostró a sus tres compañeros de la célula el contenido del mensaje, una vez descifrado.

—¡Pero si ya llevamos en esta posición dos semanas! No podremos esperar mucho más en este piso franco —dijo el cabo Konrad.

—Teníamos previsto cambiar a la siguiente posición en dos días —intervino ahora el *Scharführer* Martin Bauer, el segundo al mando. Era sargento primero—. Helmut, sabes que no es seguro, incluso diría que peligroso. No podemos alterar los procedimientos operativos, a riesgo de ser capturados, y eso todos sabemos que no podemos permitir que ocurra. Sería una catástrofe.

—Lo sé, Martin, pero son órdenes.

—Pero órdenes que ponen en peligro nuestra propia supervivencia. No olvidemos que debemos proteger la máquina *Enigma* por encima de nuestras propias vidas.

El *Unterscharführer* Walter Krämer, el tercero en la cadena de mando, ya que era sargento segundo, no se había pronunciado, aunque lucía una ligera sonrisa en el rostro.

—¿Qué le ves de gracioso a estas órdenes? —le preguntó Martin Bauer.

—Que no os habéis fijado bien en todo el mensaje —le respondió.

Ahora, todos giraron de nuevo su vista hacia el texto descifrado. El primero que cayó en la cuenta fue, precisamente, el de menor rango de todos los presentes, el cabo Konrad.

—Fijaos en las dos últimas letras. Me temo que ya sabéis lo que significan.

Ahora, todos cayeron en la cuenta.

—Verdammt! —se le escapó al sargento primero Martin. Era una palabra malsonante, del estilo de «¡joder!».

—Y tanto que sabemos que significan —dijo el jefe de la célula, Helmut—. Quiere decir que tenemos que prepararnos para lo peor.

Todos sabían que las dos últimas letras eran la firma del mensaje, del que lo había enviado desde la otra máquina *Enigma*. En este caso, «RF» era la abreviatura de *Reichsführer*. En consecuencia, eran órdenes directas del mismísimo Heinrich Himmler.

—No sirve de nada lamentarse, pero desde esta misma noche, tomaremos medidas adicionales de seguridad. En lugar de una persona, harán guardia dos —decidió Helmut.

—Nos encontraremos más cansados si surgen complicaciones —intervino el sargento segundo Walter.

—Estamos bien entrenados. No solo somos técnicos de comunicaciones, también soldados de élite las *Waffen-SS*. No lo olvidéis. Cualquiera de vosotros puede, con una mano atada a la espalda, con cinco soldados franquistas—dijo Helmut, para intentar animar a sus hombres, aunque, en su fuero interno, pensaba lo mismo que ellos. Aquella situación se podía volver peligrosa.

—Sabemos que los sabuesos de los servicios de radiotelegrafía de Franco nos siguen la pista —intervino Martin—. Les estamos poniendo las cosas muy fáciles.

—No merece la pena seguir con la discusión. Son órdenes directas de Himmler —intentó zanjar el tema Helmut.

Se dirigió a Konrad.

—A ti te tocaba la guardia esta noche. La mantendrás, pero en el exterior. Quiero que te camufles entre los arbustos de la entrada. De ahí tienes una vista despejada de la calle, por su vertiente norte.

Ahora se giró hacia Walter.

—En cuanto a ti, te quiero en la ventana, con las luces apagadas. Tendrás visión del sur. Cubriremos todos los flancos.

No había terminado la última frase, cuando empezaron a aporrear la puerta con insistencia.

8 EN ALGÚN LUGAR DEL MAR MEDITERRÁNEO, 3 DE MARZO DE 1943

Cornelia lo observó mejor.

—¿Es un receptor americano *Audion*? Casi es una pieza de museo. Creo recordar que lo desarrolló Lee De Forest hace más de treinta años. No es por hacerle de menos, ya que supuso un gran avance tecnológico en su momento, pero, hoy en día, existen versiones más modernas, además de fabricación alemana, como el *Volksempfänger VE301*, que utiliza un circuito de audio con tres tubos.

—¡Bravo! —respondió Waldemar a Cornelia, aplaudiéndola—. Veo que es una verdadera especialista en comunicaciones, y no solo de las actuales.

—Como bien sabe, en los *Einsatzgruppen*, como unidades de élite, tenemos acceso al material más moderno, pero eso no significa que, en algunas ocasiones, debamos de recurrir a aparatos del siglo pasado.

—No hace falta que me lo diga. Me he llegado a comunicar con mi unidad hasta con banderas.

Cornelia sonrió, pero recondujo la conversación. No quería distraerse con detalles triviales.

—Pero ¿de qué me sirve un receptor? Lo que preciso en un trasmisor de onda corta y alta frecuencia, para comunicarme con la estación costera de La Spezia. Este aparato tan solo me permitiría escuchar.

Waldemar sonrió.

—Supongo que una persona con su formación hablará inglés.

—No solo inglés. Ya sabe que nuestras operaciones encubiertas requieren dominar varios idiomas, ya que, casi siempre, son ejecutadas tras las líneas enemigas. Pero ¿a qué viene esta pregunta?

—Pues entonces, se lo puedo decir. Esto no es realmente un *Audion* antiguo, sino un *Easter Egg*.

Al principio, Cornelia no lo comprendió. Se quedó mirando a Waldemar con un gesto de denotaba incomprensión.

—¿Un huevo de pascua?

—No, un *Easter Egg* —recalcó Waldemar.

De repente, la mente de Cornelia se iluminó.

—¿No me diga? —preguntó, emocionada.

—Se lo digo. A veces las cosas no son lo que parecen y hay que esconder secretos a la vista de todos. *Easter Eggs*. Ya sabe lo reducido del espacio de los *U-Boot*. Tan solo se nos permite un objeto personal por tripulante y es imposible ocultarlo. Esto, en apariencia, es un receptor de radio antiguo. No llama nada la atención. En el caso de que fuera también un trasmisor de alta frecuencia, con toda probabilidad no me lo permitirían subir a bordo. En consecuencia, yo elegí embarcar conmigo un *Easter Egg*, algo que no parece lo que es.

Cornelia tenía muchas dudas.

—Pero un trasmisor de alta frecuencia necesita una antena potente y una gran fuente de alimentación eléctrica, que es imposible que quepan en ese pequeño aparato.

—Da la casualidad de que la antena omnidireccional telescópica, que está instalada en el puente, funciona perfectamente, como así nos ha confirmado el tercer oficial Walter Velten. Por otra parte, este submarino ha sido recientemente remodelado, y no solo para añadir su camarote. También fue instalado un flamante nuevo sistema eléctrico, consistente en motores de doble acción *Brown, Boveri & Cie GG UB,* que producen una potencia que roza los 800 caballos y baterías nuevas de alta capacidad.

—Esa información la desconocía —reconoció Cornelia, con renovada esperanza.

—Le voy a confesar un pequeño secreto. De vez en cuando, me reconforta saber que puedo mantener conversaciones con mi esposa, sin utilizar los canales oficiales, aunque acabe no haciéndolo. La simple posibilidad me tranquiliza.

—Entonces ¿no lo ha probado? —Cornelia parecía que había perdido su ilusión.

—Aunque siempre lo he embarcado conmigo, tan solo lo intenté utilizar en nuestra segunda patrulla. Ya le he contado hace un rato que fuimos atacados por dos corbetas británicas que nos produjeron daños. Tuvimos que regresar a nuestra base de La Spezia para reparar el submarino. Se nos ordenó silencio de radio. Fueron tres semanas muy duras.

—¿No me diga que, entonces, habló con su mujer? —ahora Cornelia volvió a recuperar la esperanza. Sus sensaciones subían y bajaban por momentos.

—Cuatro veces.

Cornelia se levantó de la silla y alzó sus brazos. Ahora sí, estaba verdaderamente emocionada.

—¿Le puedo dar un beso? —Cornelia respiraba felicidad por los poros de su piel.

Waldemar Sichart von Sichartshoff no pudo evitar reírse.

—La verdad es que nunca me ha besado un tripulante de un *U-Boot,* pero me parece que, en su caso, podría hacer una excepción —dijo, con retranca.

Cornelia le estampó un sonoro beso en una de sus mejillas. Waldemar se sonrojó.

—No es para tanto, yo tampoco he besado nunca a un miembro de los *Einsatzgruppen.* Estamos empatados —se notaba que Cornelia estaba contenta.

—La veo feliz, pero quedan bastantes obstáculos por superar para que este aparato pueda funcionar. Recuerde que lo hemos de conectar a la antena del puente, además de puentear las baterías auxiliares del submarino. Todo ello a la vista de la tripulación.

—Pero usted ya lo ha hecho con anterioridad.

—Eran otras condiciones. Nos limitábamos a regresar a nuestra base, sin ningún objetivo que cumplir. La vigilancia a bordo estaba bastante relajada. Ahora, estamos ante una misión de gran importancia.

—Usted es el primer oficial. Cuando el comandante descansa, está al mando del submarino.

—Esos son los momentos que aproveché en el pasado, pero tenemos un grave problema que deberá resolver, antes de ser capaces de intentarlo.

—¿A qué se refiere? —Cornelia estaba confundida.

—Hace apenas treinta minutos ha puesto un cuchillo en el cuello del comandante de este submarino, en presencia de los tres primeros oficiales. Aunque la sacara de aquel atolladero, ¿realmente cree que el incidente está superado?

—No lo entiendo.

—Demasiado tiempo en los Grupos de Operaciones.

—¿Qué dice?

—¿No le parece que le debe una disculpa al comandante Otto Hartmann?

Cornelia se quedó un instante reflexionando. En su calidad de capitán, había dirigido operaciones en las que debía tomar decisiones en menos de lo que le costaba pestañear. Esta era una de ellas. Disculparse con el comandante le consumiría un tiempo precioso. Estaba segura de que Himmler estaría, ahora mismo, muy intranquilo, por la falta de comunicaciones con el submarino.

—Dejaré ese tema para después de resolver el problema principal —resolvió Cornelia—. Mi comunicación con la base naval de La Spezia es prioritaria.

—No —le respondió Waldemar, que ahora estaba muy serio.

—¿Cómo dice? —a Cornelia le había pillado por sorpresa esa respuesta tan firme.

—Que primero se disculpará con el comandante y después organizaremos el resto.

—¿Cómo se atreve a cuestionarme?

—No sea indolente. El comandante le tiene miedo. Lo conozco y le pondrá una discreta vigilancia. Eso arruinaría nuestros planes. Debe dejar las cosas claras con él y que no la perciba como una amenaza para su persona, su tripulación y su submarino. Si no lo consigue, tampoco logrará su ansiada comunicación.

Cornelia no había tenido en cuenta ese punto de vista. Se enfadó consigo misma. Debía de reconocer que Waldemar tenía razón.

—Teniente ¿me permite una pregunta personal?

—Por supuesto capitán.

—No soy mucho de halagos. Creo que debilitan a las personas y las conducen a la autocomplacencia y a no percibir la realidad de las situaciones. Me *acaba* de dar toda una lección de sentido común. Allá va la pregunta, ¿cuál era su posición exactamente dentro de los *Einsatzgruppen*?

Waldemar sonrió.

—¿Sabe? Si con tan solo veintidós años es tan perspicaz, con treinta dará auténtico miedo. No le arriendo la ganancia a su futuro esposo, si es que encuentra a algún intrépido hombre que se atreva.

—No ha respondido a mi pregunta.

—No se preocupe, no la estoy rehuyendo. Era el asistente táctico del fallecido *Obergruppenführer* Reinhard Heydrich, eso cuando no me enviaban a misiones.

Cornelia se sorprendió. Heydrich fue, hasta su asesinato, el jefe del *Sicherheitsdienst,* los servicios de inteligencia de las *SS*, a los que ella pertenecía. Tan solo reportaba ante Himmler. También tenía mando sobre la élite de la élite, los *Einsatzgruppen.*

—Me ha engañado. Usted no es un simple teniente.

—Quizá no, pero eso ahora no importa. Acuda de inmediato a disculparse con el comandante, y quiero que lo haga de una forma sincera. Debe comprender que su proceder ha sido completamente inapropiado, sean cuales sean las instrucciones que Himmler le haya dado.

Cornelia se permitió una pequeña sonrisa. Si las conociera, quizá no pensara lo mismo. A pesar de ello, consideró que iba a ser una larga travesía y no le iba a ayudar nada estar enemistada con el comandante.

—De acuerdo, lo haré ahora mismo —respondió Cornelia, mientras invitaba a salir de su camarote a Waldemar—. Si no le importa, me parece que este trasmisor estará más seguro aquí.

—No hay problema —le respondió—. Ahora, haga lo que tiene que hacer.

Cornelia se dirigió hacia el puente. No vio al comandante. Supuso que estaría en su camarote. Se dirigió hacia allí y llamó a la puerta.

—Adelante —escuchó desde el interior.

En cuanto Otto vio entrar a Cornelia, se levantó de su silla.

—¿Viene a rematar la ejecución inconclusa de hace un rato? Ahora le será más fácil, estamos solos.

—Todo lo contrario. Lamento profundamente lo sucedido. Mi comportamiento fue impropio de una oficial de las *Waffen-SS* hacia mi superior en este submarino —hizo una breve pausa—. Disculpe mi torpeza, pero no estoy acostumbrada a pedir disculpas, pero, créame, son sinceras.

—Supongo que estará más acostumbrada a rebanar pescuezos.

—Comandante, su mujer y usted nos acogieron a Markus y a mí en su casa en La Spezia, sin tener ninguna necesidad de ello. Sabía quiénes éramos y a qué nos dedicábamos. No le importó, a pesar de apenas conocernos personalmente. Eso demuestra que es una buena persona, por no hablar de su mujer, que es un ángel. Se le nota en la mirada, y de eso entiendo algo. Quiero que sepa que jamás se me pasó por la cabeza hacerle ningún daño.

Cornelia hizo una pequeña pausa. Se notaba que le costaba hablar. Continuó.

—¿Sabe? En ocasiones nos encontramos en situaciones de gran tensión y debo tomar decisiones, en apenas décimas de segundo. En esta ocasión, tomé la equivocada. No volverá a suceder. Le aseguro que estoy abochornada —los ojos de Cornelia estaban húmedos.

Otto se dio cuenta. Le dio un pequeño abrazo.

—No se preocupe, Cornelia. Supongo que todos estamos sometidos a mucha presión. Usted tendrá sus propias instrucciones del *Reichsführer* Himmler, que yo desconozco. Puede que, en alguna ocasión de esta travesía, sus órdenes puedan diferir de las mías. Tan solo le pido que, en ese caso, lo discutamos privadamente en mi camarote, de una manera civilizada, sin cuchillos de por medio.

Ahora, Cornelia estaba verdaderamente afectada.

Le salvó la campana, nunca mejor dicho. Un sonido estridente resonaba por todo el submarino. Las luces habían cambiado de color.

—¿Qué ocurre? —preguntó Cornelia, sobresaltada.

—Es la alarma general del submarino. Debemos abandonar de inmediato este camarote y seguir los procedimientos de emergencia.

—¿El saboteador otra vez? —se aventuró Cornelia.

—Es posible —le respondió Otto, mientras salía a toda prisa y la empujaba hacia el exterior.

«El rostro desencajado del comandante no augura nada bueno», fue lo último que pensó la capitán Schiffer.

9 EN LA ACTUALIDAD, VALENCIA, 29 DE JUNIO

—¿No me negaréis que es un auténtico lujo estar sentadas aquí? —dijo Carlota—. Observad la luz, los colores de la playa y del mar Mediterráneo. Es un verdadero espectáculo, que el maestro pintor Joaquín Sorolla supo captar en sus cuadros, con su inmenso talento.

—Ya me robas hasta las frases —le replicó su hermana Rebeca—. Te recuerdo que yo te descubrí este preciso lugar, cuando empezamos a salir a correr.

—Bueno, el lugar ya lo conocía, pero más centrado en el tema gastronómico que en el deportivo. En eso sí que te doy la razón.

—Hemos de reconocer que somos unas privilegiadas —dijo Almu.

Almudena era una de las mejores amigas de ambas, aunque siempre había sentido más afinidad por Rebeca, ya que se conocían desde los seis años. Habían estudiado juntas en el colegio Albert Tatay hasta los dieciocho, para luego pasar a la Facultad de Geografía e Historia de la Universidad de Valencia. Ambas eran graduadas en Historia y estaban en su segundo año de máster. Con Carlota también se llevaba muy bien, pero su constante espontaneidad e improvisación le ponía nerviosa. Almu era más organizada y trataba que su vida trascurriera así, de una manera tranquila.

—Las playas de Cannes tampoco están mal, pero tengo que reconocer que la belleza de La Patacona, en concreto de este local, *La más preciosa*, es difícilmente superable —intervino Carol.

—Tú siempre barriendo para Francia —le respondió Carlota—. ¿Te cuento un chiste en francés?

Carol se le quedó mirando, extrañada. No le dio tiempo a responder que no era necesario, ya que Carlota se disponía a comenzar.

—Toto rentre à la maison après sa première journée à l'école. Sa maman lui demande: Alors Toto, tu as appris beaucoup de choses aujourd'hui? Pas assez on dirait: ils veulent que j'y retourne demain.

Rebeca y Carol se rieron, a pesar de que el chiste era muy viejo y malo.

—Tu acento es fantástico. No sabía que dominaras el francés tan bien —le dijo Carol.

—Es mi especialidad —le respondió Carlota, riéndose aún más.

A Carol casi se le cae la jarra de cerveza de las manos, del golpe de risa que le había entrado.

—Bueno, no sigamos por ese camino que... —Rebeca intentó desviar la conversación, ya que conocía demasiado bien a su hermana y sabía que la podía liar en un momento.

Almu la interrumpió.

—¿Alguien me puede explicar el chiste? Ya veo que las tres habláis francés, pero yo no. Si queréis, os cuento uno en alemán, que ya sabéis que mi padre es de allí.

—¡*Nooo*! —respondieron a coro las tres, volviéndose a reír.

—Es muy malo —comenzó a explicarlo Carol—. Una madre le pregunta a su hijo si le ha ido bien en la escuela y le responde que no, porque quieren que vuelva mañana.

A Almu le pareció gracioso.

Carol era otra de las grandes amigas del grupo. También había estudiado en el colegio Albert Tatay, en la misma clase que las tres, desde los seis años. Su madre era española, pero su padre era un diplomático francés destinado en la embajada de Francia en Madrid, por eso era un tanto afrancesada. «*Apijada*» era más apropiado, según Carlota, que le había puesto el mote de «ecopija», ya que, no solo tenía mucho dinero, sino que le gustaba que se supiera. Además, era vegetariana, defensora del medio ambiente y de los animales, mientras portaba un bolso de *Christian Louboutin*, confeccionado con cuero de becerro, que no bajaría de los mil euros.

—Estos calamares de playa están fantásticos —dijo Almu, que era la primera vez que pisaba *La más preciosa.*

—Mira al frente. Todos esos tíos jugando al *volleyball* sí que están fantásticos —le replicó Carlota.

Era sábado y habían quedado las cuatro amigas para darse un paseo por la playa de la Malvarrosa, en Valencia, y luego continuar hasta La Patacona, ya en Alboraya. Durante diez meses al año se veían todas las semanas, los martes, en el *pub* Kilkenny's, pero en los meses del verano, julio y agosto, no se celebraban reuniones del *Speaker's Club.* Se echaban de menos. Rebeca y Carlota se veían casi todos los días, pero hacía casi un mes que no se juntaban las cuatro.

—¿Cómo te va en la televisión? —le preguntó Carol a Rebeca—. En casa te vemos y nos pareces muy divertida.

—Me lo paso bien con todas las compañeras, pero me supone un gran esfuerzo, ya que, como sabéis, el programa es en directo y se emite desde los estudios de la productora, en Madrid. Mis colaboraciones son los miércoles y pierdo todo el día por un par de horas de emisión. Es mucho más cómodo el trabajo en la radio. A pesar de que el *magazine Buenos días* también es nacional, mi colaboración la hago en directo, pero desde los estudios de Valencia.

—En verano, ¿también tienes que irte a Madrid todas las semanas a entrar en directo por la tele? ¡Vaya fastidio! —dijo Almu—. Te cortarán cualquier posibilidad de vacaciones.

Rebeca sonrió.

—No te creas, depende del medio. Lo más sencillo es lo del periódico. Tengo un mes de vacaciones, pero dejo escritos todos los artículos antes de irme, así que no notan mi ausencia. Además, desde que tenemos un nuevo director, parece que hay más alegría en la redacción. En cuanto a la radio y la televisión, también tengo un mes de vacaciones. El año pasado me tocó agosto, así que este año se podría decir que ya estoy de vacaciones, porque las tengo en julio. Como sabéis, hoy es sábado 29 de junio, así que el lunes es 1 de julio. En consecuencia, ya no tengo nada que hacer hasta el lunes 5 de agosto. Todo un auténtico lujo que pienso aprovechar.

—Entonces, ¡ya sabemos quién paga el aperitivo! —dijo Carol.

—Serás tú, que no has trabajado en tu vida —le replicó, riéndose, Carlota.

—¡Oye! Que soy embajadora nacional del *United Nations International Children's Emergency Fund* —dijo, con esa voz de *pija* que acostumbraba a emplear, en los momentos de especial lucimiento.

—¡Ah! Perdona, no sabía que eso fuera un trabajo. Ser embajadora de la UNICEF debe ser agotador.

Carol no pilló la ironía de su amiga.

—Lo es, además conoces gente muy interesante. En España, tan solo somos catorce personas y hacemos una labor muy importante.

—Y de esos catorce, ¿hay alguno interesante? —volvió a preguntar Carlota, con evidente mala intención.

—Los más divertidos son Lara Álvarez, Juan y Medio y Chenoa. También son muy activos Emilio Aragón y David Bisbal, aunque mi mejor amiga, dentro de los embajadores, es Dulceida. Siempre estamos juntas.

—¿Dulceida es embajadora? —se asombró Carlota—. ¿Y por qué yo no lo soy?

Aída Doménech, más conocida por su nombre artístico de Dulceida, se dedicaba a lo mismo que Carlota. Era una *influencer* en redes sociales y marcaba tendencias en su *webblog*. Incluso tenía una tienda *online* de los productos que promocionaba.

—¿No te pretenderás comparar con ella? —le respondió Carol, provocándola.

—¡Por supuesto que no! ¿Qué te has creído? Yo soy mucho mejor que ella y no me muevo por puros intereses económicos —Carlota se había molestado un tanto.

Almu quiso poner paz entre las amigas.

—Venga, cambiemos de tema. Rebeca, ¿qué piensas hacer a partir de ya, que estás de vacaciones un mes completo? Con el ajetreo de tu vida diaria, casi ni te lo creerás.

—Bueno, aún no lo sé. Supongo que descansar. Creo que este último año me lo he ganado a pulso. No he parado.

—¡Y tanto! Te has convertido en una *celebrity*, conocida en toda España.

La mirada que le echó Carlota a su hermana fue algo así como «te voy a matar y, después, descuartizarte a trocitos en la bañera», pero se contuvo y no comentó nada. Ya tenía planeadas las vacaciones, tan solo con ella, en Ibiza. Y no precisamente para descansar.

—Pues si quieres desconectar —continuó Almu—, ¡este es el año perfecto!

—¿Por qué? —preguntó Carlota, un tanto enfurruñada—. ¿Por qué es el año del cerdo para los chinos? ¡A descansar como una *gocha*, que dirían en el norte de España!

—Hablando de chinos, ¿sabéis que en su creencia popular, es un año en el que te sucederán cosas importantes? —intervino Carol—. Por ejemplo, el Dalai Lama nació en el año del cerdo. Lo admiro.

—¿Al Dalai Lama? ¿En serio? Supongo que a ti te gustará más la modelo Kendall Jenner, medio hermana de Kim Kardashian, que también nació en un año del cerdo, en 1995 —continuó con sus pullas Carlota.

—Si pudiera elegir, yo me quedaría con Elon Musk, el revolucionario inventor, que nació en 1971, también año del cerdo.

—No sabía que supierais tanto de cerdos. Yo conozco a alguno, pero no por haber nacido en un año en concreto —se rio Rebeca, que no había comprendido a Almu y se dirigió a ella —¿Por qué has dicho que es el año perfecto, si quiero desconectar?

—Muy sencillo. Porque llevo invitándoos a las tres a pasar las vacaciones en mi pueblo, Denia, en la costa alicantina, desde hace, al menos, cinco años. Siempre me habéis puesto pretextos. Este año estamos todas libres en julio. Ahora no tenéis escapatoria.

—¡Oye! ¿Quién te ha dicho que yo quiera descansar? Esa ha sido la sosa de mi hermana —dijo Carlota, indignada— Yo quiero juerga.

—Pues en Denia, en verano, hay un auténtico *ambientazo* por las noches. De día podemos descansar en la playa y, por las noches, salir a tomar algo.

—Me parece un plan estupendo —dijo Rebeca—, siempre que no molestemos a tu familia, que me imagino que también estarán en la casa.

Almu se rio.

—¿En la casa? Creo que nos apañaremos. Mis padres van y vienen, viajan mucho. Hay semanas en las que ni los veo. No creo que coincidamos con ellos.

—Te lo agradecemos mucho, Almu, pero mi hermana y yo... —empezó a decir Carlota, cuando recibió un tremendo puntapié por debajo de la mesa, que la hizo detenerse en su explicación

—Carlota iba a decir que tanto ella como yo estamos encantadas de aceptar tu invitación —concluyó Rebeca.

—Pues si vais las tres, yo también me apunto —dijo Carol— . ¡Fiesta de chicas!

Carlota le lanzó una mirada asesina a su hermana, pero le sorprendió lo que vio en sus ojos.

La conocía perfectamente.

Allí había algún misterio.

10 EN ALGÚN LUGAR DEL MAR MEDITERRÁNEO, 3 DE MARZO DE 1943

Cornelia había pasado del bochorno, en el camarote del comandante Otto Hartmann, a la tensión máxima para la que había sido entrenada a conciencia.

Siguió a Otto hasta el puente de mando.

—¿Qué ocurre aquí? —preguntó.

—Señor, tráfico en superficie, potencialmente peligroso —le informó el primer oficial, Waldemar.

—¡Apaguen esa alarma infernal! —ordenó el comandante—. Silencio absoluto y profundidad de periscopio.

Cornelia no entendía de tácticas de combate en submarinos, pero le pareció que la orden lógica hubiera debido de ser la contraria. Si había peligro en la superficie, la simple prudencia y sentido común indicaban que tenían que ir en dirección contraria al peligro, es decir, hacia una inmersión a mayor profundidad. No obstante, ella era un simple «paquete» en este *U-Boot*. El comandante era el que tenía más experiencia.

Alcanzaron la profundidad de periscopio.

—Primer oficial —el comandante se dirigió a Waldemar—. Diríjase de inmediato a su posición de combate y hágase cargo del armamento. Por si es necesario, prepare torpedos.

—Como usted ordene —dijo Waldemar, mientras abandonaba el puente.

—¿Qué ocurre? —preguntó Cornelia.

—Ahora lo sabremos con exactitud —le respondió Otto.

Se asomó al periscopio. Estuvo, al menos, un minuto. La tensión se palpaba en el ambiente, ante la incertidumbre.

—*Obersteuermann* Matthias Otten, confirme avistamientos —ordenó Otto.

Matthias era el suboficial de mayor rango, responsable de la navegación del submarino.

—Confirmado, señor. Cuatro buques mercantes de gran tonelaje, tres con bandera estadounidense y otro británico, escoltados por un destructor de la *Royal Navy*. Según mi apreciación visual, por su silueta, podría tratarse del *HMS Bulldog*.

—Confirmación auditiva también, señor. Su huella sonora se corresponde con el *Bulldog* —corroboró el *Funkobergefreiter* Karl Geffe, el suboficial encargado de los sistemas de escucha subacuáticos.

Todos los buques tienen un sonido característico. Un técnico bien entrenado, como era el caso de Karl, era capaz de identificar casi cualquier barco o submarino por el sonido que emitían sus turbinas y sus hélices. Era la llamada «huella sonora» a la que había hecho referencia.

—Tripulación, entramos en modo de combate.

Cornelia estaba atónita. Se suponía que esta era una misión de trasporte, no una patrulla ordinaria de un *U-Boot*, donde sí que estaban autorizados a atacar buques mercantes a discreción, incluso a torpedear a algún barco de guerra, si lo veían viable.

No se pudo aguantar.

—Comandante, ese destructor, ¿nos puede causar problemas?

—¡Y tanto! —le respondió Otto—. El *Bulldog* va equipado con abundante material de combate antisubmarino. Dispone de ocho tubos lanzatorpedos y suele trasportar, al menos, veinte cargas de profundidad de gran potencia. Además, cuenta con la tecnología de localización ASDIC, el temido sonar. Es un enemigo demasiado poderoso para nosotros solos.

—Entonces ¿qué estamos haciendo?

—No soy tan loco de enfrentarme a ese destructor, ni siquiera al convoy en su totalidad. Para ello harían falta otros *U-Boot* y atacar como una manada de lobos, que no es nuestro caso. Nos limitaremos a mantenemos a una distancia prudencial para evitar nuestra detección por el destructor, pero, si algún mercante se pone a tiro, podríamos intentar lanzarle algún torpedo y luego escapar a toda máquina.

Cornelia no entendía a Otto.

—Pero ya escuchó las instrucciones de Himmler. La seguridad del teniente Markus y la mía es la prioridad de esta misión. No estamos de patrulla, sino de trasporte.

—Lo tengo muy claro, pero también yo recibí otras órdenes que quizá no conozca. ¿Se acuerda que lo acabamos de comentar en mi camarote?

—Por supuesto.

—Nos debemos de comportar como cualquier *U-Boot* para evitar llamar la atención. Si el destructor nos detectara y no observara ningún signo de intento de ataque por nuestra parte, podría sospechar algo extraño. El objeto de nuestras patrullas es atacar buques mercantes y, ahí delante, hay cuatro. No resultaría normal que pasáramos de largo, sin más.

—Pero acaba de decirme que ese destructor es muy peligroso.

—Es que lo es. No le estoy diciendo que vayamos a entrar en combate con él, sería una locura. Tan solo pretendo comportarme como lo haría cualquier otro *U-Boot* de la *Kriegsmarine*. Hostigar no significa necesariamente atacar. Eso ya lo valoraremos en función de las circunstancias.

Cornelia, a pesar de las explicaciones del comandante, no estaba tranquila. Ella también tenía sus propias órdenes.

—Confío en que sabrá lo que hace —le dijo al comandante.

—Por supuesto, capitán. Para que se quede más tranquila, mis órdenes incluyen hostigar, inutilizar e incluso, si es posible, hundir algún buque mercante, durante esta misión. No solo vamos de paseo.

—No tenía conocimiento de ello.

—Porque no necesitaba tenerlo. Esa es el sentido de los *U-Boot*. ¿Sabe cuántas patrullas ha efectuado, hasta el momento, el *U-77*?

—¿Cómo voy a conocer ese dato?

—Esta es la undécima, la cuarta bajo mi mando. En todas ellas ha entrado en combate con otros buques o aviones enemigos. ¿Qué cree que pensaría el alto mando de la *Royal Navy* británica si detecta un *U-Boot* que no se comporta como un *U-Boot*? La respuesta es obvia, que no estamos en una misión de patrulla. De inmediato, llamaríamos la atención. Eso sería mucho más peligroso que lo que nos encontramos haciendo ahora mismo. Aunque no se lo parezca, estamos intentando pasar desapercibidos.

«Pues vaya manera de hacerlo», pensó Cornelia.

—Señor, el destructor se está aproximando. Rumbo 187, velocidad 16 nudos.

—¿Distancia?

—Todavía se encuentra a 23 millas.

—Buena señal.

—¿Qué se aproxime es buena señal? —Cornelia no entendía nada.

—No. Lo es su velocidad. El *Bulldog* es capaz de alcanzar los 35 nudos. Si nos hubiera detectado, no navegaría a media máquina.

Ahora, Otto se dirigió a Karl.

—Informe constantemente de la distancia, rumbo y velocidad del destructor.

Se giró hacia el navegador, Matthias.

—Cuando la distancia se reduzca hasta las 15 millas, prepárense para la inmersión. No quiero que nos localicen de forma visual.

—Señor, el destructor ha aumentado su velocidad. 22 nudos, distancia 20 millas.

—Inmersión inmediata —ordenó el comandante, sin esperarse hasta las 15 millas—. Silencio total.

—Señor, parece que nos ha localizado. Detectamos las señales del sonar.

Otto vio la cara de susto en el rostro de Cornelia.

—No se preocupe. Está demasiado lejos. Antes de que llegue a nuestra posición, ya habremos alcanzado una profundidad de seguridad. ¿Se da cuenta? Esta maniobra ha sido acertada. Ahora, el destructor informará de nuestra localización. Supondrán que somos un *U-Boot* más, hostigando a sus convoyes, que huye ante la presencia de un destructor. Todo normal.

—Sí, muy normal —le respondió Cornelia, cuyo rostro aún reflejaba cierto temor. En operaciones de superficie, percibía que controlaba la situación y se manejaba con seguridad y precisión. Había sido muy bien entrenada para dirigir equipos en esas condiciones. Pero debajo del agua, se sentía una completa inútil.

—Reunión de oficiales en mi camarote, en cinco minutos —ordenó Otto. Ahora se giró hacia Cornelia—. Usted asistirá también.

La capitán Schiffer no se lo esperaba. Ella no era oficial de submarinos ni entendía nada de sus tácticas de combate. Estaba claro que la reunión debía de tener otra finalidad. No le gustó, aunque no podía ignorar las órdenes del comandante. Parecía que volvía a confiar en ella. Recordó los sabios consejos del primer oficial, Waldemar.

Cornelia siguió a Otto a su camarote, del que acababan de salir hacía apenas quince minutos. El segundo oficial Hans Schwartz entró de inmediato. Al minuto lo hizo el tercero, Walter Velten. Algo más le costó al primer oficial, Waldemar Sichart von Sichartshoff, ya que se encontraba en la sala de torpedos.

Otto esperó a que todos tomaran asiento. Él permaneció en pie. Los tres oficiales miraban a Cornelia. Estaba claro que se estaban preguntando qué demonios hacía en una reunión de los oficiales del *U-77*, si ella no lo era. También se lo preguntaba Cornelia. Otto se dio cuenta.

—¡Menudo primer día de navegación estamos teniendo! ¿Verdad? —comenzó, intentando romper el hielo—. Como observo gestos de extrañeza en sus rostros, incluido en el de la capitán Schiffer, comenzaré primero por ese tema. Desde ahora en adelante, asistirá a todas las reuniones de oficiales. Yo soy el comandante de este submarino y tengo mis instrucciones, pero la capitán también tiene las suyas propias. En ocasiones, pueden entrar en conflicto y generar situaciones desagradables, como la escena del cuchillo. Para evitar que se puedan repetir en un futuro, la capitán y yo hemos acordado coordinarnos, y, para ello, es necesario que esté presente en estas reuniones. ¿Alguna objeción?

Los cuatro permanecieron en silencio.

—Bien, aclarado este extremo, ahora les voy a informar de las órdenes que he recibido para esta misión. Quiero que todos las tengan muy claras.

Cornelia se sobresaltó. Se suponía que Otto no podía revelar ciertos detalles.

—Esta es una patrulla ordinaria del submarino. Tengo órdenes de entrar en combate contra mercantes, siempre que no exista un excesivo riesgo para la nave. El objetivo final de la misión es trasportar a la capitán y a su acompañante hasta unas coordenadas concretas, pero, hasta que arribemos a nuestro destino, es muy posible que se produzcan situaciones similares a las que acabamos de vivir.

Cornelia se tranquilizó. No había informado de las cuestiones confidenciales, así que optó por permanecer callada. El comandante ya le había informado de esas órdenes y se las había explicado. Personalmente, pensaba que entraban en clara contradicción con sus instrucciones, pero no quería más discusiones por hoy.

—Una vez explicados estos puntos —continuó Otto—, tan solo quiero aclarar una cosa más. ¿Quién ha sido el oficial que ha activado la alarma de emergencia?

—He sido yo —dijo Waldemar—. Estaba, en ese momento, con el suboficial Karl Geffe y fui testigo de su hallazgo. Nuestro rumbo nos llevaba directamente hacia unos buques de superficie, que, por sus huellas, parecían mercantes. Pero también detectó la posible presencia de un barco de guerra. Por eso activé la alarma.

—Hizo lo correcto, pero, de ahora en adelante, haga el favor de consultarme antes de activar esa alarma. Crea confusión a bordo del submarino.

—Lo que usted ordene, comandante. Evitaré crear situaciones de confusión.

Lo curioso es que el primer oficial respondió a Otto, pero no le estaba mirando a él. Sus ojos estaban posados en los de la capitán Schiffer. Le hizo un pequeño gesto.

«Confusión», pensó de inmediato Cornelia.

Tuvo que hacer verdaderos esfuerzos por reprimir su alegría.

Lo había comprendido. Era lo que Waldemar necesitaba.

«¿Lo habrá conseguido?»

11 EN ALGÚN PUNTO DE LA COSTA MEDITERRÁNEA, ESPAÑA, 3 DE MARZO DE 1943

—¡Todos tranquilos! —exclamó el jefe de la misión, Helmut—. Cabo Konrad, oculta la máquina *Enigma*. Martin y Walter, ya sabéis qué hacer. No pasa nada, lo hemos ensayado hasta la saciedad. Somos dos turistas alemanes, de vacaciones en España.

Los golpes en la puerta no cesaban. Helmut se dirigió, con total normalidad, a abrirla. Se sentía muy tranquilo. Estaban bien entrenados. Hasta la casa parecía la de unos auténticos turistas alemanes. No le faltaba detalle. Lo único que desentonaba ya lo había ocultado el cabo.

Helmut abrió la puerta.

Se llevó una gran sorpresa. Era una joven menuda, que no aparentaría más de veinticinco años.

—Hola, buenas noches. ¿En qué la podemos ayudar?

—Disculpen que les moleste a estas horas de la noche, pero a mi marido y a mí se nos ha estropeado una rueda del coche, justo enfrente de su casa. He llamado a la vivienda de al lado, pero no me ha abierto nadie.

—No me extraña, creo que no vive nadie. En todas los días que llevamos de vacaciones, nunca hemos visto entrar o salir a ninguna persona.

—Perdone, no me he presentado, mi nombre es María.

—El mío Ludvig, Luis para los españoles —sonrió Helmut.

—La cuestión es que no nos aclaramos para arreglar la rueda. Es la primera vez que salimos de viaje con el coche, además somos bastante torpes.

—¿Dónde se encuentra su vehículo exactamente?

—Si se asoman por la ventana, podrán ver a mi marido, Carlos, peleándose con la rueda de repuesto. ¿Puedo pasar y se lo muestro?

—Por supuesto —dijo Helmut, franqueándole el acceso y cerrando la puerta a sus espaldas.

María entró en la vivienda y se dirigió directamente a la ventana que daba al mar. Helmut la siguió. En el camino, María se encontró con Konrad.

—Él es mi compañero de vacaciones, Alexander, aunque le puede llamar Alex. Ella es María. Han tenido un percance con su coche.

—Encantado, Alex.

—Lo mismo digo, María —le respondió.

Los tres estaban asomados a la ventana.

—Mírelo, el pobre. Llevamos como veinte minutos, y no hemos hecho ningún progreso.

Era cierto. Allí había un vehículo parado y Helmut pudo ver a un joven con herramientas en la mano, manipulando una rueda.

—No se preocupe, María. Por supuesto que les ayudaremos. Nos ha pillado con los pijamas puestos, para nosotros ya es hora de estar durmiendo.

—Lo siento de verdad —dijo Maria—. Si fuera más pronto, nos hubiéramos acercado al taller más cercano, pero claro, a estas horas, todos están cerrados.

—Permita que nos vistamos. Usted vaya con su marido y, en unos minutos, mi compañero y yo bajaremos a echarles una mano.

—No sabe cuánto se lo agradezco —a María le había cambiado la cara. Cuando entró en la vivienda parecía muy agobiada, sin embargo, ahora estaba contenta—. Ya pensaba que nos iba a tocar quedarnos a dormir aquí, en el interior del coche.

Helmut acompañó a la muchacha hasta la puerta. Se asomó a la ventana. Vio como María hablaba con su marido, sonriente, mientras le señalaba su casa. Suponía que le estaba contando lo sucedido.

Walter y Martin se habían ocultado en una habitación. Era el procedimiento de seguridad establecido. Nunca debían de verlos a los cuatro juntos.

—Menos mal, una falsa alarma —dijo el sargento primero Martin.

—Mejor así —corroboró Walter.

Helmut se les quedó mirando a los tres.

—Konrad y yo bajaremos a ayudarles a cambiar la rueda. Vosotros, mientras tanto, desmantelar el piso. No quiero que quede ni el más mínimo rastro de nuestra presencia aquí. Hacerlo todo tal y como lo hemos entrenado. Las luces apagadas y nada de acercarse a ninguna ventana. Dispondréis de cinco minutos exactos.

La cara de extrañeza de Martin y Walter era evidente. Helmut continuó impartiendo instrucciones.

—Martin, como el segundo al mando de la misión, te hago responsable de la máquina *Enigma*, en mi ausencia. Cuando terminéis de limpiar el piso, os marcharéis hacia el segundo coche y nos esperaréis allí.

Siempre viajaban en dos vehículos. En uno lo hacían Konrad y Helmut, que eran los que se relacionaban con la gente, como simples turistas. Tenían aparcado su coche en la misma puerta de la casa, en un lugar bien visible. Sin embargo, Martin y Walter permanecían ocultos. Eran la cobertura. Aparcaban su vehículo a unas dos manzanas de la casa, en un lugar discreto, y no salían de la vivienda para nada. Nadie conocía su existencia.

En caso de emergencia, el plan que tenían preparado era escapar en ese segundo vehículo, mientras la presencia del coche de Helmut y Konrad, aparcado enfrente de la casa, haría pensar, a los posibles agentes franquistas, que la pareja alemana se encontraba en el interior de la vivienda. Desconocían que la célula la formaban cuatro personas y que disponían de dos vehículos.

—¡Pero tenemos instrucciones del *Reichsführer* de permanecer en nuestra actual posición! —acertó a decir un sorprendido Walter—. Acabamos de recibir el mensaje, hace apenas diez minutos.

—Sí, y a los cinco se presenta una joven que ha pinchado la rueda, justo enfrente de nuestra casa —le respondió Helmut—.

En dos semanas nadie ha llamado a esta puerta. ¿Crees en las casualidades?

—Podría ser. Tan solo son dos jóvenes de viaje —intervino Martin—. Estamos viendo su coche y cómo el tal Carlos se pelea con las herramientas. ¿No te estarás volviendo algo paranoico?

—Quizá sí o quizá no, pero, como jefe del grupo, no puedo permitirme correr riesgos innecesarios.

—¿Eres consciente de nos estás ordenando que desobedezcamos unas instrucciones directas de Himmler? —insistió Walter.

—Anda, cabo Konrad, explícaselo. Por tu silencio, veo que lo has comprendido mejor que los dos sargentos, que no parecen enterarse.

—Sí, señor. La situación es la siguiente. Estamos ante una pareja de veinteañeros, viajando con un vehículo con matrícula de Burgos. Recordad que nosotros estamos en la costa alicantina. Por el número de su matrícula, el coche fue adquirido en el año 1938. Ese año, en Burgos, se vendieron poco más cincuenta coches, la mayoría para uso militar. Además, no olvidéis que Burgos era una zona controlada por Franco, que en ese año los españoles estaban en plena guerra civil. Ahora, estamos en la España de la posguerra, no en Alemania. Aquí, disponer de un vehículo es un auténtico lujo. Pensad un poco, son una pareja de jóvenes que se presentan cinco minutos después de recibir un mensaje cifrado a través de *Enigma*. Si unís esto a todos los datos que os acabo de aportar, ¿qué posibilidades de verosimilitud reales le veis a la historia que nos ha contado la muchacha? Yo diría que muy pocas.

—¿Cómo conoces toda esa información? —le preguntó Martin, asombrado.

—En esta misión, cada uno tiene su especialidad. El cabo debía memorizar una serie de datos, para nuestra seguridad. Ha explicado la situación perfectamente. No obstante, es posible que la historia sea cierta, pero hay que admitir que, desde un punto de vista racional, tiene todo el aspecto de ser una operación contra nosotros. Creo que nos han localizado. Ya conocíamos que iban detrás de nosotros, pero estamos preparados para reaccionar. Además, contamos con el factor sorpresa. No creo que la muchacha se imagine que sospechamos nada.

—Y, a pesar de ello, ¿vais a bajar Konrad y tú a ayudarles a cambiar esa rueda? —Walter no daba crédito—. Os ponéis en peligro.

—Sigues sin comprenderlo. En peligro ya estamos los cuatro. Lo que pretendo es salir de esta situación complicada lo mejor posible. Además, no podíamos negar nuestra ayuda, hubiera resultado muy sospechoso y, quizá, hubiera precipitado los acontecimientos. Si bajamos y resultan ser lo que dicen ser, no habrá problemas, volveremos a la casa y todo seguirá como hasta ahora. Pero yo, como jefe de esta unidad, tengo que situarme en el peor de los escenarios, que, además, resulta ser el más creíble.

Walter y Martín estaban pasmados.

—¿Qué esperáis para desmantelar todo esto? —les urgió Helmut.

Apagaron las luces y comenzaron la tarea. Por su parte, Konrad y Helmut se vistieron y se prepararon para lo peor. Tomaron, del doble fondo del armario, sus pistolas *Walther P38*, calibre *9 mm Parabellum.* Era el arma ligera más popular y moderna en la *Wehrmacht.*

En apenas un momento, Helmut y Konrad ya estaban listos, camino de la puerta de la casa.

—¡Escuchadme! —llamó la atención Helmut—. En cuanto salgamos, tenéis dos minutos exactos para abandonar la vivienda. Dirigíos directamente a vuestro vehículo. Quedaos ocultos y en completo silencio. Si todo trascurre con normalidad, nos reuniremos con vosotros.

—¿Y si tenéis razón y es una emboscada? —preguntó Martin.

—En ese caso, tú, como sargento primero, tomarás mi relevo al mando de la misión. Supongo que escucharéis disparos. Será la señal. Ya sabéis que no nos pueden capturar vivos. Nosotros moriremos matando. Vosotros, actuad de acuerdo con el protocolo establecido y dirigíos al siguiente piso franco de la lista. Estableceos como de costumbre y, por precaución, silencio completo de radio. Pasaréis a ser una «célula durmiente» hasta que llegue el paquete que estamos esperando. Eso es la prioridad máxima de nuestra misión.

—Eso le iba a preguntar —dijo Walter—. Se supone que dicho paquete tan solo conoce la dirección de este piso franco. Cuando llegue, se lo encontrará vacío.

—No del todo —dijo Helmut, en todo misterioso—. Espero que sepa interpretar la señal que he dejado.

—¿Qué señal? —insistió el sargento segundo Walter—. Hemos limpiado la casa a conciencia. Aquí, tan solo hemos dejado nuestras pertenencias que nos facilitaban nuestra cobertura como turistas.

—Precisamente, ahí está la clave —volvió a responder Helmut, con una extraña sonrisa en sus labios—. Ahora es el momento de despedirnos. No nos queda mucho tiempo.

Los cuatro se dieron un abrazo.

—¡Venga! —urgió Helmut, mientras abandonaba la vivienda junto con Konrad, intentando dar ánimos a sus compañeros—, cada uno a lo suyo. No olvidéis que somos la élite de nuestra patria. ¡La cabeza bien alta!

Aunque estaban bien entrenados y no era la primera situación límite que habían vivido juntos, estos momentos siempre eran muy duros. No había adiestramiento posible que evitara el nudo en el estómago que todos sentían.

No sabían si se volverían a ver. Eran conscientes que, con toda probabilidad, era una despedida para siempre.

Momentos emocionales.

12 EN ALGÚN LUGAR DEL MAR MEDITERRÁNEO, 3 DE MARZO DE 1943

—¿Lo has conseguido?

—Menuda tuve que organizar, simplemente para poder intentarlo. El comandante tenía razón. Conseguí crear una gran confusión a bordo.

—No me has contestado.

—Porque, realmente, no lo sé. Supongo que, para salir de dudas, tendrás que probar ese aparato que luce encima de tu mesa de trabajo. Desde luego, está conectado a las baterías auxiliares y a la antena omnidireccional del puente.

El primer oficial Waldemar estaba en el interior del camarote de Cornelia, poco después de concluir la reunión de oficiales.

A Cornelia le faltaba dar saltos de alegría.

—Te estoy muy agradecida —le dijo a Waldemar—. Funcione o no funcione,

—En unos momentos, que ya es de noche, tenemos programada una emersión, para recargar las baterías y renovar el oxígeno de la nave. Será el momento ideal para que pongas en marcha mi trasmisor de alta frecuencia.

—Aunque llegaré tarde con la trasmisión, por lo menos llegaré. En la RSHA, la Oficina Central de Seguridad del *Reich*, estarán muy nerviosos. A ti te lo puedo contar, porque ya conoces los procedimientos operativos. Sabes que, en una operación táctica encubierta, no tener noticias de un equipo es equivalente a operación fallida. No se mira hacia atrás. Eso es lo que, ahora mismo, estarán pensando en la RSHA, en concreto nuestro *Reichsführer*. No lo puedo permitir.

—Lo sé —le respondió Waldemar—. Ahora voy a abandonar tu camarote. No quiero chismorreos entre la tripulación. No son horas para que el primer oficial del *U-77* se encuentre en el interior del compartimento privado de una bella señorita.

Cornelia se rio.

—Debes dejar el camarote, pero sabes que no es por ese motivo. Tengo que hacer las comprobaciones necesarias y estar preparada para efectuar la trasmisión en el momento adecuado. Sabes que no puedes estar presente.

—Creo que me parece más caballeroso el motivo que he dado yo —dijo Waldemar, también sonriendo, mientras se dirigía a la puerta.

—Muchas gracias por todo. No me olvidaré de lo que has hecho por mí y por Alemania.

Waldemar ya había abandonado el camarote.

Cornelia se dirigió hacia el trasmisor. Hasta ahora no había tenido tiempo ni de abrirlo. Lo hizo con delicadeza. Se quedó pasmada. Aquello era una pequeña obra de arte. Waldemar era una caja de sorpresas. Si aquello lo había montado él, era un genio. Era el trasmisor de alta frecuencia más pequeño que había visto en su vida. Comprobó las piezas. Todo parecía en orden. También se fijó en los cables que salían de aquel aparato. Antes no estaban.

«Es increíble», pensó Cornelia. «Durante la escasa media hora que ha durado la confusión a bordo, ha tenido hasta tiempo de entrar en mi camarote, conectarlo todo y dejármelo preparado».

En realidad, ahora tan solo necesitaba que el submarino estuviera en la superficie o cercano a ella, para poder comenzar su trasmisión.

Enseguida notó que el *U-Boot* estaba ascendiendo. Se esperó unos cinco minutos. Comenzó a trasmitir en código morse. Calculaba que su posición sería unas ciento veinte millas al sur de la base de La Spezia. Confiaba en que entendieran el mensaje.

2245 CS RF PRIVAT

No disponía de la máquina *Enigma* para poder trasmitir, pero había copiado, en código morse, la señal de emergencia prevista para casos excepcionales. No podía olvidar que era una trasmisión en abierto y sin codificar.

Nada. Sin respuesta.

Ahora notó que el submarino ya estaba en la superficie del mar Mediterráneo. Podía notar que *U-Boot* se encontraba a merced del oleaje. Repitió el mensaje unas diez veces más. Seguía sin obtener respuesta.

El problema es que no sabía dónde estaba el problema.

No sabía si el trasmisor de alta frecuencia casero estaba funcionando. Tampoco sabía si la potencia de las baterías auxiliares del submarino iba a ser suficiente para alcanzar La Spezia. Tampoco sabía si, en el caso de recibir el mensaje en código morse, sabrían interpretarlo y conocer la procedencia de la señal y su destinatario.

Estaba desesperada, pero no se daba por vencida. Seguía mandándolo una y otra vez.

Mientras tanto, a mil trescientos kilómetros de distancia, una oficial de las *SS* llamaba a la puerta al despacho de Heinrich Himmler.

No recibía respuesta de su interior, pero sabía que el *Reichsführer* se encontraba en su interior.

Himmler tenía una habitación particular en el Hotel Prinz Albrecht, en la Prinz-Albrecht-Straße.

En realidad, más que un hotel era la sede de la *Reichssicherheitshauptamt,* más conocida por sus siglas RSHA.

La oficial de guardia insistió. Antes de que Himmler se retirara, había recibido instrucciones muy concretas. Al continuar sin recibir respuesta desde su interior, decidió entrar sin permiso. Cuando entró, se sorprendió.

Aquello no era una habitación de un hotel. Era un gran espacio de trabajo, con multitud de máquinas por todas partes. Al fondo, pudo ver a Himmler dormido sobre uno de esos aparatos.

—*Mein Reichsführer* —dijo, con el tono de voz más suave que pudo.

Himmler enseguida se despertó.

—*Obersturmführer* Katia, disculpe, no la he escuchado entrar.

—Estaba usted dormido. No quería despertarle, pero como me ordeno que le informara de cualquier recepción fuera de lo corriente que captáramos en comunicaciones...

Himmler no le dejó terminar la frase.

—¿Qué ocurre, teniente? ¿Tengo algún mensaje de *Enigma* para mí?

—No, señor, pero estamos recibiendo por alta frecuencia un mensaje en código morse que creo que debería de ver. Le advierto que es una comunicación abierta.

—No importa —le respondió Himmler, mientras se dirigía a la puerta— Quiero verlo ya.

En apenas dos minutos estaban en la sala de comunicaciones de las *SS*. Le mostraron el mensaje.

2245 CS RF PRIVAT

—Como le decía, es algo completamente inusual —continuó la oficial Katia—. Trata de imitar el encabezado de un mensaje cifrado *Enigma*, pero en morse y sin incluir ni las páginas, ni el número de caracteres ni la posición de los rotores, sin embargo, contiene su indicativo «RF». Por eso me he permitido despertarlo. No sigue ningún procedimiento reglamentario.

—¿Qué estación lo ha captado?

—La Spezia, señor.

Himmler se terminó de despertar al escuchar esa palabra.

—¡Todos fuera! —gritó.

En la sala habría ocho personas de menor rango que la teniente. Al escuchar el alarido de su *Reichsführer,* salieron de la habitación casi corriendo.

Cuando Himmler se quedó solo, evaluó la situación. Tenía claro que el mensaje procedía del *U-77,* ya que se lo dirigía «CS», es decir, Cornelia Schiffer, a él. Empleaba el código morse en alta frecuencia, en abierto. Eso significaba dos grandes riesgos. El primero era que podía ser interceptado, y de hecho lo habría sido, por cualquier estación de escucha enemiga. El segundo, que podrían triangular la señal y localizar la posición exacta del submarino, cosa que también suponía que estarían intentando.

Para que la capitán Schiffer empleara ese método, algo inusual debía estar ocurriendo a bordo del *U-77.* Por otra parte, estaba la palabra «PRIVAT». ¿Qué le querría decir Cornelia? Estaba claro que no se podía referir al significado obvio, «PRIVADO». Mandar esa palabra por un canal abierto no tenía ninguna lógica. Disponía de una máquina *Enigma* de última generación, instalada en su camarote para su uso privado y no la estaba utilizando.

«¡Por supuesto, qué idiota!», casi gritó Himmler. Cornelia le estaba indicando que utilizara la codificación de *Enigma,* pero de forma manual. Por alguna razón, no debían de funcionar las comunicaciones a bordo del *U-77.*

Le respondió de inmediato

2315 1TLE 110 CBFP

Cornelia le estaba diciendo que no podía utilizar la máquina Enigma para trasmitir ni recibir, pero sí para descodificar los mensajes cifrados a través de ella, enviados por código morse. Por ello había utilizado la palabra «PRIVAT», comunicación privada. No se molestó en cambiar los rotores que había empleado con la célula en España. Era urgente y prioritario mandar el mensaje.

Errores como estos, mandar mensajes en abierto en morse, utilizando la codificación *Enigma,* fue como el equipo dirigido por Alan Turing en *Bletchley Park,* donde se encontraba el Servicio Británico de Descifrado, consiguieron romper el código alemán, a través de otra máquina, que denominaron *Bombe*, pero claro, eso no se lo podían imaginar, ahora mismo, ni Himmler ni Cornelia.

Himmler le mandó el escueto mensaje.

—Informe de situación.

Mientras tanto, al otro lado, Cornelia observó como el trasmisor-receptor de alta frecuencia cobraba vida.

2315 1TLE 262 CBFP

A continuación venía el texto cifrado. Con la ayuda de su máquina, colocó los rotores en la posición indicada y descodificó el mensaje. Era Himmler, le estaba solicitando un informe de la situación a bordo.

Cornelia quería saltar de alegría, pero era consciente de que el tiempo era vital y no lo podía perder. A su vez, mandó otro texto codificado con la respuesta.

SIN COMUNICACIONES
IRREPARABLES
LA MISIÓN CONTINÚA

Esperó que Himmler hiciera lo mismo que ella, valerse de su máquina *Enigma* para descifrar su mensaje y le contestara. Tardó un par de minutos.

MUY IMPORTANTE
PRÓXIMO CONTACTO DESDE TIERRA
NUEVAS INSTRUCCIONES OPERACIÓN
CONFÍE EN WM
RF

La firma «RF» quería decir que el *Reichsführer* había comprendido el mensaje y cortaba la comunicación.

Cornelia lo entendió. Estaban utilizando un canal abierto en morse para comunicaciones secretas. Himmler era muy escueto en sus mensajes, pero, al mismo tiempo, muy claro.

Creyó comprender que le ordenaba que continuara la misión a bordo, sin cambios en las instrucciones iniciales a bordo, pero que se comunicara con él, una vez en tierra. Parecía que le daba mucha importancia. Eso era una novedad muy significativa. Algo debía haber sucedido en su ausencia, ya que le indicaba un cambio de instrucciones a partir de entonces. No se había atrevido a trasmitírselas por este canal abierto. Una vez en posición, dispondría de otra máquina *Enigma* operativa, para poder comunicarse de forma segura.

Le hizo gracia la última línea del mensaje.

—A buenas horas me dice que confíe en «WM», que supongo que se referirá al primer oficial, Waldemar —expresó, en voz alta.

Si no llega a ser por él, la misión habría fracasado. Por un momento pensó en el papel de Waldemar.

Cada vez tenía más claro que no era lo que parecía.

13 BERLÍN, 3 DE MARZO DE 1943

Himmler estaba sentado, en solitario, en la amplia sala de comunicaciones de la Oficina Central de Seguridad del *Reich*. Ya casi eran las doce de la noche.

Quizá había sido el día más duro desde que ostentaba la responsabilidad de dirigir las *SS*. Y eso que aún no había acabado.

—¡Pueden volver a sus puestos! —gritó, para que le oyeran desde el exterior de la habitación.

El personal de guardia de la *RSHA* volvió a sus mesas. En el turno de noche, había siempre una oficial, en este caso la teniente Katia, y el resto eran suboficiales especialistas en comunicaciones. Eran los encargados de trasmitir y recibir todo el tráfico que generaban las *Schutzstaffel*, es decir, las *SS*, y todos los organismos dependientes de estas, que no era poco.

—Mein *Reichsführer,* No tiene buen aspecto. ¿Desea que llame al médico? Permítame el atrevimiento, pero creo que necesita descansar.

—Nosotros somos unos privilegiados, Katia. Estamos en unas cómodas oficinas, sentados frente a aparatos de comunicaciones. Piense, por un momento, en todos los soldados que, ahora mismo, están dando su vida por nuestra patria. Ellos sí que se merecen un descanso. Nosotros no nos lo podemos permitir.

La respuesta le pilló por sorpresa a la teniente. Himmler acostumbraba a ser parco en palabras y tenía un carácter de hielo. Jamás lo había visto en este estado.

«No sé lo que le habrá ocurrido hoy, pero debe haber sido duro de verdad», pensó Katia.

Himmler abandonó la sala de comunicaciones y de dirigió hacía su habitación del hotel, que más que eso, eran su lugar de trabajo, donde se pasaba dieciséis horas diarias.

«No me extraña que Margarete me haya dejado», pensaba, melancólico, mientras llegaba a su destino. Se refería su mujer, que, aunque de cara al exterior y en actos oficiales, seguían apareciendo juntos, ya ni siquiera hacían vida en común. En estos momentos, no le apetecía ni la compañía de Hedwig Potthast, su joven secretaria personal, con la mantenía una aventura.

A pesar de que no podía con su alma, sabía que el día no había concluido. Tenía que comunicar las novedades que acababa de conocer acerca del *U-77* a su célula en la costa española. Debían de estar preparados para recibir al «paquete» sin aparente novedad. El submarino, aunque sin comunicaciones a bordo, continuaba su misión.

Se puso delante de la máquina Enigma y les mandó un escueto mensaje.

PAQUETE EN CAMINO SIN NOVEDAD
CONFIRMEN RECEPCIÓN
RF

Espero diez minutos a recibir la respuesta.

Ya pasaban de las doce de la noche. Aunque el protocolo operativo de las células de la *Sicherheitsdienst* indicaba que siempre debía haber una técnico de guardia, las veinticuatro horas, delante de la máquina *Enigma*, comprendía que quizá tardaran algo más en responder, por las horas que eran.

De repente, le vino a la cabeza, como había comenzado la jornada. No creía que fuera a ser capaz de olvidar semejante día, se acordaría toda su vida. Había comenzado por la visita, a primera hora, al campo de concentración de Sachsenhausen, con el único objeto de entrevistarse con Hugo Bernhard, que llevaba encerrado en una celda de aislamiento siete meses, por órdenes expresas del propio Himmler. En septiembre del año pasado había recibido el mensaje del comandante del campo, Albert Sauer. Hugo Bernhard deseaba entrevistarse con él. Hasta aquí era todo normal, lo esperado.

Himmler sabía perfectamente quién era Hugo desde hacía años.

La *Gestapo*, la policía de las *SS*, llevaba tiempo vigilando, de una forma discreta, a toda la familia Bernhard, por instrucciones directas suyas. Conocía todos sus movimientos desde que volviera a pisar suelo alemán, allá por el año 1939, proveniente de España, huyendo de Franco, que lo quería fusilar. El buque británico, que les había servido de trasporte, había atracado en Marsella. Ya había llegado a un pacto con el general Franco, que, en aquel momento, estaba a punto de hacerse con el control de toda España. La guerra civil vivía sus últimos días, para agonía y angustia de aquellos comunistas. No sentía ninguna lástima por ellos, más bien al contrario.

Pero Hugo Font era diferente.

Aún recordaba aquella conversación que mantuvo con el propio general Franco. En un principio, se mostró muy sorprendido por la extraña petición de Himmler, sobre todo porque Hugo Font era un «don nadie». De hecho, el propio general tuvo que pedir su ficha, ya que no le sonaba ni el nombre. Comprobó que no había participado en la contienda, ni era político ni sindicalista. Después de leer aquello, Franco decidió que no tenía nada contra él, más allá de que era una «sucia rata roja», según sus propias palabras. Es cierto que figuraba en la lista de personas a fusilar, cuando las tropas, autodenominadas nacionales, entraran en la ciudad de Valencia, pero había sido añadido a última hora, por motivos poco claros, que el propio Franco desconocía, según le confesó al propio Himmler.

No era una pieza que a Franco le interesara lo más mínimo, por eso accedió, sin demasiados problemas, a la sorprendente petición del segundo al mando del *III Reich* alemán.

Tal y como le había solicitado, facilitó su huida de España a través del puerto de Gandía, primero en el buque *HMS Galatea*, de la *Royal Navy* y, después, en el barco hospital *Maine*, que arribó a Marsella, después de tres días de navegación. Tal y como se había comprometido con Himmler, Franco no hostigó a los buques, aunque sí los mantuvo vigilados por el destructor *Melilla*, cuyo almirante tenía instrucciones de asegurarse de la presencia de la familia Font a bordo, pero también disponía de órdenes muy concretas de dejarlos marchar.

Himmler no había perdido de vista a ninguno de los miembros de la familia durante los más de tres años que permanecieron en libertad en Berlín, y así pensaba seguir, pero la fatalidad se cruzó en su camino. A pesar de todos los medios de los que disponía, no pudo contar con el amor. La hija del matrimonio entre Hugo y Felicia, llamada Gisela, estaba flirteando con el hijo de Joseph Goebbels. Cuando este se enteró, le indico a Himmler que le pusiera vigilancia. Quería saber quién era esa familia y su procedencia. No quería que la novia de su hijo mayor, aunque no biológico, mantuviera relaciones con una chica que no fuera aria. Goebbels era aún más radical que el propio jefe de las *SS*, lo que era mucho decir.

Himmler era consciente que su autoridad era casi plenipotenciaria en Alemania, pero Joseph Goebbels no era un cualquiera, ni mucho menos. Como ministro de Propaganda nazi del *III Reich*, tenía acceso directo al *Führer*. Himmler pensaba que quizá fuera lo más parecido a un amigo que tuviera. Además, era extremadamente inteligente. No estaba seguro de poderle manejar y ocultarle quién era, en realidad, la novia de su hijo Harald, así que optó por la que consideró, en ese momento, la opción más segura.

Y su opción más segura se convirtió en su gran error.

Para intentar alejarlos de las garras de Goebbels, decidió encerrarle a él en el campo de concentración de Sachsenhausen, el más cercano a Berlín, que controlaba de manera directa a través de su comandante, Albert Sauer. Además, hacerlo en una celda de aislamiento, permitiendo que Hans, el guardia de las *SS* que había destinado a vigilarle de manera especial, le permitiera pasear quince minutos al aire libre, haciéndole creer que era una decisión propia del guardia. Hans tenía instrucciones de tratar de intimar con Hugo y pasaba informes diarios de su estado de ánimo. Himmler se permitió una pequeña sonrisa. Nada pasaba en cualquiera de los campos de concentración sin que él se enterara o lo hubiera ordenado expresamente. Hugo había sido un ingenuo, pero, en su desesperada situación, Hans se convirtió en su refugio. Himmler ya había empleado esa táctica con otros presos. Siempre funcionaba.

Mejor dicho, casi siempre.

A su mujer y a su hija las recluyó en el campo de concentración de Ravensbrück, exclusivo para mujeres, en similares condiciones que Hugo, también aisladas, vigiladas y con ciertos privilegios. Con lo que jamás contó fue que, a pesar sus medidas de precaución, se acabaran suicidando. Ese había sido el informe del comandante del campo.

Era un grave contratiempo en sus planes, pero nada que no tuviera solución. Dejó que Hugo madurara durante siete largos meses entre aquella podredumbre. Cuando consideró que ya estaría dispuesto a colaborar de una manera más intensa, había sido justo esta misma mañana, día 3 de marzo de 1943. Hans llevaba algunos días enviando informes preocupantes.

Himmler acudió al campo a primera hora de incógnito. Ningún oficial de las *SS*, salvo el propio comandante de Sachsenhausen, conocían su visita matutina. Se entrevistó en la propia celda de aislamiento con Hugo Font. Como tenía previsto, le ofreció la información que Himmler suponía que disponía, a cambo de la vida de su mujer e hija, Estaba dispuesto a acceder. Ya había «madurado» lo suficiente como para comprender que él no saldría vivo de allí, pero quizá sí que pudiera salvar a su familia. Ese era el sentimiento que Himmler deseaba en Hugo. El único inconveniente era que aquella petición del pobre desgraciado, Himmler ya no estaba en disposición de poder cumplirla, para su desgracia. Aun así, hizo creer a Hugo que accedería a su propuesta.

Lo que vino a continuación jamás se lo pudo imaginar. Conocía que pertenecía a una especie de confraternidad secreta de carácter judío, con varios siglos de antigüedad, que se iban trasmitiendo, generación tras generación, una especie de mensaje secreto, pero lo que aquella persona le había narrado iba mucho más allá de lo que podía concebir. Sus nervios, ante el relato que estaba escuchando, le llevaron a cometer un gran error. Abandonó, a toda prisa, la celda, para intentar comunicarse con el *U-77*. Aquello podría dar un vuelco a la misión del submarino.

Para su desgracia, llegó tarde a todo. El *U-Boot* ya había zarpado de su base en La Spezia y no se pudo comunicar con la capitán Schiffer.

También llegó tarde para Hugo.

En su precipitada marcha de su celda, se olvidó su maletín. En su interior, se encontraba el listado de fallecidos de un día en concreto, donde se certificaba que, tanto su mujer como su hija, habían muerto en Ravensbrück hacía meses. Desesperado por la noticia, Hugo tomó la propia pluma de Himmler, con la que tomaba anotaciones y se la clavó en la yugular. Toda la familia Bernhard o Font, como se prefiera, había terminado sus días de idéntica manera. Desaparecidos de la vida.

De todas maneras, la información que le había facilitado Hugo, antes de suicidarse, era de un valor incalculable.

Himmler estaba sudoroso. Una gota le cayó en el interior de uno de sus ojos, que permanecían semicerrados.

De repente, se despertó.

Sin darse cuenta, se había quedado dormido encima de la máquina *Enigma*. Miró el reloj.

Las tres y media de la madrugada.

De inmediato, procedió a ver si su mensaje había sido contestado.

Nada.

Aquello no era normal. Todos sabían que los mensajes que enviaba con su propia firma «RF» eran prioritarios. Ya se ocuparía de la persona a cargo de las comunicaciones cuando volviera a Alemania. Estaba enojado. Aquello era inadmisible.

«¿Debo preocuparme?», se dijo, cuando se tranquilizó un poco. Igual la falta de respuesta era por otros motivos.

Resolvió no hacerlo. Él mismo se había quedado dormido encima de la máquina. Supuso que, a las horas que eran, al otro lado de la comunicación, podría haber ocurrido lo mismo. Además, a las tres y media de la madrugada, nada se podía resolver.

Decidió esperar a mañana.

Después del espantoso día que había vivido, pensó que se había ganado un merecido descanso, aunque fuera tan solo hasta las siete de la mañana.

Se tumbó en su camastro, sin ser plenamente consciente de que se estaba formando la tormenta perfecta sobre su cabeza.

14 EN LA ACTUALIDAD, VALENCIA, 29 DE JUNIO

—¿Te descuartizo viva o primero te mato y luego te trituro? Es un dilema que no me deja vivir.

Rebeca se rio.

—No te lo tomes así.

—No, si te parece me lo tomo con hielo en una copa. ¡No me fastidies! ¡Ya ni enfadarme me dejas! ¿Por qué lo has hecho?

—No sé, me pareció un mejor plan.

—¿Qué puede haber mejor que irnos las dos solas a Ibiza? ¿Irnos a Denia? No me entiendas mal, Denia es preciosa, pero nosotras no nos íbamos a ir a Ibiza por sus fabulosas calas, ya me entiendes, sino por sus fabulosos tíos.

—¿Te crees que en Denia no podrás salir de caza?

—No será lo mismo.

Rebeca y su hermana Carlota estaban manteniendo esta conversación en el patio central de la casa de esta última, una alquería valenciana situada en La Malvarrosa, de las que, para desgracia, ya no quedaban muchas originales.

Cuando se enteraron de que eran hermanas, se les planteó un gran dilema. Rebeca vivía con su tía Tote en un ático de lujo en el emblemático edificio de Valencia llamado *La Pagoda*. Tote se fue de esa casa a la suya propia, dejando sola a Rebeca. Por su parte, Carlota vivía con su familia de adopción en la alquería. Apenas llegó a conocer a su supuesto padre y su madre de adopción había fallecido de cáncer recientemente, dejando a Carlota viviendo con sus dos hermanos no biológicos. Su hermano había volado, con lo que Carlota residía en una gran casa tan solo con su hermana Rocío.

Rebeca había propuesto a Carlota que se mudara al ático de *La Pagoda*, ya que esa casa pertenecía a las dos, por herencia de sus padres fallecidos. Carlota se negó, porque veía el piso de Rebeca muy «pijo». A pesar de su situación, frente al antiguo cauce del río Turia y frente a los jardines de Viveros, no lo cambiaba por su alquería del siglo XIX.

A su vez, Carlota le había propuesto lo mismo a Rebeca. Su alquería era enorme, disponía de ocho habitaciones y estaba muy próxima a la playa de La Malvarrosa. Era otro tipo de vida, alejada del centro de la ciudad y con la maravillosa luz del mar Mediterráneo invadiendo casa rincón de la casa. Carlota jugaba con ventaja, ya que sabía que Rebeca era una deportista nata y le encantaba correr por aquella zona.

A pesar de ello, Rebeca se negó y continuó residiendo en *La Pagoda*. Las hermanas vivían separadas, cada una de ellas en una casa enorme. Pero ya era verano, y Rebeca tuvo que reconocer que se estaba mejor cerca de la playa que en el centro de la ciudad, por eso, cuando acabó su máster, se fue a pasar una temporada a la alquería de Carlota, hasta que comenzara de nuevo las clases.

Por ello estaban sentadas las dos en el patio, hablando.

—¿Y si salimos a correr? —propuso Rebeca —. Ya sé que es un poco tarde, con el aperitivo que nos hemos tomado. Los turistas ya habrán abarrotado las playas.

—Todo menos explicarme que decidieras, por ti y por mí, el lugar de las vacaciones —Carlota insistía.

—Creo que lo comprenderás mejor después de hacer algo de deporte. Por el camino te voy contando.

Carlota no era nada aficionada al deporte, pero Rebeca le había contagiado la afición por correr. Al principio lo pasó muy mal, «con agujetas hasta en las pestañas», según sus propias palabras, pero le fue cogiendo el gusto, hasta el punto de entrenar a escondidas de Rebeca, para intentar ponerse a su mismo nivel.

Debía de reconocer que hacer deporte por aquella zona era una maravilla. El paisaje del recorrido tenía de todo. Paseo de la playa de la Malvarrosa, seguía por la playa de La Patacona, ya en Alboraya. Cruzaban Port Saplaya, esa preciosa villa marinera y acababan por la huerta de Alboraya. Un recorrido encantador que ya superaba los veinte kilómetros.

Recordaba que empezaron con tres, luego cinco, Carlota pasó a atreverse con los diez y, ahora, ya lo habían ampliado hasta los veinte.

Se vistieron con su equipación deportiva y salieron de la alquería. Iban en silencio, contemplando las preciosas vistas, hasta que Carlota ya no se pudo aguantar más.

—Bueno, ya estamos haciendo deporte, como la señorita Mercader deseaba. Ahora, le toca cumplir su parte.

—¿Te acuerdas de Bartolomé Bennassar?

—¡Pues claro! Ese es el historiador francés con el que nuestra madre hizo amistad. ¿No es ese gran hispanista, experto en la Inquisición Española?

—Era —puntualizó Rebeca.

—¿Ha muerto?

—Ya sabías que estaba muy enfermo. Lo hizo hace casi ocho meses, en su casa de Toulouse.

—¿Y qué tiene que ver ese difunto señor con nuestras vacaciones en Denia?

—Todo.

Carlota dejó de correr y detuvo a su hermana con el brazo.

—No me vengas con monsergas. Eso no puede ser. ¿Un muerto decidiendo el destino de nuestras vacaciones?

—Bueno, aunque hay algún motivo más, se podría decir que sí —le respondió Rebeca, mientras reanudaba la carrera.

—¡Oye! —exclamó Carlota—. ¡No me dejes así de intrigada!

—Cuando lleguemos a mitad del recorrido, te cuento una mitad de la historia. El final de la explicación tendrá que esperar.

—¿Por qué?

—Porque tengo que ir a regar las plantas de mi casa.

—¿Me estás tomando el pelo? —Carlota se empezaba a enfadar.

—Ni por un momento se me ocurriría —le respondió, mientras aceleraba de forma notable el ritmo.

—No me vas a dejar atrás ni con las botas de siete leguas —dijo su hermana, haciendo referencia al calzado mágico, que, según diferentes leyendas europeas, permitía recorrer siete leguas por cada paso que se daba, o sea, unos treinta y cuatro kilómetros. Este elemento fue popularizado por los cuentos del escritor francés Charles Perrault, como *Pulgarcito*.

Llegaron hasta su punto intermedio, la *Alquería del Machistre*, en concreto hasta los eucaliptos que se encontraban a su lado. Se tomaron un respiro. Rebeca había impuesto un ritmo superior al normal.

—Hemos bajado de los cuarenta y cinco minutos en los diez kilómetros. Teniendo en cuenta el recorrido, no está nada mal —comentó Rebeca, mirando su reloj.

—¡Me lo vas a decir a mí! —le respondió Carlota, que estaba más cansada de lo habitual—. Si con ello pretendías que me olvidara de las vacaciones, no lo has conseguido.

Rebeca puso esa cara angelical que tan bien le salía.

—No lo pretendía.

—Esas actuaciones tuyas, resérvatelas para un público que no te conozca como yo. Ya estás desembuchando. ¿Qué tiene que ver el historiador francés ese, con que nos vayamos de vacaciones a Denia y no a Ibiza?

Rebeca se limitó a sonreír.

—Con tu extraordinario intelecto, ya lo tendrías que haber deducido.

—¡No me des palmas qué me animo! —le respondió Carlota, devolviéndole la sonrisa.

Las dos hermanas tenían un cociente intelectual extraordinario y siempre estaban a la gresca para demostrar quién de las dos era superior a la otra.

—¿Te acuerdas que te dije que Bartolomé me envió, antes de fallecer, todas las notas y estudios que había realizado con nuestra madre?

—¡Claro que me acuerdo! ¿Y qué? No me irás a decir que, entre esas notas, nos indicaba que pasáramos el verano en Denia.

—Más o menos —le respondió su hermana, enigmática.

—¿Eso qué quiere decir? Esas notas son antiguas, tienen más de veinte años. ¿No pretenderás que me crea que un carcamal que falleció casi con noventa años, con todos los respetos, nos dijo hace veinte años dónde debíamos irnos estas vacaciones, además con Carol y Almu?

—Más o menos —repitió la respuesta Rebeca.

—Me parece que, más o menos, te vas a comer el eucalipto que tienes detrás.

Rebeca se rio.

—Venga, no te enfades. Como te gusta decir a ti, «dispones de todas las piezas del rompecabezas, ahora tan solo tienes que ordenarlas».

—¡Ya sabes que no me gusta que me copies! Además, ¿de qué piezas me estás hablando? Que yo sepa, no hay ninguna.

—Piensa un poco. Por una parte, están las notas de Bennassar.

—¿Eso es una pieza?

—¿Te acuerdas de la misteriosa carpeta que me llevé a la iglesia de Santa Catalina?

Rebeca se refería a que, dentro de la gran caja que contenía todas las notas, que su madre y el historiador Bennassar habían estado estudiando, la información estaba clasificada por carpetas. Había tal volumen de datos que Rebeca tan solo se había limitado a leer los títulos escritos en el exterior de las mismas, sin abrirlas y examinar los documentos que contenían. Le hubiera podido llevar, perfectamente, un par de meses revisarlo todo y no disponía de ese tiempo. Además, tampoco tenía ganas.

—Claro, la que ponía «Alzira», porque allí debíamos ir. Se supone que estaba oculto el «árbol judío» milenario que estábamos buscando.

Nada más concluir su frase, lo comprendió todo.

—¿No me digas? —preguntó emocionada.

—Sí te digo. Recordarás que, en aquel momento, te dije que había multitud de carpetas con diferentes títulos rotulados en sus portadas, pero tan solo dos con nombres de pueblos. Me llamó mucho la atención, ya que no tenían nada que ver entre sí. Uno era Alzira. Me parece que ya te imaginarás cuál puede ser el otro, ¿no?

—¿Denia?

—¡Premio para la segunda más inteligente de este equipo de *runners*! —exclamó Rebeca, sonriendo.

—¿Y qué es lo que contiene? Venga, cuéntamelo todo y no te dejes ningún detalle —la curiosidad de Carlota era legendaria.

—¡Ah! De eso no tengo ni idea. Ya sabes que no abrí prácticamente ninguna carpeta. Aquel volumen de información me sobrepasaba.

Carlota se quedó con una expresión en su rostro difícilmente clasificable.

—Entonces, ¿me estás queriendo decir que me has arruinado unas vacaciones de fábula en Ibiza, porque ese historiador te mando una carpeta con el nombre de Denia, que ni siquiera sabes lo que contiene?

—¿No te parece emocionante?

—Lo que me parece es intolerable, *mamona.*

—¡Venga! ¿Dónde está ese espíritu aventurero de la gran Carlota?

—Esperándome en Ibiza.

Rebeca no pudo evitar reírse.

—Vamos, volvamos a tu casa que tenemos muchas cosas que hacer.

—¡Espera! Me has dicho que me contarías la mitad de la historia cuando llegáramos aquí. ¿Esto lo consideras la mitad? La mitad de nada es nada. Además, ¿qué son esas cosas que tenemos que hacer cuando lleguemos a casa? Estamos de vacaciones.

—¿No te acuerdas que te he dicho que esta tarde tenía que ir a regar las plantas de mi casa? Pues imagínate qué vamos a hacer, aparte de darles de beber —le respondió, mientras echaba a correr.

Ahora, Carlota la comprendió.

15 MADRID, 4 DE MARZO DE 1943

—Por favor, infórmenme de las novedades de la misión.

—Lo tiene todo por escrito en el informe que le hemos redactado. Fue todo más sencillo de lo esperado —dijo la teniente María Aguilar.

—Es cierto. Los soldados alemanes de la célula iban armados, probablemente sospecharan de nosotros. Los miembros de la inteligencia alemana siempre están muy bien entrenados, pero los estábamos esperando. No les dimos opción —respondió el capitán Carlos Borrás.

Los dos oficiales de la unidad especial creada por el general Franco, para desarticular los grupos alemanes que operaban encubiertos en España, utilizando máquinas de cifrado *Enigma*, se encontraban en la sede de la Oficina de Escuchas y Descifrado del Cuartel General del Alto Estado Mayor del Ejército.

El comandante Antonio Sarmiento les estaba observando y escuchando atentamente.

—Entonces, según ustedes y he podido leer en el informe, la célula ha sido eliminada por completo.

—Sí, señor —contestó el capitán—. Nada más acercarse a nuestro coche, para, supuestamente, ayudarnos con la rueda averiada, abrimos fuego. No nos quisimos arriesgar. En las distancias cortas, ya sabe que son auténticos demonios.

—¿Qué hicieron a continuación? —les preguntó el comandante.

A los oficiales les pareció extraño su tono de voz de su jefe. Se suponía que habían cumplido con éxito su misión. Franco no quería hacer prisioneros alemanes, sobre todo si se trataba de agentes encubiertos. En ese caso, debería informar al gobierno del *III Reich* y dar explicaciones a Hitler, con el que mantenía buenas relaciones. Sabía que tendría que entregárselos y se crearía una situación incómoda para ambos países. España por atraparlos y Alemania por tener que reconocer que estaba desarrollando operaciones encubiertas en un país amigo. Por ello, lo mejor era matarlos y no dejar rastro. El régimen nazi jamás se atrevería a reclamarlos, ya que sería tanto como confesar que mantenían células activas secretas en España.

Esta vez contestó la teniente Aguilar.

—Tal y cómo nos había ordenado, revisamos su piso franco. Aparte de la ropa y utensilios típicos de dos turistas alemanes, que era su cobertura, poco más. Unas notas de sitios a visitar, pero no se trataba de objetivos estratégicos ni militares. En nuestro informe aparecen detallados todos los objetos hallados. La sensación es que se trataba de núcleos turísticos para visitar. Ni bases militares, ni estaciones de escucha propias ni nada de eso aparecía en sus anotaciones —respondió la teniente.

—¿Y no echaron nada en falta? —el comandante se levantó de su silla. Esta vez sí que parecía enojado de verdad.

El capitán hizo un gesto a la teniente, como indicándole que le dejara hablar a él. Al fin y al cabo, era el oficial superior y consideraba que, si había reproches que hacer a su desempeño en la misión, él era el responsable.

—Por supuesto, mi comandante.

—¿Y qué conclusión sacan de ello?

—La tiene en nuestro informe. Como ya le había comentado la teniente, los miembros de los servicios de inteligencia alemanes están muy bien entrenados. A pesar de que nuestro plan, con la avería del vehículo, pareció funcionar, supongo que, por si no éramos lo que parecíamos, tomarían sus precauciones.

—Capitán, ¿registraron a conciencia el interior de la vivienda?

—Por supuesto, señor.

—¿Y los alrededores?

—Ya sabe que era de noche. Permanecimos en nuestra posición. Nadie entró ni salió del piso franco. Tampoco observamos ningún movimiento extraño en los alrededores de la casa, ni siquiera tráfico de otros vehículos. Tal y como teníamos previsto, esperamos a que amaneciera. A las siete en punto llegó el equipo de apoyo. Registramos cada palmo de la manzana donde se encontraba el piso franco. No había nada. Les estábamos vigilando cuando ambos salieron de la casa. No llevaban nada con ellos. Prestamos especial atención al camino que siguieron hasta llegar a nuestro vehículo. Era muy corto, ya que detuvimos nuestro coche justo enfrente de la entrada de su casa. Como ya habrá leído en nuestro informe, lo único fuera de lo normal, en dos personas que se hacían pasar por turistas, era que portaban sendas pistolas, pero eso ya nos lo imaginábamos, no fue ninguna sorpresa.

—¿Y qué hallaron en el interior del vehículo que utilizaban para desplazarse?

—Nada inusual que no se pudiera encontrar en un coche típico de turistas.

—A la vista de su informe y de lo que me están narrando, les repito la pregunta, ¿qué conclusiones sacan de todo ello?

—Que sabían que eran vigilados, señor —esta vez se adelantó la teniente—. Sé que nuestra misión, aparte de desarticular la célula secreta alemana, era hacernos con una de esas codiciadas máquinas *Enigma*. Pero esta célula no disponía de ninguna, estamos seguros. Cuando accedí a la vivienda, haciéndome pasar por una turista con problemas, no vi ninguna máquina ni componente alguno de ella. Apenas unos minutos después, bajaron los dos miembros de la célula. Es imposible que, en ese corto lapso de tiempo, les diera tiempo a quitarse el pijama, vestirse, ocultar la máquina en algún lugar lo suficientemente alejado de la casa y volver a la carretera para ayudarnos. No tuvieron tiempo material para ello.

El comandante seguía enfadado.

—¿Sabe por qué les dimos luz verde para comenzar el operativo?

—Supongo que era el momento oportuno. Era de noche y ya estarían dormidos. Teníamos una pequeña ventaja táctica —respondió el capitán.

—¡Pues no! —casi gritó el comandante.

Los dos oficiales permanecieron en silencio, sorprendidos por la reacción de su superior.

El comandante abrió uno de sus cajones y les mostró un documento. Aquello parecía un informe del servicio de radiotelegrafía.

Ambos lo leyeron.

Ahora comprendieron el enfado del comandante.

—¡Les dimos orden de intervenir porque acababan de recibir una trasmisión codificada a través de *Enigma*!

—Pero eso no es posible, señor. No había ninguna en el interior de la casa, ni siquiera en quinientos metros alrededor del piso franco. El equipo de búsqueda, al día siguiente, estaba formado por catorce agentes, que rastrearon cada rincón del paraje, durante más de seis horas. Allí no había ninguna máquina *Enigma*, se lo puedo asegurar.

—Por eso les preguntaba, ¿qué conclusiones sacan, con la información que les acabo de facilitar?

Los oficiales se quedaron mirando. Desconocían la trasmisión de *Enigma*. No se atrevieron a formular ninguna hipótesis, entre otras cosas, porque no la tenían.

—¡La conclusión es que les tomaron el pelo! —volvió a gritar el comandante.

—¿Cómo pudo eso suceder? —se atrevió el capitán.

—¿De verdad no se lo imaginan?

La teniente estaba pensando. Si los dos miembros de la célula no pudieron hacer desaparecer la máquina Enigma, ya que no dispusieron del tiempo necesario, la única explicación posible era...

—¡La célula estaba formada por más de dos personas! —también gritó la teniente.

—Veo que lo van comprendiendo. Han sido engañados. Las células alemanas no están formadas por dos personas únicamente. Al menos, deben contar con un equipo encubierto de reserva, que se volvería operativo en el supuesto de que el principal fuera descubierto. Ellos debieron ser los responsables de escapar con la máquina *Enigma*, probablemente en otro vehículo que tenían oculto en los alrededores, mientras el equipo principal les entretenía.

Los oficiales se sintieron abochornados. El comandante Sarmiento continuó hablando.

—Que les sirva de lección. Ahora ya sabemos a qué atenernos. No se trata de células de dos personas, al menos serán cuatro. Hay que reforzar nuestros equipos operativos. Nos enfrentamos a un peligro mayor del esperado.

—¿Cuáles son sus nuevas órdenes? —preguntó el capitán.

—Quiero que centren sus esfuerzos en esa célula de dos personas, que ya no tiene equipo de reserva. La quiero desarticulada de inmediato. ¿Lo han entendido? Como no le entregue al Generalísimo una máquina *Enigma*, le ofreceré, a cambio, sus propias cabezas.

Los dos oficiales se miraron, acongojados.

Eran conscientes de que las palabras del comandante eran literales.

16 BERLÍN, 4 DE MARZO DE 1943

—Si me permite decírselo, no tiene usted muy buen aspecto esta mañana.

—Es la segunda persona, en menos de ocho horas, que me dice lo mismo.

—¿Momentos duros?

—Momentos inciertos, que son los peores.

—Supongo que por eso me habrá ordenado acudir, teniendo en cuenta que nos vimos ayer mismo.

—Es usted perspicaz. Esa cualidad le vendrá bien.

Esta conversación la estaban manteniendo el *Hauptsturmführer* Otto Skorzeny y el *Reichsführer* Heinrich Himmler, en su oficina del Hotel Prinz Albrecht.

Skorzeny había asistido a un cónclave convocado también por Himmler, en el que estaba presente el acaudalado industrial Alfried Krupp y el general Reinhard Gehlen, que también era el jefe de la organización de inteligencia militar del Frente Oriental, perteneciente al Comando Supremo del Ejército.

Himmler había interrumpido aquel cónclave de forma súbita, al recibir la visita de una oficial de las *SS*. De inmediato, se disculpó con los tres asistentes y les informó que les convocaría en breve, invitándoles a abandonar la sala de reuniones.

«Y tan en breve», pensó Skorzeny. «Apenas han trascurrido veinticuatro horas de aquello».

Sin embargo, recordaba que Himmler había hablado en plural y esta reunión era particular. Su instinto le hacía estar alerta. Quizá su apresurada convocatoria tuviera más que ver con el mal aspecto físico que presentaba el *Reichsführer,* que con aquel extraño cónclave de ayer.

—Supongo que se estará preguntando ahora mismo el motivo por el que le he convocado con tanta urgencia. Lo puedo ver en sus ojos.

Skorzeny redobló su alerta. No podía olvidar a quién tenía enfrente.

—Así es, señor.

—¿No se lo imagina? —preguntó Himmler, intentando salir de aquel sopor que le invadía.

—Sí —respondió de inmediato—. Está claro que tiene problemas, y que esos supuestos problemas se han producido desde la reunión de ayer, que interrumpió, hasta ahora mismo, a juzgar por su aspecto.

—Le agradezco mucho su sinceridad. Usted no parece tenerme el miedo reverencial que otros oficiales de las *Waffen-SS* sienten en mi presencia. Es un verdadero fastidio. Usted habla claro delante de mí.

—No se confunda. Usted, después del *Führer*, es la persona más poderosa del país. No crea que no estoy impresionado en su presencia, pero ya sabe a lo que me dedico y cuál es mi especialidad. No nos podemos permitir andarnos con rodeos. En el adiestramiento de los comandos especiales de infiltración, es una de las cuestiones que me gusta dejar claras a mis reclutas. La disciplina es muy importante, pero todavía lo es más el poder comunicarse de una manera eficiente. La diferencia de rangos puede ser un inconveniente si entorpece una operación. Quizá no suene muy ortodoxo, pero le aseguro que funciona.

—Lo sé de sobra. Ya le dije ayer que había estudiado su expediente, y no me estaba refiriendo a los últimos días. Le sigo desde hace tiempo. Por eso lo he elegido sobre otros miembros de las *Waffen-SS* con rangos muy superiores al suyo. Siempre me gusta promover la meritocracia. Los mejores deben ocupar los puestos adecuados. Aunque no lo crea, sigo, día a día, sus progresos con su unidad *Friedenthal.*

Skorzeny no se lo esperaba. Desde que fue herido en la campaña de Rusia en 1941, donde obtuvo su Cruz de Hierro, por sus tácticas innovadoras en el frente, fue trasladado a Viena. Sin saber por qué, de un día para otro recibió un despacho, ordenándole trasladarse a Berlín. Allí, también de forma inesperada, fue ascendido y se le asignó el entrenamiento de una unidad especializada en infiltraciones detrás de las líneas enemigas, llamada *Friedenthal*, que la dirigía desde entonces, basada en sus novedosas tácticas y en la guerra de guerrillas.

—¿Fue usted? —preguntó, muy sorprendido, Skorzeny.

Himmler se limitó a sonreír. Otto no se pudo aguantar.

—¡Ahora, por fin, me lo explico todo! —exclamó—. No conseguía entender el motivo por el que un simple oficial en la reserva, además herido en combate, fuera ascendido y se le asignara el entrenamiento de una unidad especial de infiltración. Se da la paradoja que preparo y tengo bajo mis órdenes a oficiales de mayor rango que el mío propio.

—Esa cuestión ya está en vías de solución —sonrió Himmler—. Será ascendido en breve a *Sturmbannführer*, ha hecho sobrados méritos para ello. Además, también lo necesitará.

—Ya es la segunda vez en esta conversación que alude a que necesitaré cosas. La primera, mi perspicacia y, ahora, un rango superior a capitán. No les encuentro conexión ni sentido alguno.

—También necesitaré sus obvios conocimientos en infiltración tras las líneas enemigas y su dominio de diferentes idiomas.

—¿No me mandará al frente de nuevo? Ya sabe que estoy en la reserva por heridas de guerra. Creo que le soy útil al *Reich* haciendo lo que hago.

Himmler volvió a sonreír. La presencia de Skorzeny le revitalizaba. Se expresaba con una claridad meridiana y hablaba con mucha propiedad, cualidades muy de su agrado.

—Bueno, es cierto que le voy a encargar una misión muy delicada en otro país.

—Señor, pero...

—No se preocupe, le mando a España.

Ahora, la cara del capitán era de absoluto asombro.

—¿A España? Es un país neutral en este conflicto. Acaban de salir de una guerra civil. Además, el general Franco y nuestro *Führer* mantienen buenas relaciones. No tenemos ningún conflicto con ellos.

—Me temo que eso va a depender de usted.

—Disculpe, pero no lo comprendo.

—Sabrá que, en 1936, fecha de inicio de la Guerra Civil Española, Hitler envió en ayuda del general Franco una fuerza de intervención militar, de apoyo aéreo y terrestre, denominada *Legión Condor*. Pues bien, paralelamente a este despliegue, aprovechando las infraestructuras creadas por esa fuerza, también le colamos a Franco una serie de células secretas, sin su conocimiento y consentimiento. La mayoría de ellas regresaron de España cuando finalizó la guerra, pero yo ordené mantener un puñado de ellas operativas. Aún permanecen allí.

—¿Para qué hizo semejante cosa?

—Siempre es interesante tener sobre el terreno de cualquier país, aunque sea amigo, una infraestructura paralela a la oficial, militar y diplomática. Nunca sabes cuándo los puedes necesitar. De hecho, ahora los preciso más que nunca.

—Tienen problemas, ¿verdad?

—Me temo que sí. Desde hace algún tiempo, sabemos que el general Franco sospecha de su existencia. Todas ellas disponen de máquinas de cifrado *Enigma M4* de última generación. Los servicios radiotelegráficos españoles llevan tiempo intentando triangular señales para capturar a una de esas células infiltradas. Lo que les interesa de verdad es la máquina *Enigma*. Ya sabe que las que les cedió Hitler, aunque mejoraban mucho su sistema de comunicaciones, eran obsoletas. No podemos permitir que caiga en manos de un gobierno ajeno al *Reich*, aunque se trate del español, que no son nuestros enemigos, ese tipo de material militar.

Skorzeny se quedó mirando a los ojos a Himmler.

—Hay algo más, ¿verdad? Para esa misión no me necesitaría a mí en persona. Sería mucho más útil un equipo táctico, por ejemplo, de los *Einsatzgruppen.*

—Consigue convencerme de su idoneidad a cada frase que pronuncia. Efectivamente, tiene razón, no se trata solo de eso. Hay una misión en curso que requiere del soporte de una de esas células. Me temo que su seguridad se haya visto comprometida. Desconozco más detalles, ya que las comunicaciones están interrumpidas.

—Esa misión que está en curso, ¿es de infiltración?

—Ahora parece que lo comprende. No necesito un equipo táctico que asalte y rescate a nadie, en el caso de que esta célula haya sido capturada. Necesito a alguien con experiencia en la materia, que no llame la atención y que me informe sobre el terreno de lo que ocurre.

—La misión debe ser muy importante, cuando se toma tantas molestias.

—Créame, lo es, aunque no pueda compartir los detalles con usted.

—Es decir, me manda a un país amigo, en el que, a pesar de ello, disponemos de células secretas, para que le informe de una de ellas en concreto, que puede haber sido localizada y eliminada, total o parcialmente, en cuyo caso no sé dónde se encontrarán, que se supone que debía de dar soporte a una operación de infiltración de la que no seré informado.

—Lo ha resumido perfectamente.

Skorzeny miraba a los ojos a Himmler. No sabía si le estaba poniendo a prueba o no.

—Señor, como comprenderá, lo que me pide es...

El *Reichsführer* le interrumpió.

—Pero eso no es todo.

Himmler le contó sus verdaderos planes, que poco tenían que ver con la operación de infiltración. O quizá sí, en estos momentos Skorzeny tenía su mente analítica hecha un lio. Estaba muy confundido y no tenía las ideas nada claras. Para culminar su desconcierto, Himmler le entregó dos sobres cerrados, dirigidos a dos personas, una española y una alemana.

—Los necesitará —dijo, mientras daba por concluida la reunión.

Porque conocía a Himmler, de lo contrario, lo habría tomado como un lo auténtico loco.

Igual lo estaba. O no.

17 EN ALGÚN LUGAR DEL MAR MEDITERRÁNEO, 16 DE MARZO DE 1943

Cornelia se despertó sobresaltada.

—¿Ahora qué ocurre? —se preguntó en voz alta, cuando escuchó de nuevo la alarma general del submarino.

Se incorporó de su camastro de inmediato.

—¿No se supone que el comandante había dado instrucciones de que no se activara de nuevo?

Cayó en la cuenta. El comandante no había dicho eso exactamente. Había dado instrucciones de que no se activara sin su consentimiento. Ese pequeño matiz se tornaba ahora fundamental.

Estaba claro que algo grave debía de estar pasando a bordo del submarino.

Llevaban casi dos semanas de navegación, que habían trascurrido con total normalidad. Cornelia había conseguido contactar con Himmler, gracias al aparato de alta frecuencia portátil del primer oficial y le había confirmado las instrucciones a bordo del submarino. En tierra ya sabía lo que tenía que hacer.

Cornelia no terminaba de reaccionar. Había tenido dos sueños muy extraños. Los tres últimos días no estaba durmiendo demasiado bien. Siempre había sido muy intuitiva. En ocasiones, sobre todo cuando se encontraba inmersa en operaciones de campo, los sueños le habían ayudado. En realidad, ya había llegado a la conclusión de que no eran los sueños como tales. Estaba convencida de que observaba detalles de los que no reparaba en el mismo instante. En los periodos de descanso, su cerebro ordenaba esos pequeños detalles y se los mostraba en forma de sueños. Al principio, pensó que aquello no era posible, pero la experiencia le había demostrado que no debía despreciarlos, por descabellados que le pudieran parecer. Los sueños repetidos de estos tres últimos días eran un claro ejemplo de ello. Su contenido le resultaba inconcebible.

Resolvió pensar en ello más tarde. Ahora debía abandonar su camarote y seguir los procedimientos de emergencia. Se puso el uniforme que llevaba a bordo, como el resto de marineros, y salió de su camarote.

Lo que observó le puso algo nerviosa.

Todo el mundo parecía en actitud frenética.

Se encontró de frente con el suboficial Matthias Otten, al cargo de la navegación.

—¿Qué es lo que ocurre? —le preguntó.

—Hemos localizado un convoy de buques mercantes.

—Eso ya ocurrido en otras dos ocasiones, en nuestra navegación. En la primera ocasión intentamos hostigarlos, pero el destructor que los escoltaba nos localizó y tuvimos que huir. La segunda vez ni siquiera intentamos aproximarnos.

—Esta vez es diferente. Este convoy no parece llevar escolta —dijo, mientras se marchaba corriendo, literalmente, hacia su puesto de combate.

Cornelia se dirigió hacia su compañero de misión, el teniente Markus Rietschel, que había embarcado en el *U-Boot* como *Funkmaat*, es decir, unos de los técnicos que operaban el *Funkmeßortungsgerät,* que era el sonar del submarino.

—Hola, Markus.

—No me pillas en el mejor momento para hablar. Tenemos un convoy a apenas veinte millas.

—Lo sé, me lo ha dicho Matthias. Mi única preocupación es la posible escolta de buques de guerra. Podría ser peligroso.

—No existe tal escolta. Hemos identificado las huellas sonoras de todos los barcos que tenemos enfrente. Son mercantes sin escolta.

—Pero eso no puede ser. Todos los convoyes del mediterráneo llevan escolta.

—No te falta razón, pero nos encontramos muy cerca de la costa, en concreto de un puerto controlado por la Armada francesa. Supongo que no esperarán ver a un submarino alemán tan cerca de ella.

Cornelia se sobresaltó.

—Markus, ¿cuál es nuestra posición actual?

El teniente escribió en un pequeño papel las coordenadas y se las dio a su capitán.

—Disculpa, Cornelia, ahora estoy muy ocupado. Cuando termine la situación de combate, hablamos.

Cornelia se fue a su camarote. Comprobó las coordenadas.

Su sorpresa fue mayúscula. Ahora se explicaba uno de sus sueños y el motivo por el que no estaba durmiendo muy bien los últimos tres días. Fue en busca del comandante Otto Hartmann. Como era de suponer, estaba en el puente, asomado, al periscopio.

Cuando la vio llegar, Otto saludó a Cornelia.

—La fortuna nos sonríe. No esperaba encontrar un convoy desprotegido. Es un regalo.

Cornelia estaba furiosa y se le notaba. Otto se dio cuenta, pero la interpretó mal.

—Si no me cree, compruébelo por sí misma —dijo, pasándole el periscopio a Cornelia.

Cornelia pudo observar un mercante. Le dio la impresión de que estaba muy cercano.

—Vamos a por él —le dijo Otto—. Lo tenemos identificado, se trata del buque de bandera británica a vapor *Hadleigh*, con un desplazamiento de más de cinco mil toneladas. Su puerto base es Londres.

Cornelia dejó el periscopio y le dirigió una mirada nada amistosa.

—¡A su camarote de inmediato! —exclamó.

Otto observó el rostro de Cornelia.

—Estamos en situación de combate y yo soy el comandante de este...

No le dejó terminar la frase.

—Así quedamos, ¿lo recuerda? No me obligue a arrastrarlo. Sabe que lo haré.

Otto la creyó.

—Está bien, pero solo un minuto.

—Con medio me bastará —le respondió Cornelia.

El comandante vio fuego en sus ojos. Por un momento, llegó a temer por su vida, pero se quitó ese pensamiento de la cabeza. Estas dos semanas de navegación, a excepción del incidente inicial, Cornelia se había adaptado bien a la vida del submarino y caía bien hasta a la tripulación.

Entraron en el camarote del comandante. Cornelia fue directamente al grano.

—¿Me puede explicar qué hacemos aquí?

—¡Pero si me lo acaba de pedir!

—¡Idiota! No me refiero a su camarote. Estamos frente a las costas de Orán, en África, muy alejados del destino donde se suponía que debíamos de estar. Por eso no dormía bien. El calor es sofocante.

Ahora, por fin, Otto comprendió la furia de Cornelia.

—Ya le dije que yo tenía mis propias instrucciones de navegación y que era posible que no coincidieran con las suyas.

Cornelia se puso muy seria.

—Sabe perfectamente cuáles fueron las instrucciones del *Reichsführer.* La finalidad de esta misión era dejarnos en unas determinadas coordenadas de la costa mediterránea española. Resulta que, ahora mismo me acabo de enterar de que hace, al menos cinco días, que pasamos justo por delante de ellas. No ha cumplido unas órdenes muy claras.

—Como le he dicho, yo también tengo mis instrucciones. Me parece que ya dejamos claro hace algún tiempo que sus órdenes y las mías podrían entrar en conflicto. Le pido disculpas, quizá debí haberle informado con anterioridad.

Ahora ha procedido como debía y estamos discutiendo este malentendido en privado.

—*Oberleutnant zur See* Hartmann —le respondió, con mucha solemnidad—. Ahora le habla la *Hauptsturmführer* Schiffer. Como tenga la más mínima sospecha de que no está siguiendo las instrucciones del *Reichsführer,* tomaré medidas de inmediato. Quiero que comprenda bien el alcance de mis palabras, ya sabe quién soy y de lo que soy capaz. Ahora mismo, estoy a cinco minutos de desconfiar de usted. Si eso llega a ocurrir, dese por muerto. Me parece que me he explicado con suficiente claridad, ¿no le parece?

—Desde luego —ahora Otto estaba atemorizado. Era plenamente consciente de que era capaz de cumplir con su amenaza.

—Bien, pues ahora vaya a atacar a ese convoy sin comprometer en lo más mínimo la integridad de este submarino. Una vez completada la acción, se dirigirá de inmediato, sin más demoras ni pretextos, a las coordenadas que ya conoce. Si alguna orden que pudiera tener contradice lo más mínimo las instrucciones que le estoy dando, queda derogada en este mismo momento. Ya sé que es el comandante de este submarino, pero en su ausencia, ya me entiende, tomaré el control del mismo. No me cae usted mal, teniente Hartmann, pero quiero que tenga las cosas muy claras. No es personal, pero le mataré en un segundo. Puede abandonar su camarote.

A pesar de que la capitán le invitaba a abandonar su propio camarote, el comandante salió a la carrera de él, con el rostro desencajado.

Cornelia le había mentido.

No estaba a cinco minutos de perder su confianza con él, ya la había perdido del todo.

18 EN ALGÚN PUNTO DE LA COSTA MEDITERRÁNEA, ESPAÑA, 16 DE MARZO DE 1943

—¿Y ahora qué hacemos, Martin? Llevamos dos semanas en esta casa y nada ha sucedido.

—Ya escuchaste las palabras de Helmut. Nuestras órdenes son esperar la llegada del paquete. —le respondió.

—Sí, y también escuchamos los disparos —le respondió el sargento segundo de las *Waffen-SS*, Walter Krämer. Después de este tiempo, aquí encerrados, aún no se me quitan de la cabeza.

—Escucha, sabíamos que nos seguían. Estábamos preparados para esa eventualidad. Sí, es cierto que Helmut y Konrad estarán muertos con toda probabilidad, pero hasta eso estaba previsto en los planes. Ellos formaban la pareja expuesta y visible, y nosotros la oculta e invisible. Debemos continuar con el protocolo.

—Que consiste en no hacer absolutamente nada, mientras nuestros compañeros están muertos.

—Es exactamente así, Walter. Cuando antes pases página, mejor. Recuerda nuestro entrenamiento.

—¡Pero esto es real! Estamos solos, en un lugar que nadie conoce, esperando a alguien que no sabemos quién o quiénes son y que tampoco saben dónde nos encontramos. Además, tenemos prohibido comunicarnos, para explicar en la situación en la que nos encontramos. Me parece que no es para estar muy tranquilos que digamos.

—Todo lo contrario. Aunque ahora te cueste creerlo, todo esto lo tenía previsto nuestro jefe, el *Sturmscharführer* Helmut Albrecht. Ahora estoy yo al mando de la operación.

—¿Qué operación? Esos disparos... —empezó a decir el Unterscharführer Walter Krämer.

—¡Olvídalos! —le interrumpió el *Scharführer* Martin Bauer— Concentrémonos en nuestra operación.

—Que consiste en no hacer nada —Walter había entrado en bucle.

—Eso también es una misión. Por tu entrenamiento lo deberías conocer. En España tenemos decenas de oficiales de la *Sicherheitsdienst,* la inteligencia de las *SS*, en la misma situación que nosotros.

—¿Y si nadie se presenta en todo este tiempo?

—¿Acaso te desagrada la vida en este precioso pueblo? Con los recursos económicos de los que disponemos, seríamos unos jubilados de oro en la costa mediterránea española. Ahora que lo pienso, quizá me apetezca más este último plan. Muchos de nuestros compatriotas nos envidiarían. Imagínate que estuviéramos en primera línea, en cualquiera de las divisiones de las *Waffen-SS*.

—Si quieres que te diga la verdad, en estos momentos no sé qué prefiero. Por lo menos, en cualquiera de los frentes, estaríamos luchando por nuestra patria.

—Aquí también lo estamos haciendo, aunque no lo parezca —insistió Martin, que, a pesar de todo, empatizaba con las ideas de su compañero, pero, como jefe de misión, no debía dejar traslucir sus sentimientos.

—¿No has pensado que todo puede no ser del color de rosa que lo estás pintando? —Walter seguía al ataque.

—¿Por qué dices eso?

—Los oficiales franquistas ya nos han localizado una vez, a pesar de todas las medidas de protección que empleamos.

—Olvidas una cosa muy importante. Si lo hicieron, fue porque triangularían la señal radiotelegráfica de nuestra máquina *Enigma,* que ahora tenemos desmontada pieza a pieza y escondida en esta propiedad. Ya no pueden triangular nada, porque nada vamos a emitir, al menos hasta que llegue el paquete. Ya sabes las instrucciones que tenemos en ese caso. El *Reichsführer* lo dejó muy claro en su última trasmisión.

—Creo que ya te he expresado con la suficiente claridad lo que siento, encerrado entre estas paredes.

—Pues abre las puertas y sal al balcón. Las vistas te vendrán bien para quitarte de encima esa especie de depresión que sufres —dijo Martin, mientras lo hacía.

Walter también salió al pequeño balcón.

—Sabes que esto no está bien —insistió.

—Sé que esta es nuestra misión. Eso es todo lo que necesito conocer.

Walter sabía que tenía la discusión perdida de antemano. Martin era su jefe, además no tenía otra alternativa.

«¿Qué voy a hacer, si no?», pensó.

Esperar. Quizá a nadie, como a Godot en la célebre obra, que publicaría Samuel Beckett nueve años después, *Esperando a Godot.*

El teatro del absurdo.

Como la presente situación.

19 EN ALGÚN LUGAR DEL MAR MEDITERRÁNEO, 16 DE MARZO DE 1943

Cornelia estaba observando las maniobras de combate. Se notaba que la tripulación era excelente, todos actuaban perfectamente coordinados. Aunque no debajo del agua, ella entendía bastante de eso, en la superficie. Otto Hartmann, a pesar de su juventud, parecía un buen director de orquesta.

—Informen de distancia al objetivo.

—Cinco millas, señor.

—Sala de torpedos, ¿me reciben?

—Alto y claro —era la voz del primer oficial. Waldemar.

—Vacíen los tubos uno y dos y carguen torpedos. Avise cuándo estén listos.

—A sus órdenes, comandante.

—¿Distancia al objetivo?

—Se mantiene en cinco millas, señor.

—Navegante —Otto continuaba impartiendo instrucciones, esta vez al suboficial Matthias Otten—. Aproxímese a cuatro millas, en cuanto el primer oficial confirme la carga de torpedos.

En ese mismo instante, Waldemar respondió por la radio interna.

—Comandante, torpedos uno y dos preparados.

El submarino viró ligeramente de rumbo. Cornelia comprobó cómo Otto tenía una especie de cronógrafo en su mano.

—Cuatro millas, señor —confirmó Matthias.

—Sala de torpedos. Preparados para lanzamiento. ¡Fuego el uno!

Puso en marcha su cronógrafo.

—¡Fuego el dos!

Cornelia pudo sentir como el submarino se estremecía. Volvió a fijarse en toda la dotación. Su concentración era máxima. Suponía que era una situación análoga a las operaciones de superficie, cuando estaban en plena ejecución de un operativo. La tensión se podía respirar.

Otto se fue directamente al periscopio.

—Aún no nos han localizado. No han variado ni rumbo ni velocidad —dijo, mientras no cesaba de echarle vistazos a su cronógrafo.

—Tripulación —dijo por la radio del submarino—. Prepárense para impacto en el mercante en diez segundos.

De repente, se sintió una gran explosión. A los pocos segundos, otra más.

—Confirmado alcance. Los dos torpedos han impactado en el buque. Sonar, informe de daños.

—Señor, el *Hadleigh* ha sido alcanzado de pleno. Escuchó ruidos de rotura total del casco. Sin duda se va a ir a pique.

Todos los miembros del puente de mando se pusieron a aplaudir. Sin embargo, Cornelia pudo observar que Otto seguía concentrado.

—Enhorabuena a todos. Es nuestra primera pieza cazada de esta patrulla, pero les quiero concentrados. Estamos ante un convoy. Vamos a intentar hundir a otro buque.

De la alegría, pasaron de nuevo a la concentración, en apenas un instante.

—Sonar, confirme las huellas de sonido del convoy. ¿Hay alguna novedad? ¿Algún rastro de buques de guerra?

—No, señor.

—Perfecto entonces. ¿Cuál es el siguiente objetivo más cercano?

—El *Merchant Prince*, señor. Otro buque mercante británico, de similar desplazamiento al *Hadleigh,* poco más de cinco mil toneladas. Es más moderno y dispone de casco reforzado.

—¿Distancia?

—Diez millas, señor.

Otto se dirigió al periscopio.

—Señor, el *Merchant Prince* ha iniciado maniobras evasivas y se escuchan perfectamente sus hélices a toda máquina.

—Navegante, a toda máquina. Quiero distancias al objetivo a cada milla.

Cornelia vio repetirse todo el procedimiento que ya había observado con el anterior ataque. Cuando se encontraron a la distancia apropiada, le dispararon otros dos torpedos. Otto se dirigió de nuevo al periscopio.

—Señor, el primero no ha impactado en el buque —le informaron desde el sonar.

—Pero sí el segundo —confirmó Otto, que lo estaba observando a través del periscopio.

—Así es, señor.

—Confirme posibles daños.

—Impacto en la popa. Se ha quedado sin propulsión, pero no se observan ruidos de rotura severa de casco. Es posible que lo hayamos inutilizado, pero es probable que pueda permanecer a flote.

Otto ya estaba observando todo lo que le estaban narrando a través del periscopio.

—Atención, comandante. señales acústicas de dos buques que no teníamos localizados. Se aproximan a toda máquina.

Cornelia comprobó cómo el comandante dejaba de inmediato el periscopio y acudía a toda prisa al sonar. Los dos operarios y Otto escuchaban los sonidos.

—Señor, por su sistema de propulsión no son barcos mercantes.

—¿Los pueden identificar?

—Confirmación de uno de ellos, el que navega en cabeza. Su huella sonora se corresponde con el *HMS Restive*. Aunque pertenece a la *Royal Navy*, se trata de un buque de rescate y remolque, sin armamento antisubmarino.

Otto se relajó un tanto.

—¿Y el segundo?

—No lo termino de identificar, señor, aún no se encuentra lo suficientemente cerca.

—Navegante, permanezca en posición hasta que identifiquemos el segundo buque. Continúe en profundidad de periscopio —ordenó Otto.

Cornelia observó que, ahora, estaba algo nervioso. Supuso que tenía motivos para ello. No tenía sentido que los británicos enviaran un buque de rescate y remolque, en ayuda de sus dos barcos torpedeados, sin una escolta militar, sobre todo conociendo la existencia de un submarino alemán en las inmediaciones. Pensó que, en estas circunstancias, ella no se habría esperado a identificar al segundo buque. Con toda probabilidad sería de guerra. Habría ordenado de inmediato alejarse de aquella zona y máxima profundidad.

Cornelia tomó nota mental de aquel detalle. Estaba claro que el comandante no había ordenado lo obvio. El motivo también le pareció obvio. La prioridad de Otto, en esta misión, no eran ni Markus ni ella, sino hundir la máxima cantidad de mercantes posibles.

«La próxima vez que lo intente, será la última», pensó Cornelia, con su mente analítica. No bromeaba.

—¡Señor, es el *HMS Tynedale*! —casi gritó el operador del sonar.

Otto corrió hacia el periscopio. Ahora, el semblante le había cambiado.

—Confirmación visual —chilló Otto, mientras bajaba el periscopio—. ¡Inmersión inmediata!

Cornelia se permitió una pequeña sonrisa.

—Se trata de un buque de guerra, ¿verdad? —le preguntó, fingiendo inocencia.

—Sí, es un destructor británico especializado en operaciones de combate antisubmarinas. Es de los modernos y letales para nosotros. Puede almacenar hasta cuarenta cargas de profundidad. Afortunadamente, no nos ha localizado todavía.

—¿Todavía?

—Espero que tengamos tiempo de alcanzar la suficiente profundidad antes de que eso ocurra.

Cornelia, ahora, se puso muy seria.

—En diez minutos le quiero en mi camarote.

—¡Pero estamos en plena maniobra de escape!

—Por eso le doy diez minutos. En caso contrario, lo estaría arrastrando con mis propias manos.

—¡Usted no puede ordenarme nada! —Otto se envalentonó. Aún tenía la adrenalina por las nubes, después del éxito del combate.

—¿De verdad cree eso? —le respondió Cornelia, dirigiéndole una mirada gélida, como la de una pantera antes de abalanzarse sobre su presa.

La adrenalina del comandante le desapareció de un plumazo.

20 EN LA ACTUALIDAD, VALENCIA, 29 DE JUNIO

—¿Cuándo nos vamos a tu casa?

—A nuestra casa, querrás decir.

—¡No me marees! Estamos a más de treinta grados. Creo que las plantas de tu ático estarán deseando ser regadas. Cuando te vean salir a la terraza te harán la ola.

—Hemos pasado la mañana con nuestras amigas Almu y Carol y...

—¡No me lo recuerdes! —le interrumpió—. ¿Qué pretendes? ¿Meterme el dedo en el ojo y retorcérmelo?

—No me has dejado terminar la frase. Quería decir que nos hemos tomado un aperitivo y hemos corrido dos horas. ¿No crees que merecemos descansar un poco?

—No me obligues a decirte lo que pienso que te mereces.

—Sé que te he picado con tu punto débil.

—Mi punto débil son los tíos buenos, que, en julio, están en Ibiza.

—No me refería a eso —dijo Rebeca, riendo—. Quería decir que te mueres de curiosidad. Te carcome por dentro no saber por qué he aceptado pasar las vacaciones en Denia, las cuatro juntas.

—Me fastidias mis soñadas vacaciones y ahora me torturas. Lo próximo, ¿qué será? ¿Obligarme a escuchar *reagettón*?

—No, no soy tan cruel —Rebeca se seguía riendo—, aunque tengo que reconocerte que, en una de mis listas de *Spotify*, tengo un tema de Maluma, que se titula «Felices los 4».

—¿Es algún tipo de mensaje subliminal? No sigas por ahí, que me entra la risa floja. No me imagino saliendo de caza con Carol y Almu. A la primera, como el tío no huela a *Acqua di*

Parma y calce unos *Pierre Corthay*, ni lo mira, y la otra... bueno, es que ni siquiera me la imagino ligando. ¿En qué museo sería su primera cita?

—No tengo ni idea qué perfume ni qué calzado son esos, pero no seas tan mala con Almu. Igual te sorprende, su erudición tiene un punto atractivo.

—¿Un punto atractivo? ¿Sabes? Hablando de atracción y de erudición, cuando un cuerpo cargado toca otro que está completamente descargado, le trasfiere parte de su carga eléctrica y los dos quedan con electricidad del mismo signo y, en consecuencia, se repelen. No se atraen.

—¡No me seas pedante! —Rebeca no podía parar de reírse. Cuando su hermana se ponía borde, lo bordaba.

—Bueno, ¿nos dejamos de tonterías y vamos de una vez a tu casa, perdón, a nuestra casa?

—¿No comemos? Es la hora.

—Si no salimos en menos de diez minutos, lo que te vas a comer son las plantas esas, sin regar.

—Vale, vale —le respondió Rebeca, que ya se había rendido ante su hermana—. ¿Me permitirás que me cambie la camiseta, por lo menos? Hace calor.

—Te quedan nueve minutos —le contestó, con los brazos cruzados.

Al final, Carlota se salió con la suya.

—A estas horas no vamos a coger las bicicletas, tomaremos el autobús.

—Lo que quieres es llegar más rápido —sonrió Rebeca.

—También. Quiero leer esos documentos ya.

En apenas un instante estaban frente a la puerta de *La Pagoda.*

—¿Dónde están? —preguntó Carlota, con los nervios a flor de piel, cuando entraron en el ático.

—¿Dónde va a ser? En la terraza —le respondió su hermana, mientras tomaba una gran regadera del pequeño trastero.

—¡Idiota, ya sabes a qué me refiero!

—Hemos venido a darles de beber a las plantas y apenas me va a llevar cinco minutos. Creo que lo podrás soportar. Anda, siéntate en el salón y enseguida estoy contigo.

Carlota también tenía sed. Aprovechó para ir a la nevera. Se sorprendió cuando vio su interior.

—¡Oye! ¿Te alimentas solo de cerveza? No es que me importe, de verdad. De hecho, ahora mismo me viene de maravilla —dijo, mientras tomaba una botella grande de cerveza trapense *Chimay* etiqueta roja, una de las preferidas de Rebeca.

—Pues claro que no —le respondió—, pero, cuando me fui a tu casa, vacié la nevera de comida. Piensa que no voy a volver hasta dentro de un mes.

—Y tus queridas plantitas, ¿qué van a hacer durante todo ese tiempo? ¿Acercarse a la nevera y pillar un *pedo* de cerveza? ¡Fiesta de geranios! Igual hasta se lo pasan mejor que nosotras.

Rebeca continuaba riéndose de las extravagantes ideas de su hermana.

—¿No crees que te estás pasando? —le dijo. Quería que sonara a recriminación, pero cuando terminó la pregunta, no le dio esa sensación.

—Ahora que lo pienso, me parece mejor plan que el de Denia. ¿No existe una flor que se llama almudena? Esa que es morada en forma de espiga. ¿Qué será más divertido, un geranio o una almudena?

—Esa flor se llama verónica, no almudena. ¡La verdad es que no tienes remedio! —dijo Rebeca, sonriendo—. Ya he hablado con nuestra tía Tote. Tiene vacaciones en agosto y se va a Estados Unidos con Joana. Ella me las regará en julio y yo haré lo propio en su casa, en agosto.

Carlota, mientras tanto, había abierto la botella de *Chimay*, servido dos vasos y salido a la terraza, junto con su hermana. Le dio un buen sorbo al suyo y dejó el de su hermana encima de la mesa.

—¿Tote se va a América y nosotras dos a Denia? Cada vez que te explicas, lo vas arreglando más...

—Olvídate de una vez de Ibiza. ¿Y si te prometo más emociones en Denia?

—No puedes hacer eso.

—Te aseguro que sí.

—¿Cómo?

—En un momento lo verás.

Rebeca terminó de regar las plantas y guardó la regadera.

—Ha llegado el momento. ¿Hace usted el favor de acompañarme a mi habitación?

—Por supuesto.

Entraron en el cuarto de Rebeca. Se dirigió al vestidor, donde guardaba toda su colección de ropa. A pesar de que siempre solía ir vestida de manera informal, tenía una gran colección de trajes, algunos de diseñadores muy conocidos, incluso algún modelo exclusivo de alto valor. Tomó un taburete y se encaramó hasta un altillo.

—¿Guardas los papeles de Bennassar junto a los Caprile y al Reem Acra?

—Es que no tenía otro lugar donde dejar esta caja tan voluminosa —le respondió Rebeca, mientras intentaba descender sin caerse, cargada con todos los documentos.

Depositó la caja encima de su cama y se puso a rebuscar la carpeta que le interesaba.

—Aquí está —dijo, satisfecha.

—¿Eso? Pero ahí dentro no parece que haya nada.

Sin que Carlota se hubiera dado cuenta, Rebeca había cogido un sobre grande. Delante de ella, guardó la carpeta en su interior y lo cerró.

—¿Qué haces? —le preguntó Carlota, extrañada.

—Te había prometido emociones en Denia y siempre cumplo con mi palabra.

—¿Qué quieres decir?

—¿Sabes? Siempre dicen que el ron o la piña colada saben mejor cuando te las tomas en su origen, Cuba o la República Dominicana. Pues lo mismo vamos a hacer con el contenido de esta carpeta.

—¿No estarás insinuando que no piensas abrir ese sobre hasta llegar a...?

—¡Exacto! —la interrumpió Rebeca—. ¿No querías emociones en Denia? Pues ya tienes la primera.

—¡Te mato! —le replicó Carlota, mientras se abalanzaba hacia su hermana. Rebeca, que ya se lo esperaba, salió corriendo hacia el salón. Acabaron las dos tiradas encima del sofá.

—¿Esto es preciso? —le dijo Carlota, riéndose.

—En realidad, te he mentido desde el principio.

—¡Me lo tenía que haber imaginado! Esa carpeta estaba vacía. Me has tomado el pelo.

—No, te equivocas. No creo que esté vacía, pero no me refería a eso cuando te he dicho que te había engañado.

—¿Te quieres explicar ya, o te planto al lado de tus amados geranios?

—Lo que te quería decir es que, en realidad, no nos vamos a Denia porque Bennassar y nuestra madre se interesaran por ese pueblo.

—No te entiendo. Entonces, ¿por qué?

—¿Qué otras dos variables quedan en la ecuación, una vez despejada Denia?

Carlota se le quedó mirando, pensativa. Tardó en reaccionar un par de segundos.

—¿No me digas? —preguntó, asombrada.

—Veo que lo has comprendido.

21 EN ALGÚN LUGAR DEL MAR MEDITERRÁNEO, 16 DE MARZO DE 1943

—Markus, a mi camarote ya.

—Cornelia, estoy de guardia, en plena maniobra de inmersión y escape. Ahora no puedo.

—*Funkmaat* Hermann Kilp, ¿le importaría sustituir a Markus durante diez minutos? —le preguntó Cornelia, con la mejor de sus sonrisas.

—Por supuesto, capitán. ¡Pero diez minutos de verdad! —le respondió, devolviéndole la sonrisa. ¿Quién podía decirle que no a Cornelia, cuando se lo proponía? Además, era la *B-Dienst* del *U-77*, la oficial de inteligencia. Ese cargo siempre imponía respeto al resto de la tripulación.

Markus le cedió su puesto a Hermann y la acompañó hasta su camarote.

—Anda, siéntate, que tan solo dispongo de unos minutos antes de que se presente el comandante.

—¿También lo has citado aquí? Él está al mando de esta nave. ¿No se supone que teníamos la obligación de pasar desapercibidos entre la tripulación?

—Y tú también tenías la obligación de no engañarme.

—¿A qué te refieres? Yo no he hecho tal cosa.

—No me puedo creer que no supieras la ubicación del submarino. ¡Por favor, Markus, estamos en la costa africana, no en la mediterránea!

—Por supuesto que lo sabía, ¿y qué?

—¿Por qué no me informaste de inmediato?

—¿Tú no lo sabías? Eso sí que es extraño. Ahora mismo me estoy enterando. El comandante me exhibió sus órdenes, Estaba convencido de que, si las había compartido conmigo, también lo habría hecho contigo, por eso no le di importancia a nuestra ubicación actual.

—¿Qué órdenes eran esas?

—Debemos hundir mercantes en esta posición. En unos días partiremos hacia las coordenadas en la costa mediterránea española, y nos dejarán, tal y como estaba previsto.

—No, Markus. Eso no era lo que estaba previsto. Ponte en pie.

—Pero Cornelia... —intentó explicarse Markus.

—A partir de ahora, capitán Schiffer, que parece que lo has olvidado. Soy tu superior y la jefa de la operación. Yo también tengo mis órdenes, que está muy claro que no se corresponden con las del comandante.

—Pero... —Markus continuaba tratando de hablar.

—¡Teniente Rietschel, cállese! No volverá a hablar hasta que yo le dé permiso. Además, a partir de ahora, me tratará de usted y por mi rango, nada de Cornelia.

Markus vio la mirada en los ojos de su compañera. La conocía de sobra como para no intentarlo de nuevo.

—Me temo que estoy perdiendo la confianza en mi compañero de unidad. Ya sabe lo que eso significa y lo que estoy autorizada a hacer, en operaciones como esta. No hable, tan solo asienta con la cabeza si lo ha comprendido.

Markus estaba acobardado. Por supuesto que sabía lo que Cornelia estaba autorizada a hacer. Asintió, tal y como le había indicado.

—Bien, una vez dejado este punto muy claro, le voy a formular dos preguntas y quiero que sea claro y sincero.

Markus permaneció en silencio. Cornelia, cuando se enfadaba, era temible.

—Teniente, ¿de verdad puedo confiar en usted?

—Por supuesto. Es mi capitán y mi superior. No le quepa ninguna duda de mi fidelidad hacia su persona y hacia el *Sicherheitsdienst.*

—Bien —respondió Cornelia, que seguía muy seria—. Ahora viene la segunda. En caso de conflicto de órdenes entre las del comandante Hartmann y las que yo misma tengo, para llevar a término esta operación con éxito, ¿de qué lado estará?

—No dude ni por un momento que del suyo. Somos un equipo de la inteligencia alemana. Usted es la jefa de la unidad de infiltración. No estoy a las órdenes del comandante de este *U-Boot*, sino a las suyas, para lo que disponga.

—Pues eso es lo que precisamente voy a hacer. Escuche con atención mi explicación. Cuando la concluya, abandonará mi camarote sin formular ninguna pregunta ni objeción. Se limitará a acatar mis instrucciones. ¿Lo ha comprendido?

—Por supuesto, mi capitán.

Cornelia le explicó al teniente lo que debía de hacer y cuándo llegaría el momento oportuno de hacerlo. También le advirtió que no volverían a hablar de este tema nunca más. No necesitaba instrucciones adicionales ni su confirmación para ejecutar las órdenes. Acción-reacción. Esa era su última palabra.

Markus se quedó helado. Aquello era completamente inesperado. Pensó, durante un pequeño instante, formular alguna objeción, pero levantó la vista y observó la mirada de Cornelia fijada sobre él. Se le quitaron todas las ganas.

—¿Acaso no me ha comprendido, teniente?

—Perfectamente —se escuchó Markus contestar. Aún estaba asimilando lo que había oído. Le parecía inconcebible ya que podría implicar su propio suicidio. En realidad, era mucho más que eso. Suponía que, durante la tensión que se generaría en esa situación, le sería posible cumplir las órdenes de la capitán, pero no las tenía todas consigo, tan solo lo suponía. Necesitaría desaparecer dos o tres minutos. Lo que le había quedado muy claro es que no tenía alternativa.

—¡Pues abandone mi camarote ya, que parece pasmado! ¿A qué espera? —le gritó Cornelia.

Salió casi a la carrera. En su torpe huida, casi se tropieza con el comandante Hartmann, que acudía a su encuentro con Cornelia.

«¿Qué está ocurriendo aquí?», se preguntó Otto, al ver la cara de terror de Markus. No pudo evitar sentir un escalofrío recorriendo todo su cuerpo.

Llamó a la puerta del camarote de Cornelia, que le abrió la puerta y le franqueó el acceso. Tal y como había hecho con Markus, le invitó a sentarse.

—Gracias por acudir, comandante.

—¿Acaso tenía opción?

—La verdad es que no la tenía —reconoció Cornelia—. No me voy a andar con rodeos y voy a tratar de ser muy clara con mis preguntas. Espero que usted también lo sea con sus respuestas.

—Por supuesto —Otto seguía acobardado.

—¿Cuáles son sus órdenes en la presente misión y quién se las ha impartido?

—Usted lo sabe perfectamente. El día que el *Reichsführer* Himmler me las dio, estaba presente, con su compañero, el teniente Markus.

—Por favor, no me haga perder el tiempo —Cornelia se puso más seria todavía—. Me refiero a las «otras» instrucciones.

—¿Cómo sabe...?

—Haga el favor de contestarme. Si usted es sincero conmigo, también lo seré yo con usted —le interrumpió—. En caso contrario, actuaré según mis instrucciones y le puedo asegurar que no le gustará en absoluto.

Otto se quedó un instante en silencio, con la mirada felina de Cornelia clavada en sus ojos. Al final se decidió. Sacó un papel y se lo entregó.

Cornelia lo leyó con aparente tranquilidad. Cuando concluyó, se lo devolvió.

—Bien —dijo—. Acaba de incumplir hasta sus propias órdenes paralelas.

—¿Por qué? Ahí está todo especificado. La misión, nuestra posición...

Cornelia le volvió a interrumpir. Odiaba perder el tiempo.

—He estado observando toda la maniobra de combate frente a los dos buques mercantes. Tengo que felicitarle. La coordinación de la tripulación, la ejecución del ataque y sus instrucciones han sido impecables. Se nota que han sido bien adiestrados.

—Gracias —respondió Otto, sorprendido. Lo último que se esperaba escuchar en esta reunión era un halago.

—Pero, como le decía, ha incumplido sus órdenes, al poner en serio peligro este submarino.

—¿Qué? —no pudo evitar preguntar Otto—. ¡Si acaba de decir que la actuación ha sido impecable!

—¡Haga el favor de callarse! Estoy haciendo un gran esfuerzo de autocontrol interno. No lo estropee.

Otto obedeció sin rechistar.

—El error es usted —le dijo, señalándole con el dedo—. Debió retirarse y ordenar la inmersión, nada más hundir el segundo mercante.

—No tiene experiencia en...

—La próxima vez que hable sin mi permiso, le corto la lengua.

Otto la creyó.

—Ya sé que supone que yo soy una vulgar asesina de las *SS* y, en cambio, usted es todo un comandante de un submarino, con tan solo veinticinco años de edad y con un futuro muy prometedor. Pues resulta que no, está muy confundido. No me gané la Cruz de Hierro de primera clase, a los veinte años, por matar a nadie. Soy especialista en la organización de equipos de infiltración, además, los suelo comandar personalmente. También soy experta en tácticas y operaciones de combate en entornos hostiles. Acabo de darme cuenta de que son asombrosamente parecidas, las subacuáticas y las terrestres. Soy perfectamente consciente que hemos estado a un minuto escaso de que ese destructor británico nos localizara. Si lo llega a hacer, con su formidable armamento, es muy probable que, ahora mismo, no estuviéramos aquí, manteniendo esta conversación. No se moleste en negarlo porque lo sabe igual que yo. Por eso le decía que el error es usted. Su ambición. Para su ego, no era suficiente éxito el hundir dos mercantes. Su deseo de atacar a otro más ha sido un acto completamente irracional e inaceptable para un oficial al mando de cualquier unidad, ya sea un submarino o un comando táctico de superficie.

—No se lo voy a negar. La presencia de ese destructor ha supuesto una situación de riesgo, pero controlado.

—Comandante, en sus instrucciones pone bien claro que evitara cualquier situación de riesgo para el submarino. Recalco la palabra «cualquiera». Sin embargo, no he leído las palabras «riesgo controlado» por ninguna parte.

Otto tuvo que callarse y comerse sus propias palabras.

—Por otra parte, ya que usted me ha mostrado sus órdenes, yo también voy a hacer lo propio con las mías —dijo Cornelia, mientras le entregaba una hoja a Otto.

Tuvo que leerlas dos veces. Palideció por completo, hasta las uñas de los pies.

—Puedo relevarle del mando cuando lo considere un peligro para la misión y darle el gobierno del submarino al primer oficial. Hasta el extremo de que, si considero que puede suponer un riesgo personal para mi operación táctica, estoy autorizada a matarle, sin más explicaciones. De hecho, en estos momentos, lo estoy considerando.

Otto estaba verdaderamente aterrado.

—Tranquilo, no voy a hacer ninguna de las dos cosas, siempre y cuando usted cumpla con dos condiciones muy básicas.

—Por supuesto —murmuró Otto, que casi no le salían las palabras.

—La primera, tire a la basura las órdenes que le dio el jefe de la *Kriegsmarine*, el almirante Dönitz. Tiene suerte que no dispongamos de comunicaciones a bordo, porque ya sabe que Himmler no iba a ser tan comprensivo con usted como lo estoy siendo yo. Le aseguro que ya estaría con los peces de ahí afuera.

Otto tragó saliva.

—¿Y la segunda?

—Usted podrá comandar el submarino, pero aquí mando yo. Ponga rumbo a las coordenadas que le ordenó el *Reichsführer* de inmediato. La prioridad de la misión vuelve a ser dejarnos, sanos y salvos, en ese preciso lugar, sin más distracciones ni dilaciones.

—De acuerdo —respondió el comandante. En realidad, no tenía otra opción.

Se levantó de la silla. Aún le temblaban las piernas.

—Antes de que abandone mi camarote, una última cuestión —dijo Cornelia—. En caso de vernos envueltos en cualquier situación de pueda suponer un riesgo para el submarino, quiero que recuerde las palabras de Himmler, en la cena que asistimos en su residencia. Me refiero a la parte que dejó muy clara que la vida del teniente Markus y la mía propia, están por encima de las vidas de toda la dotación de este submarino. Por su bien, espero que no nos veamos envueltos en otros incidentes desagradables. Si llegara a suceder, este submarino está equipado con dos barcas de salvamento, en lugar de una sola, como es lo habitual. Supongo que le habrá llamado la atención. El motivo es obvio. Esa barca, en caso de una fatalidad inesperada, está destinada al teniente y a mí en exclusiva. ¿Le ha quedado todo claro?

—Sí, capitán.

—Ahora, puede marcharse. Espero no tener otra conversación con usted en toda esta misión. Si tengo que verle, el que no me verá será usted, ya me entiende.

Otto volvió a tragar saliva.

—Ahora, desaparezca de mi vista.

El comandante salió a toda prisa del camarote de Cornelia, tal y como lo había hecho Markus, apenas unos minutos antes.

Otto ya había advertido la presencia, en esta patrulla del *U-77*, de la instalación de un segundo bote salvavidas. Desde el principio ya suponía para quién iba destinado.

Lo que le extrañó es que la capitán se lo recalcara. «¿Por qué lo habrá hecho?», se preguntó. De todas maneras, lo consideró una cuestión secundaria, en comparación a todo el chaparrón que le había caído encima.

A pesar de todo, de una cosa estaba satisfecho. Había acertado de pleno en boicotear todas las comunicaciones del submarino, nada más salir del puerto de La Spezia.

Cornelia podría jugar a ser inteligente, pero él no era un pelele de nadie y mucho menos un idiota. Se imaginaba que algo así podría llegar a ocurrir y había tomado las medidas de precaución oportunas.

22 MADRID, 17 DE MARZO DE 1943

Otto Skorzeny aterrizó sin novedades en el aeropuerto de Madrid. Así lo había dispuesto el *Reichsführer* Heinrich Himmler.

Skorzeny estaba más habituado a operaciones de infiltración de incógnito, pero, en esta misión, a diferencia de las células clandestinas de los servicios de inteligencia alemanes, a él le interesaba justo lo contrario. Le convenía que el régimen franquista supiera de su llegada a la capital de España.

Nada más pisar suelo español, lo primero que hizo no fue buscar una pensión discreta o un piso franco con documentos de identidad falsos. Esas no eran sus órdenes. Alquiló un piso en la capital, utilizando su nombre verdadero y su rango militar en las *Waffen-SS*, para que no quedara ninguna duda de su presencia en Madrid a los servicios de información españoles.

Por otra parte, su aspecto físico le ayudaba bastante a no pasar desapercibido. Su apodo era «Caracortada», ya que una cicatriz muy visible le atravesaba la mejilla izquierda. No solo no se avergonzaba de ella, sino que la exhibía con orgullo. Incluso siempre llevaba, en su cartera, una foto tomada mientras entrenaba a su unidad especial de infiltración llamada *Friedenthal,* luciendo orgulloso su Cruz de Hierro.

Además, medía más de 1,90 metros de altura, con lo que unido al resto de sus características físicas, era evidente que llamaba la atención.

Ese era uno de los motivos principales, además de todas sus habilidades militares y conocimiento de idiomas, por los que Himmler lo había escogido para comandar esta ambiciosa operación, que se iba a prolongar durante muchos años.

Madrid, desde el final de la guerra civil, se había convertido en la base principal de operaciones de la diplomacia y espionaje alemán en Europa. El principal edificio de la capital era su imponente embajada del *III Reich*, sita en la avenida del Generalísimo número 4, en la que existía profusión de simbología nazi, como las dos águilas que jalonaban su puerta de entrada.

El edificio en sí también era monumental, de estilo neoclásico.

La actividad nazi en este edificio era la más importante de Europa. Además de ser la legación diplomática de mayor tamaño, en ella se albergaba el departamento de propaganda nazi, que dirigía Hans Lazar, bajo la estrecha vigilancia, desde Alemania de Joseph Goebbels. También tenía su sede la *Abwehr,* la inteligencia alemana no controlada por las *SS.*, con los que mantenían una muy mala relación. Se estimaba que, tan solo entre esos dos departamentos, trabajaban más de mil personas.

Justo enfrente de la embajada se encontraba la sede de la empresa alemana *Sofindus,* que controlaba la práctica totalidad de compañías alemanas que operaban en España.

Era utilizada por los nazis como tapadera del espionaje para sus operaciones clandestinas.

En el número 15 de la misma avenida, se ubicaba la sede del *Club Social Alemán*, que, en realidad, era el Cuartel General del *NSDAP*, es decir, el Partido Nazi. A pocos pasos de allí también se encontraba el Instituto Cultural *Alemán* y la *Oficina de Prensa Nacionalsocialista.*

La maquinaria nazi disponía de incontables inmuebles, clubes, empresas y organizaciones de todo tipo, repartidas por la capital de España. Por ello, en aquella época, los alemanes denominaban a Madrid «la pequeña Berlín». No era nada extraño ver esvásticas por diferentes lugares de la ciudad, como estaciones de tren, las principales avenidas o incluso por la plaza de Cibeles.

Pero ninguno de estos destinos era dónde se dirigía Otto Skorzeny. En el número 18 de la misma avenida del Generalísimo, se ubicaba un edificio muy singular.

Era el Consulado General Alemán.

¿Qué era lo que diferenciaba a este edificio de los demás? ¿Por qué, si Skorzeny viajaba con cobertura diplomática, no se encaminó directamente hacia la embajada del *III Reich*? La respuesta era muy simple. El *Consulado General de Alemán* no dejaba de ser una simple tapadera. En realidad, toda su primera planta estaba ocupada por el *Cuartel General de la Gestapo*, la policía secreta de las *SS*. Se encargaban de dar cobertura a todos los miembros oficiales de cualquier rama de las *SS*. La embajada aún estaba controlada por la *Abwehr*, ya de capa caída ante la pujanza de la organización que comandaba Himmler. Además, la *Gestapo* también se encargaba de controlar las actividades de todos los ciudadanos alemanes en suelo español.

En el consulado lo estaban esperando. Accedió sin ningún problema a la primera planta. En su misma puerta, fue recibido por Paul Winzer.

—¡Qué honor! —exclamó Skorzeny—. Mi querido amigo «Walter Mosig» sale hasta la puerta para acompañarme a sus fabulosas y modernas instalaciones.

—¡Nunca cambiarás! —le respondió Paul, riendo. Skorzeny se había dirigido a él por el apodo por el que era conocido dentro de la policía secreta.

Ambos se abrazaron.

—No sabía si cuadrarme ante el Sturmbannführer Winzer del Sicherheitsdienst. Al fin y al cabo, yo tan solo soy el Hauptsturmführer Skarzony, de las Waffen-SS.

—Que pronto será ascendido a mi mismo rango —le respondió Winzer—. No te olvides cuál es mi trabajo, enterarme de todo.

—¿Te lo ha dicho Himmler?

—¿Tú qué crees? Al mismo tiempo, me ordenaba ponerme a tu disposición. Se nota que tienes influencias en las altas esferas del *Reich*. Ahora, estoy a tus órdenes.

Otto Skorzeny se rio.

—Será la primera vez en nuestra vida.

Ambos eran amigos desde hacía mucho tiempo. A Otto le tenía encandilado la ingente cantidad de información que era capaz de manejar Paul, que se enteraba de todo, y a este le apasionaba la forma que tenía Otto de vivir la vida. Le gustaba disfrutar de los placeres terrenales pero, al mismo tiempo, dirigía, con mano de hierro y notable eficacia, una unidad especial de infiltración, tan solo conocida por un puñado de oficiales de las *SS*.

—Te preguntaría qué te trae por España, pero cómo ya lo sé, prefiero invitarte a tomar una copa al *Café Lyon*. ¿Cuánto tiempo hace que no nos vemos?

—Dos años, tres meses y dieciocho días.

Ante la cara de asombro de Paul, Otto se explicó.

—No creas que llevo la cuenta a diario. No eres mi tipo. En el avión he tenido tiempo de pensarlo y calcularlo

Paul Winzer se volvió a reír.

—Ya sabías que te lo preguntaría, ¿no?

—Anda, vayamos a tomar esa copa. Tengo dos cosas que hacer en España, la urgente y la importante.

—¿Dos? —se sorprendió el oficial de la *Gestapo*—. Tan solo he sido informado de una.

—Te la cuento en el *Café Lyon* ese. ¿Es seguro?

—Probablemente más que estas oficinas. Cuando queremos tratar asuntos delicados, acudimos allí. Lo tenemos controlado. Es como mi segundo despacho.

Eso era lo que creía Winzer. Lo que desconocía es que los sótanos de ese café escondían un secreto, hasta para él. Servían de refugio a judíos, que huían de sus propias garras.

Ironías del destino.

Salieron del *Consulado General Alemán*. A los pocos minutos arribaron a su destino.

Entraron y se pidieron sus copas. A ambos les gustaba el *whisky* de malta, aunque fuera escocés. Algo tenían que tener bueno los británicos.

Paul, nada más sentarse, fue al grano.

—Decías que tenías dos misiones. ¿Cuál de las dos se supone que conozco? Presumo que será la urgente, por las rotundas instrucciones que me ha dado el *Reichsführer.*

—Estoy viviendo un momento histórico —le respondió Otto, mientras se bebía de un trago su vaso *whisky* y se encendía un cigarro, dos de sus grandes placeres—. El *sabelotodo* de Paul ha cometido un error. Eso no sucede todos los días.

—¿No me digas que desconozco el motivo urgente por el que estás en Madrid? —le respondió. Al principio lucía una sonrisa, pero ahora se había trasformado en incredulidad.

—No solo eso, Paul. Conoces la misión importante. Céntrate en esa. ¿Por qué crees que Himmler no te ha informado de la urgente?

—Supongo que ahora me lo dirás.

—Porque la debes de escuchar tan solo de mis labios.

Otto Skorzeny le relató a Paul Winzer lo que Himmler le había ordenado, con la máxima urgencia y prioridad sobre cualquier otra cuestión.

El agente de la *Gestapo* no daba crédito.

—¿En serio?

—¿Acaso me ves cara de bromear?

—No, desde luego. Pero no me negarás que es muy extraño, aun viniendo del propio Himmler, que ya conocemos lo extravagante que puede llegar a ser.

—Cuando concluyó su explicación y me dio las órdenes en persona, por un instante, llegué a pensar que había enloquecido. Luego ya lo asimilé. Como tú bien dices, ya conocemos de sobra a nuestro jefe. Nada debe sorprendernos, viniendo de él.

Paul Winzer se quedó pensativo durante un instante. Estaba calibrando el alcance de lo que acababa de escuchar. Tomo su vaso de *whisky*. Antes de darle un sorbo, consideró compartir sus pensamientos con su amigo.

—Supongo que para llevarla a cabo necesitarás que prepare un operativo encubierto. También supongo que, por la naturaleza de la misión, serán precisos, al menos, dos equipos tácticos. Si Himmler te ha enviado a mí, esa es la única explicación posible. No te preocupes, no habrá ningún problema para organizarlo. Lo único que es que necesitaré un par de horas, para reunir a los mejores hombres que tenga disponibles.

Otto Skorzeny se permitió una pequeña sonrisa.

—En realidad, únicamente necesito que me des las llaves de tu coche.

—¿Qué? —preguntó Paul, sin comprender lo que había escuchado.

—Que me prestes tu coche por unos días, nada más. Tan solo por eso he venido a visitarte desde Berlín.

A Winzer casi se le cae el vaso de *whisky* de entre sus manos.

—¡Ah! Además de tu coche, también necesito otra tontería, que me prestes a un amigo y que mañana comas con otro — concluyó Skarzony— mientras le escribía los dos nombres en una de las servilletas.

—¿Cómo sabes...? —fueron las dos únicas palabras que fue capaz de articular un atónico Winzer, al ver el nombre de los dos amigos, el que tenía que prestarle y con el que debía de comer mañana.

23 MADRID, 17 DE MARZO DE 1943

Antes de salir hacia su destino definitivo, Otto Skorzeny se dejó ver por Madrid. No solo era placer, que también lo era, sino parte de su misión.

Cuando un pasmado Paul Winzer le dejó su vehículo oficial de la *Gestapo*, comió en un conocido restaurante de la ciudad y, por la tarde se acercó a la redacción del periódico *Informaciones*, uno de los que se publicaba en la capital de España, de edición vespertina.

—Necesito ver a Víctor de la Serna —le dijo a la señorita que había en recepción.

—¿A qué hora tenía la cita?

—Ni tengo ni la necesito. Dígale que soy Otto Skorzeny, amigo de Walter —le respondió, con una sonrisa.

En los primeros instantes, la secretaria no supo si tomarle en serio o no. Un segundo vistazo la aquel curioso individuo le convenció de que debía hacerle caso. Desprendía un aura de autoridad. Estaba claro que, fuera quién fuese aquella persona, no era un «don nadie».

Prefirió no correr riesgos.

—Por supuesto —le respondió—, pero el señor De la Serna es un hombre muy ocupado. Ahora mismo, está participando en una reunión. No se preocupe que tan pronto como acabe, le daré su mensaje.

Otto no perdía la sonrisa de su rostro.

—Me parece que no me ha comprendido. Por favor, dele mi mensaje ya.

Carmen, que era el nombre de la recepcionista, ahora pudo ver la determinación en los ojos de aquel hombre, y algo más que la asustó, a pesar de sus amables modales y su elegante aspecto.

—Espere un momento —dijo, mientras se levantaba de su silla.

—Eso está mucho mejor —seguía de fantástico humor.

Al cabo de apenas un par de minutos, Otto vio aparecer a la recepcionista, acompañando a otras cuatro personas hasta la puerta de la redacción. Los despidió con buenos modales. Ahora, se dirigió hacia Otto.

—Señor Skorzeny, el director De la Serna le espera en su despacho. Haga el favor de acompañarme.

Otto no pudo evitar volver a sonreír. Era perfectamente consciente de la sensación que causaba en las personas. Vestido de forma impecable, con sus amables modales y su buen dominio del idioma español, a pesar de que era evidente su nacionalidad alemana, dos simples frases le bastaban para conseguir lo que quería. Sabía que no era su aspecto físico el único causante de ese efecto, sino sus ojos. Detrás de la cordial fachada, se escondía una mirada gélida de determinación, que no le pasaba desapercibida a nadie. Tenía ese don, que Himmler también había apreciado.

Anduvieron por un largo pasillo, hasta llegar a una gran puerta de cristal traslúcido. Otto pudo leer «Víctor de la Serna, director». Carmen llamó a la puerta. Pudieron escuchar un «adelante» desde el interior.

La recepcionista la abrió y se apartó, haciéndole un gesto a Otto para que entrara.

El despacho era imponente, y eso que él estaba acostumbrado a tratar con las altas jerarquías del *III Reich*, cuyas estancias también impresionaban.

Otto miró al frente. Al otro extremo de aquella habitación se encontraba un hombre sentado en una mesa. No había levantado la vista de sus papeles ni le había hecho ninguna indicación.

Otto ni la necesitaba. Sin esperarla, avanzó hasta el director del periódico y se sentó en una de las sillas.

Ahora sí que consiguió captar su atención.

—Me parece que no le he dado permiso para… —empezó a decir Víctor de la Serna.

Con idéntica sonrisa a la mostrada a la recepcionista, se permitió interrumpir a aquella persona.

—Disculpe, es que tengo prisa. Esta no es una visita de cortesía, quiero dejarlo muy claro desde el principio. Traigo una nota para usted, creo que le conviene leerla antes de continuar —dijo, mientras dejaba un sobre encima de la mesa.

El director no hizo ningún ademán de cogerlo.

—La señorita Carmen ya me ha dicho que viene de parte de Walter. Supongo que se referirá a Walter Mosig.

—Por supuesto. De parte de nuestro amigo común Paul Winzer.

De la Serna parecía enfadado.

—Ya sé quién es Walter, no hace falta que se refiera a él por su nombre verdadero. Colaboro con Walter de forma estrecha. Hago todo lo que me pide. Este periódico está a las órdenes de él y es el más *pangermánico* de Madrid. Casi se podría decir que es el órgano de comunicación oficioso de la *Gestapo* en España. Pero creo que eso no le da derecho a enviarme a amigos suyos e irrumpir, con una nota suya, en mi redacción ni en mi despacho. Además, yo soy amigo de Walter, no de usted. Por favor, evite dirigirse a mí con ese término, por muy elogiosa que sea la carta de recomendación.

Otto parecía divertido.

—¿Le hago gracia? —el director empezaba a impacientarse.

—Ni pizca —ahora Skorzeny se puso muy serio. El director notó el cambio de actitud de su visitante—. Lo primero, cuando hable de Paul Winzer, llámelo Paul Winzer. Lo segundo, haga el favor de abrir esa carta de inmediato y leerla, si no quiere que le pegue un tiro ahora mismo. ¿Le ha quedado lo suficientemente claro, querido amigo?

Víctor de la Serna miró a los ojos a su visitante. Le cambió el semblante. De inmediato, tomó la carta y la abrió.

Apenas eran dos líneas. A pesar de ello, estuvo con el papel en sus manos un par de minutos.

—¿Tiene problemas de comprensión lectora? —Otto seguía serio.

—No, señor —se notaba que el director estaba impresionado o asustado. Quizá las dos cosas a la vez.

—Pero esta carta...

—No es de Paul Winzer, eso ya lo sé. Por favor, no me haga perder más tiempo, que no dispongo de demasiado. Por su bien, más le vale no verme enfadado.

Víctor de la Serna estaba muy bien posicionado dentro del régimen franquista. Era un destacado falangista, pero también un estrecho colaborador de los nazis, incluso había sido agasajado en Berlín en dos ocasiones, una en 1941 y la última, apenas hacía unas semanas, donde tuvo el honor, junto a otros cuatro acompañantes, de conocer en persona a Heinrich Himmler.

Precisamente era el que firmaba esa nota. El mensaje era muy escueto y claro. Le daba instrucciones para que se pusiera a las órdenes inmediatas del portador de la misma.

—¿Qué puedo hacer por usted?

—Le veo muy alterado. Relájese. No le voy a pedir nada extraordinario. Le voy a decir lo mismo que le comenté ayer a Winzer. Tan solo quiero que me preste a un amigo suyo.

El director no se esperaba esa respuesta. Se imaginaba que le iban a obligar a publicar algún texto incendiario de propaganda nazi o algo peor, como intervenir personalmente en algún tipo de operación de la *Gestapo*, que le horrorizaba.

—¿Un amigo? —preguntó de forma automática, mientras seguía pensando.

—¿Qué se creía que le iba a pedir? —Otto había recuperado su sonrisa—. ¿Qué formara parte de un comando táctico de la *Gestapo*? Para empezar, yo no pertenezco a esa organización. Soy un militar, capitán de las *Waffen-SS*. Más en concreto, ahora estoy colaborando con el *Sicherheitsdienst,* que ya sabe quiénes somos, porque usted también nos presta ayuda.

Al escuchar aquellas dos palabras, Víctor se acongojó mucho más. Además, parecía que le leía el pensamiento.

—¡A sus órdenes! —no pudo evitar exclamar, aunque fue consciente de que quedó algo ridículo.

Otto sonrió.

—Guárdese esas palabras, que seguro que las necesitará en el futuro. Esta no será la última vez que nos veamos. Ahora, vayamos al grano. Quiero saber dónde encontrar a esta persona —dijo, mientras tomaba una pluma de la mesa del director y garabateaba un nombre en un pequeño papel.

Víctor lo leyó.

—¡Pero eso que me pide es…! —exclamó, de inmediato.

—Si iba a decir imposible, ahórreselo —le interrumpió Skarzony—. Ahora mismo, no está hablando conmigo, sino con Heinrich Himmler. Tengo plenos poderes para hacer cualquier cosa, incluso con usted. Espero que no sea necesario.

El director no necesitó más conversación. También tomó un papel y escribió una dirección. Otto la leyó. No se sorprendió en absoluto, ya se lo imaginaba.

—¿Ya está todo?

—En realidad, no. Ahora, quiero que coja el teléfono y que le llame. Avísele de que un amigo le hará una visita. Que me facilite el acceso. Una persona como esta, jamás dejaría entrar a un extraño en su propiedad. Dispondrá de seguridad.

—¡Pero esta línea no es segura! Pueden escucharme.

—¿Me ve cara de preocupado? ¡Haga la llamada de una puñetera vez! —le gritó Otto.

El director tomó el teléfono e hizo lo que le pidió. Skarzony escuchó la breve conversación. Era suficiente para él.

—Bueno, me parece que, para ser nuestro primer encuentro, hemos dejado las cosas bastante claras —le dijo.

—¿Por qué nos tendremos que volver a ver?

—Todo a su debido tiempo. Primero lo urgente, luego ya llegará lo importante. Aunque no se lo haya parecido, este es el comienzo de una gran amistad —dijo, mientras abandonaba el despacho del director y la redacción del periódico *Informaciones,* dejando a De la Serna absolutamente confundido.

«Bien», pensó. «Ya he cumplido los tres primeros pasos de esta misión. Dispongo del coche oficial del jefe de la *Gestapo,* mañana, Paul Winzer comerá con un amigo y tengo una visita concertada en la costa, ¿qué más puedo pedir?».

Otto estaba de buen humor.

24 EN ALGÚN PUNTO DE LA COSTA MEDITERRÁNEA, ESPAÑA, 18 DE MARZO DE 1943

Skorzeny se levantó temprano. Hoy debía desplazarse hasta la costa alicantina y era un largo viaje, aunque fuera conduciendo el lujoso y cómodo vehículo de Paul Winzer.

Después de desayunar, se encendió un cigarro y salió al balcón. Las vistas a la avenida del Generalísimo eran estupendas. «No es Berlín, pero tampoco está nada mal», pensó. «Creo que podré acostumbrarme».

La estética y culto a la personalidad que el general Franco estaba implantando en España, tenía muchas similitudes con la nacionalsocialista del *Führer*. Justo enfrente de su balcón, como mejor ejemplo, pudo ver el nombre de la avenida.

Terminó de fumarse el cigarro, tomó su abrigo de la percha y se encaminó hacia el vehículo.

Le quedaban más de cinco horas de viaje por delante, que le dieron tiempo para reflexionar en lo que iba a hacer. Aún continuaba pensando que era una locura, pero las instrucciones de Himmler no se discutían. Él disponía del cuadro completo y, Skorzeny, tan solo un pequeño retal.

Debía asegurarse de qué es lo que había ocurrido con la estación y la célula *Enigma*, que había dejado de emitir de forma repentina, hacía más de dos semanas. Otto no había cambiado de opinión. Himmler disponía de más activos situados en la zona. Si uno se perdía, por cualquier causa, ¿qué importaba? Pero esa no era la opinión de su *Reichsführer*. Se había negado a darle más información que la estrictamente necesaria. Suponía que esa célula en concreto formaría parte de algún plan de mayor envergadura, pero eso no era de su incumbencia.

Para que se le hiciera el viaje más ameno, pensó en la visita que debía hacer, después de comprobar el piso franco de la célula. Cuando Himmler le dio los sobres, hacía justo dos semanas, no conocía de nada a sus dos destinatarios.

Otto había hecho su trabajo y había accedido a sus expedientes, para saber con quién se debía de entrevistar, con antelación a sus citas. Al primero de ellos ya lo había visitado ayer. Hoy le tocaba hacerlo con el segundo, sin duda mucho más enigmático e interesante que el gris director de *Informaciones*.

Johannes Bernhardt era todo un personaje. Tenía un apodo que le pareció de todo menos original, *El alemán*, pero, sin embargo, era muy revelador. Eso quería decir que, cuando se estableció en aquella zona, debió ser el único de su nacionalidad. Tomó nota mental del dato, ya que le pareció importante. Eso podría significar que, al ser el primero, podría conocer a los que llegaron con posterioridad a él.

Skarzony estaba impresionado por lo que había leído del expediente de Bernhardt. A pesar de sus grandes logros, había conseguido mantenerse en un segundo plano, con una discreción envidiable. Muy pocas personas conocían donde vivía. De hecho, ese dato no constaba en las fichas de los servicios de inteligencia alemanes. Había sido convenientemente borrado. Por eso tuvo que arrancarle a Víctor de la Serna su actual ubicación en España. Himmler tampoco le había informado de ella, aunque suponía que debía conocerla. Quizá Paul Winzer, el jefe de la *Gestapo* en España, también la supiera, pero no estaba autorizado a revelar la totalidad de los datos de esa parte de su misión.

Johannes Bernhardt había conocido a Franco en Tetuán, en el norte de África, mientras trabajaba para una empresa de importación y exportación. Pronto entró en contacto con los círculos fascistas de la región, entre los que estaba el propio Francisco Franco y Emilio Mola. Asistía a sus reuniones, al mismo tiempo que se afiliaba al Partido Nazi.

Después de producirse el alzamiento de Franco contra la Segunda República, el general se encuentra con un grave problema. Ni la Armada ni la Aviación secundan su golpe de Estado, con lo que Franco se ve atrapado en Tetuán con su ejército africano. Bernhardt ve una oportunidad y se lanza. Se pone en contacto con Franco y le propone su mediación con Hitler, para que le ayude en la guerra. En realidad, había sido todo un temerario, ya que no le podía garantizar tal cosa. Bernhardt era un simple miembro del Partido Nazi en el norte de África, sin ningún contacto en las altas esferas.

A Otto Skorzeny, de inmediato, le gustó esa forma de actuar. Había demostrado arrojo y valentía. Estaba en el lugar y en el momento adecuado, y se dispuso a aprovecharlo. Él, probablemente, hubiera hecho lo mismo.

En consecuencia, Bernhardt se puso en contacto con el jefe local del Partido Nazi llamado Adolf Langenhein, y le convenció para volar a Alemania. Cuando llegan, se encuentran con que el *Führer* no los recibe, sino uno de sus representantes, Rudolf Hess. Lo que Hess escuchó le pareció demasiado importante y consideró que no tenía autoridad para ordenar nada al respecto. Entre Bernhardt y Langenhein le convencen para que contacte con Hitler, que se encontraba en Bayreuth, en el Festival de Wagner. Al día siguiente estaban reunidos con Hitler, que, al principio se muestra reticente, pero accede a llamar a Hermann Göring, el jefe de la *Luftwaffe*, la aviación alemana, para consultarle la viabilidad de semejante operación de trasporte. Göring se muestra entusiasmado. Hitler acaba autorizando la operación, facilitándole a Franco veinte aviones para el trasporte de tropas «JU 52», además de material de apoyo aéreo adicional.

Como los nazis pretendían que la operación se mantuviera en secreto, Hitler encarga al propio Bernhardt, por su experiencia en el negocio de la importación y exportación, la constitución de una empresa privada, llamada HISMA y es puesto al frente de ella, como apoderado general. Fletó una cantidad considerable de buques con armamento militar y amasó una pequeña fortuna. Pero lo más importante para Bernhardt fue cuando el propio Göring le encargó las negociaciones para establecer las compensaciones que Franco debería pagar a los alemanes, por su gran ayuda militar. Concluye esa negociación a plena satisfacción de ambas partes, lo que le valió el reconocimiento de Hitler y de Franco, que le regaló una mansión en la costa mediterránea española.

Así, entre bambalinas, se fraguó la ayuda militar del régimen nazi al general Franco, que, a juicio de Otto Skorzeny, fue decisiva en el resultado final de la guerra civil española.

Todo eso lo había iniciado este personaje llamado Johannes Bernhardt, que, desde el triunfo de las tropas franquistas en la guerra, residía a todo lujo en esa mansión que le había regalado el propio Franco.

Otto, a través de Víctor de la Serna, se había enterado que se llamaba *Tossalet del Oliver*, situada entre las poblaciones de Ondara y Denia, en la costa alicantina.

Aunque no lo conocía en persona ni había sabido de su existencia hasta hace dos semanas, Skorzeny ya admiraba a aquel hombre. Hay gente que sabe reconocer las oportunidades cuando las tiene delante y, sobre todo, las aprovecha. En el fondo, Skorzeny estaba haciendo lo mismo, al lado de Himmler, en las *SS*. Le había ofrecido comandar una operación tan ambiciosa como *Die Spinne*, por encima de otros oficiales de mucho mayor rango que él. Ni se lo había pensado.

Pero ahora su destino no era el *Tossalet del Oliver*. Primero debía comprobar el estado de la célula clandestina incomunicada.

El trayecto le pillaba de camino, así que, aunque condujera durante más de diez horas, pensaba hacer ambas cosas hoy y volver a dormir a Madrid.

Según las indicaciones de Himmler, se encontraba a apenas dos kilómetros del piso franco. Detuvo el coche en la cuneta de la carretera. Observó los alrededores. Se trataba de una zona aislada, con villas de alto nivel, situadas frente a la costa alicantina. La playa estaba a sus pies. Le pareció un entorno paradisiaco, pero, al mismo tiempo, discreto. No era una zona muy transitada. Era un buen lugar para elegir un piso franco. La célula detectaría enseguida la presencia de gente extraña en los alrededores.

Se volvió a subir al coche. A partir de ese momento, la densidad de construcciones aumentaba, aunque se mantenía su privacidad.

Redujo la velocidad.

Ya tenía a la vista el piso franco. La descripción de Himmler coincidía perfectamente. Cuando paso justo por delante, iba prácticamente parado, aunque sin llegar a detener el coche.

Observó que las ventanas estaban sin ocultar. No se veía actividad alguna en su interior.

Miró a su alrededor.

Nada ni nadie.

La única «actividad» que advirtió fue una pareja de enamorados, que se estaban besando en el interior de su vehículo, aparcados en su coche, con vistas al mar y a la playa. Tan entretenidos estaban que ni siquiera advirtieron su presencia.

Continuó observando la casa con más detenimiento. Se dio cuenta de que los cristales de las ventanas presentaban una suciedad muy característica. En las viviendas tan próximas a la playa, el salitre que producía el mar acababa invadiendo los cristales. Exigían constantes limpiezas. Skorzeny estimó que llevaban sin que se le pasara un simple paño, al menos, dos semanas.

Justo el tiempo que llevaban sin trasmitir.

No sabía lo que había ocurrido, pero tenía claro que el piso franco estaba desocupado. Le resultaba inconcebible que un equipo de élite de las *SS*, bien entrenado, no mantuviera una visual de su entorno en perfectas condiciones. El salitre lo impedía.

Allí no había nadie.

Consideró detener el coche y entrar en la vivienda, pero lo descartó. Ya tenía la respuesta que Himmler le había pedido. La estación de comunicaciones no emitía nada porque no existía. Supuso que sus componentes se habrían trasladado al siguiente piso franco de su lista, por los motivos que fueran. Ese procedimiento ya no era de su incumbencia.

Una vez resuelto el tema de la célula inactiva, se dirigió hacia la segunda visita del día, que le interesaba bastante más. Se encontraba a apenas diez kilómetros del *Tossalet del Oliver.*

Por ahora todo se estaba desarrollando según lo previsto.

Al menos, eso creía Otto Skorzeny.

25 EN ALGÚN PUNTO DE LA COSTA MEDITERRÁNEA, ESPAÑA, 18 DE MARZO DE 1943

—Puede continuar todo lo que quiera, teniente —dijo el capitán Borrás, sonriente.

—Creo que ya vale —le respondió María Aguilar.

—La felicito.

—¿Por lo bien que beso?

El capitán se rio.

—Por eso también debería hacerlo, pero no me refería a esa cuestión. Ese vehículo que acaba de pasar era muy sospechoso. Ya venía por la carretera a una velocidad anormalmente reducida, pero casi se detiene enfrente del piso franco.

—Yo también me he dado cuenta —respondió María—. Además, su ocupante estaba haciendo un reconocimiento exterior de la propia vivienda y de sus alrededores. En cuanto advirtió nuestra presencia, fue lo primero que se me ocurrió. Lo lamento de verdad, no volverá a ocurrir.

—No se arrepienta, ha tenido una gran iniciativa, plenamente satisfactoria —dijo el capitán, que sonreía ante el azoramiento de la teniente—. Gracias a ella, el sospechoso no ha advertido que estábamos esperándole.

—No estoy tan segura —le respondió María—. Me ha dado la impresión de que su comportamiento y su manera de observar era muy profesional.

—Es lógico. Si los alemanes han enviado a alguien a reconocer el terreno, no habrán escogido a «un cualquiera». Supongo que será algún miembro de sus servicios de inteligencia.

—He tomado nota de la matrícula y tengo grabada en mi mente la cara de ese individuo. Creo que deberíamos volver a nuestra base de operaciones para reportarle al comandante. Podría ser importante.

—¿Y si aparece de nuevo?

—Con todos los respetos, dudo mucho que lo haga. Ya conoce lo que venía a averiguar. Se ha dado perfectamente cuenta de que el piso está vacío. ¿Para qué iba a arriesgarse a volver?

El capitán Borrás se quedó pensativo durante un instante.

—Creo que tiene razón —le respondió.

—Además, si hubiera querido entrar en la vivienda, ¿qué le impedía haberlo hecho hace un minuto? Tan solo buscaba la confirmación visual exterior. Esa ya la tiene.

—Bueno, pues volvamos a la base de inmediato —dijo el capitán, mientras arrancaba el vehículo.

La unidad especial que el general Franco había creado, dependiente de la Oficina de Escuchas y Descifrado del Cuartel General del Alto Estado Mayor del Ejército, se había trasladado a la costa alicantina. Dado que habían detectado que la actividad se estaba produciendo por esa zona, ahora ocupaban un piso de la sede de la autoridad portuaria de Denia.

El comandante Antonio Sarmiento vio entrar a sus dos oficiales en la sala, ya que las instalaciones eran modestas y de reducido tamaño. Desde su despacho improvisado se veía la puerta. Esperó a que llegaran hasta su altura.

—Supongo que han vuelto a esta hora, dejando sin vigilancia su objetivo, será por una buena razón. Algo sorprendente habrá ocurrido.

—Y tanto —respondió el capitán, mirando a la teniente, que se puso colorada.

—Comandante Sarmiento, hemos observado un extraño comportamiento de un vehículo frente al piso franco que ocupaba la célula. Un coche ha pasado a reducida velocidad frente a ella —informó María.

—¿Eso es sospechoso?

—Lo que la teniente quiere decir es que el ocupante del vehículo ha hecho una inspección visual exterior de la vivienda y sus alrededores. Casi ha llegado a detener su coche enfrente mismo de la casa. Su mirada era la de un profesional evaluando un escenario.

—Eso es otra cosa —respondió el comandante—. Supongo que podrán hacer un retrato de esa persona.

—Ahora mismo me pongo a ello —dijo la teniente.

—También supongo que habrán tomado nota de la matrícula.

—Por supuesto, señor. Era de Madrid.

—Capitán, llame de inmediato por teléfono a la Jefatura Central de Tráfico. Que identifiquen a su propietario.

—¡A sus órdenes!

María estaba concluyendo su retrato, a carboncillo. Siempre se le había dado bien la pintura y era una gran fisonomista. Ya tenía los principales rasgos faciales trazados, pero quería rematarlo con todos los detalles, que no eran pocos.

Durante diez minutos reinó el silencio en la sala.

—¡Capitán! —gritó el comandante—. ¿Aún no le han contestado de la Jefatura Central de Tráfico? ¿Tanto les cuesta comprobar una matrícula?

—Están en ello, señor. Me mantengo al teléfono.

—¿Cómo va usted, teniente?

—Ya casi terminado.

El comandante lo observó.

—Dibuja usted de maravilla. Con la cantidad de rasgos que ya ha aportado, creo que será suficiente. Llame a la Tercera Sección de Información del Alto Estado Mayor. Describa a ese sujeto. Con ese aspecto, no creo que tarden en identificarlo, si lo tienen fichado.

Una vez finalizada la guerra civil, el general Franco remodeló todos los servicios de información. Aunque cada rama del ejército conservó los suyos propios, de carácter militar, intentó centralizar todas las actividades de información en una sección del recién creado Alto Estado Mayor, que estaba al mando del general Juan Vigón. La Tercera Sección era la encargada de las actividades de inteligencia y estaba a las órdenes del coronel Armando Martínez Campos.

—Ahora mismo, comandante —le respondió la teniente María Aguilar.

—Capitán, ¿aún no le has contestado de Tráfico?

—Señor, tenemos un problema —le contestó, con cara de confusión—. Se trata de una matrícula restringida.

—¿Cómo puede ser eso? —se extrañó de inmediato el comandante—. Eso solo ocurre con los vehículos oficiales del gobierno—. ¿No pretenderán que creamos que el sospechoso es de nuestro bando?

—No lo sé, señor. Lo único que me contestan es que no me pueden facilitar la información.

Ahora intervino María.

—Señor, también tenemos problemas con la inteligencia. Nada más informarles de los rasgos físicos del conductor del vehículo, han dejado de colaborar conmigo. Me han dicho que se trata de información clasificada.

El comandante Antonio Sarmiento estalló.

—¡Tenemos plenos poderes del Generalísimo! ¿Qué quiere decir todo esto? Teniente, póngame con el general Vigón. Este asunto debe de ser aclarado de inmediato.

—Si me permite una sugerencia, señor —le respondió la teniente—, hay una posibilidad que no hemos considerado y quizá le dé algo de sentido a todo este galimatías.

—Adelante, teniente.

—Las matrículas restringidas no son solo las de nuestro gobierno. Los altos mandatarios del *III Reich*, con base en España, también están en esa lista. Eso también explicaría que no quieran colaborar desde inteligencia.

El capitán se quedó pensativo por un segundo.

—Es una posibilidad, tiene razón. Felicidades, teniente.

—Es la segunda vez que es felicitada hoy, comandante —intervino el capitán—. A ella hay que atribuirle todos los méritos de esta misión.

La teniente Aguilar le mandó una mirada asesina al capitán Borrás, al mismo tiempo que se ponía colorada.

—Teniente, ahora más que nunca, quiero hablar en persona con el Generalísimo. Como se nos escape el sospechoso por una mera cuestión de procedimientos administrativos, rodarán cabezas —ordenó el comandante.

—Lo que usted disponga.

—Mejor dicho, antes de molestar a Su Excelencia, capitán, vuelva a llamar a Tráfico y pida hablar con el oficial de mayor graduación. Dígales que el comandante Antonio Sarmiento quiere hablar con él. En caso de que le pongan problemas, dígales que la próxima llamada que recibirán no será nuestra, sino del Generalísimo. ¡Quiero esa conferencia ya!

El capitán obedeció las órdenes.

—Señor, tengo al aparato al capitán Javier Armada, oficial de mayor rango presente en la Jefatura Central de Tráfico.

El comandante le arrancó el teléfono a Carlos Borrás.

Podían escuchar los gritos de su comandante. De hecho, probablemente también los escucharan desde fuera del edificio de la autoridad portuaria.

—Capitán, ¡deme inmediatamente el nombre del propietario del vehículo con esa matrícula o dese por destituido! ¿lo ha comprendido? Está interfiriendo las actividades de una unidad especial de investigación creada por el Generalísimo, con poderes especiales.

No podían escuchar lo que le respondía el capitán, pero sí que vieron la reacción de su comandante. Colgó el teléfono.

—De nuevo debo felicitarla, teniente. Tenía razón. El coche pertenece al *Consulado General Alemán* de Madrid.

Los tres se quedaron mirando. Sabían de sobra a qué se dedicaba ese supuesto consulado.

—Ahí no acaban las sorpresas —continuó el comandante—. Se trata del vehículo oficial, aunque de uso particular, de Paul Winzer, el jefe de la *Gestapo* en España.

—¿El jefe de la *Gestapo*? —preguntó María, desconcertada—. Señor, eso no puede ser. No me cabe en la cabeza que se desplace personalmente hasta aquí, en un coche matriculado a su nombre, para comprobar un piso franco ocupado por una célula secreta de las *SS*. Eso no tiene ningún sentido. Para eso dispone de multitud de agentes de campo subordinados e incluso de equipos tácticos. Jamás haría eso de forma personal. Todos los sabemos.

—¡Quiero hablar con el coronel Martínez Campo ya! Esta vez que no le dé esquinazo, teniente. Diga quién quiere hablar con él. Nos conocemos, no rechazará una llamada mía.

María Aguilar obedeció las órdenes.

En apenas dos minutos estaban hablando el comandante y el coronel. Como en la conversación telefónica anterior, tan solo podían escuchar la parte en la que hablaba su comandante.

—¿Está seguro, coronel?

Un pequeño silencio.

—No, por supuesto que no dudo de su palabra, señor. Disculpe por las molestias. No volverá a ocurrir.

El comandante colgó el teléfono. Se quedó mirando a sus dos subordinados, con una expresión en el rostro difícil de definir.

—El coronel Martínez Campo acaba de terminar de comer con Paul Winzer en Madrid. Le había llamado para comentarle unos asuntos de inteligencia, ayer mismo. Tengo que reconocer que ha sido una conversación bochornosa. El jefe de la *Gestapo* en Madrid afirma que, no solo no se ha desplazado hasta aquí, cosa obvia porque se encuentra en la capital, sino que su coche está aparcado en el garaje del consulado. Me parece que alguien ha tomado mal una matrícula —dijo el comandante, dirigiéndose a la teniente Aguilar.

—Supongo que es posible, pero nunca me ha... —intentó excusarse María.

—Recojan todo el equipo. Volvemos a Madrid. Aquí ya no tenemos nada que hacer. Con un ridículo tengo suficiente —ordenó el comandante Sarmiento.

Mientras tanto, a pocos kilómetros de allí, Otto Skorzeny se acercaba al *Tossalet del Oliver*, con un cigarrillo y una amplia sonrisa en sus labios. «¿Aún seguirán besándose?», pensó, divertido.

26 DENIA, 18 DE MARZO DE 1943

—¡Juan, ya viene! —gritó Lucas, un niño de la barriada.

—Gracias amigo —le respondió—. Anda, toma un puñado de caramelos, pero no te los comas tú todos, que se te caerán los dientes.

—Muchas gracias, señor —el niño corrió a compartir el regalo del simpático señor Juan con sus hermanos.

Juan era el vecino perfecto para cualquier urbanización. A pesar de residir en una imponente mansión, nunca hacía ostentación de nada. Daba la impresión de ser una persona cercana y vestía de forma muy modesta. Además, era cariñoso con todo su vecindario, especialmente con los niños, que le adoraban. Constantemente les obsequiaba con caramelos. Siempre tenía una sonrisa para cualquiera y estaba alegre a todas horas. Ayudaba todo lo que podía a sus vecinos, siempre dispuesto a hacer lo que fuera, ya que disponía de una energía desbordante. En definitiva, llevaba una vida privada feliz y de lo más normal, sin llamar la atención.

El único lujo que desentonaba en su modesta vida, aparte de su bella residencia, era la impresionante limusina descapotable, que era la única que existía en Denia, en aquella época. Cuando salía a pasear con ella, siempre se acordaba de sus vecinos, sobre todo de los niños, que disfrutaban montados en semejante vehículo.

Todos pensaban que *El alemán* era un miembro del cuerpo diplomático, ya que recibía visitas de algunos de ellos, pero Juan no era como aquellos estirados, distantes y rígidas personas que acudían a su casa.

Incluso su mujer, Ellen, era muy parecida a Juan. Humilde, alegre y cercana. Cada 18 de julio, para celebrar la fecha del Alzamiento Nacional, el matrimonio Bernhardt invitaba a todos sus vecinos, pero sin distinguir entre clases sociales. Allí tenían cabida todos, incluidos los humildes trabajadores del campo, que, por un día, comían mejor que en todo el año. A Ellen incluso no le importaba bailar con ellos. No sobraba ningún detalle ni faltaba comida. La posguerra civil estaba siendo dura para toda España, pero, sobre todo, para la región levantina y, más concretamente, para la zona alicantina. No hay que olvidar que fue la última en ser conquistada por los ejércitos franquistas. La represión había sido, y todavía era, muy dura.

Gracias a la generosidad de Juan y Ellen, la gente de la zona no pasaba hambre.

En consecuencia, cuando Juan le pidió un favor a los niños del vecindario, se aprestaron a cumplirlo encantados. Debían avisarle cuando vieran aparecer por el camino cualquier vehículo que no conocieran.

Ya llegaba su «invitado». Se debía de preparar.

Por su parte, Otto Skorzeny, a medida que se aproximaba a la mansión, no podía dejar de admirarla. Era bellísima.

No comprendía como podía haber llevado una vida discreta residiendo en semejante palacio, porque eso era lo que parecía al lado del resto de construcciones de la zona. Suponía, con acierto, que su carácter cercano y humilde, le había ayudado a integrarse entre sus vecinos.

El Alemán era uno más.

Se aproximó a la casa. Le sorprendió ver a una persona menuda en la puerta, vestido como un jardinero, abriéndole las puertas para que pudiera acceder a la propiedad. De hecho, Otto pensó que sería un miembro del servicio.

Aparcó su vehículo, mejor dicho, el de Paul Winzer, junto a una limusina negra. A pesar de que el coche que él conducía se podría considerar de lujo, claro, no había color al lado de aquella maravilla. Otto era un amante de todo tipo de lujos, a pesar de la dura vida que había llevado, en las múltiples batallas que había librado con las *Waffen-SS*, en diferentes frentes de guerra.

Descendió del vehículo. Vio aproximarse al jardinero hacía él. Su sorpresa fue mayúscula cuando reconoció a Johannes Bernhardt detrás de aquellos ropajes, un tanto desarrapados. Sintió un punto de admiración adicional por aquella persona, a pesar de que en este aspecto no coincidían. A Skorzeny, cuando no estaba en el frente, le gustaba vestirse con elegancia.

—Bienvenido a mi casa —le dijo, con una amplia sonrisa en el rostro—. Aquí, todos son bienvenidos y más si son compatriotas alemanes.

«¿Cómo sabe que soy alemán, si aún no he abierto la boca?», se preguntó Otto. Supuso que su aspecto físico, su cicatriz de guerra y su notable estatura, podrían haber ayudado. Al lado de Johannes, Otto parecía un gigante.

—Antes que nada, disculpe que me presente en su residencia sin ser invitado —intentó ser cortés.

—Eso no hace falta en mi casa, capitán Skorzeny.

Otto, sin saber por qué, no se sorprendió. Aquella persona engañaba. Comprendió que su aspecto sencillo y humilde era una tapadera perfecta para ocultar una gran mente y, también por qué no decirlo, una persona con muchos contactos en las altas esferas, tanto españolas como alemanas.

—Muchas gracias por su amabilidad. Es un verdadero placer encontrarse con caballeros tan educados.

—En realidad, el placer es mío. Le estaba esperando desde hace algún tiempo.

Otto se alarmó. Se suponía que el director Víctor de la Serna le había avisado ayer mismo. Le inquietó la expresión «hace algún tiempo», pero decidió no decir nada. No era el momento, en la puerta de la casa.

—Disculpe, no le he invitado a entrar. Por favor, delante de mí —le indicó.

Si por fuera el *Tossalet del Oliver* imponía, por dentro todavía lo hacía más.

—Le presento a mi mujer Ellen —dijo Johannes—. El caballero es el capitán Otto Skorzeny, un valiente militar al servicio de las *Waffen-SS* para mayor gloria de nuestro *Reich.*

—Es un placer, señora, pero no me merezco los elogios de su esposo.

—Seguro que sí —le respondió Ellen, luciendo una sonrisa aún más amplia que Johannes.

—Discúlpanos —se dirigió Bernhardt a su mujer—. El señor Skorzeny ha venido desde Berlín para tratar temas particulares conmigo. Supongo que estará cansado, ¿le apetece tomar algo?

Otto seguía impresionado. «¿Qué sabía aquella persona y, sobre todo, de dónde había obtenido la información?». Que recordara, esa parte de la misión tan solo la sabían Himmler y él. Ahora cayó en la cuenta. Si él no había sido, pues...

—Le había preguntado si le apetecía algo —dijo, mientras abría la puerta de un enorme salón y le invitaba a pasar. Cerró la puerta tras él.

—Si no es demasiada molestia, me tomaría un *whisky.*

Para su sorpresa, no avisó al servicio doméstico. Fue él mismo el que sirvió dos generosos vasos.

Otto levantó la vista. Estaba visto que, cada minuto en presencia de aquella persona, se iba a sorprender. En lugar destacado del salón exhibía una foto de una serie de ciudadanos alemanes con el general Franco.

Reconoció a Bernhardt. Era el segundo por la izquierda de Franco, pero también vio en la foto a otros rostros conocidos, como al diplomático alemán Wilhelm Faupel o a Schwendemann.

Le pegó un trago a su vaso. Otra sorpresa más.

—Jamás había catado ningún *whisky* de semejante calidad y le aseguro que tengo cierta experiencia.

Bernhardt sonrió.

—Es normal. Compré una barrica y la embotellaron para mí en exclusiva. Está probando algo que oficialmente no existe. ¿A qué es un *Speyside* diferente? —dijo Johannes, refiriéndose a una zona de las *Highlands* escocesas—. Es un *Glenfiddich Vintage* de 1912. No se moleste en buscarlo. Jamás salió a la venta.

—Es usted una caja de sorpresas, señor Bernhardt.

—Por favor, si no le importa, aquí nadie me llama así, ni siquiera por mi nombre alemán Johannes. Con Juan será suficiente. Si no le importa, ¿le puedo llamar Otto? Me cargan los tratamientos y las formalidades. Toda mi vida me he dedicado a ello y ahora que estoy retirado, prefiero la sencillez.

«Ya lo veo», pensó Otto, mientras se maravillaba con el *whisky*.

—Por supuesto que no me importa, Juan.

—Además, ahora que vamos a colaborar, facilitará las cosas.

—¿Cómo puedes saber eso? —le preguntó Otto, aunque ya había llegado a esa conclusión hacía un momento.

—Cuando me anuncian la visita de cualquier ciudadano alemán a mi residencia, como buen diplomático, me gusta saber quién tengo delante. Eres igual que yo, en el fondo, debajo de ese aspecto de aguerrido soldado, llevas un hombre de negocios y, sobre todo, un diplomático. En caso contrario, Himmler jamás te hubiera puesto al frente de este gran proyecto.

—Parece que ya lo sabe todo.

—En cuanto a *Die Spinne*, sí, estoy informado. El *Reichsführer* es un buen amigo de la familia. Pero no lo sé todo.

—¿Qué es lo que desconoce?

—El contenido del sobre que Himmler le dio para mí. Eso no me lo quiso contar. Dijo que era demasiado confidencial.

Otto cayó en la cuenta que, en realidad, el también desconocía su contenido. En teoría venía a hablar con Bernhardt de los inicios de *Die Spinne*, pero ya parecía informado. En consecuencia, el sobre era una cuestión diferente. Otto pensaba que sería otra carta del estilo de la que le había entregado al director De la Serna, otra pieza del germen de *Die Spinne*, en el sentido de que se pusiera a su disposición y todo eso. Ahora, le picó la curiosidad.

—Aquí lo tiene, Juan —dijo, sacando el sobre de su abrigo y entregándoselo a su anfitrión.

—Todo un misterio, ¿verdad Otto?

—Desde luego. Yo también desconozco su contenido, pero, al fin y al cabo, la misiva es para ti, no para mí. Yo no tengo por qué saber qué contiene.

—Pues vamos a verlo de inmediato.

Bernhardt rasgó en sobre con un abrecartas, sacó la nota que contenía y la leyó. A Otto le pareció muy escueta, por el poco tiempo que le llevó la lectura a su anfitrión. Era el estilo de Himmler. Se quedó mirando la reacción de Juan.

—¡Caramba! Esto es toda una sorpresa.

Otto se moría de curiosidad por conocer el contenido, pero no le pareció apropiado preguntarlo. La carta no era para él. Si Juan quería compartir su contenido, que lo hiciera por su propia voluntad.

—¿Tenéis problemas con una máquina *Enigma*?

Otto casi derrama su vaso de *whisky* sobre la alfombra del salón. Esa misión era de altísimo secreto. Himmler se había tomado muchas molestias para cubrir sus pasos.

«¿Qué pondrá en esa nota?», pensó Otto, aturdido.

27 EN ALGÚN LUGAR DEL MAR MEDITERRÁNEO, 26 DE MARZO DE 1943

—Adelante —gritó Cornelia, desde el interior de su camarote.

Un marinero le sirvió la cena. Eran apenas las seis y media de la tarde. Habitualmente se la servían a las siete en punto, pero no le dio importancia a ese detalle.

Error.

La capitán ya tenía que haber comprendido que, en el interior de un *U-Boot*, todo funciona de forma muy coordinada y organizada. Nada sucedía sin un motivo determinado.

Cornelia, desde el inicio de la misión, había comido con el resto de la tripulación, pero desde el último incidente, hacía ya diez días, intentaba salir lo menos posible de su camarote. Dejó de relacionarse con otros miembros de la dotación del *U-77*, incluidos el comandante Otto Hartmann y el teniente, compañero de su misión, Markus Rietschel. No hablaba con ellos desde hacía diez días.

Por otra parte, todo parecía trascurrir con normalidad. Desde su enfrentamiento con el comandante, este se había limitado a seguir sus instrucciones. Navegaban en dirección hacia su destino definitivo, en *zigzag* para evitar la detección de los destructores y aviones británicos con base en Gibraltar. Se lo había confirmado el primer oficial Waldemar, que era con la única persona que había mantenido alguna conversación durante todo este tiempo.

Cornelia estaba bien entrenada y no le importaba estar encerrada en su camarote. Lo había estado en sitios mucho peores. Allí disponía de todo lo que necesitaba.

Cenó con rapidez y se quedó sentada en la silla, enfrente de la pequeña mesa de despacho de la que disponía. Como también era habitual, apenas veinte minutos después, volvió el mismo marinero para retirarle el servicio de la cena.

Cornelia había tenido tiempo de sobra para pensar. No le gustaba ser tan dura con las personas, pero consideró que su actitud con Otto y Markus había sido proporcional y adecuada. No podía permitir que, como oficial al mando de la misión, sus subordinados no la obedecieran y actuaran por libre. La mejor prueba de ello es que, ahora, todo trascurría con aparente normalidad.

Aparente.

Se tumbó en su camastro.

Otto no le importaba en absoluto. Ya lo había calado. Era un estúpido arrogante que anteponía su ego a todo lo demás. Lo consideraba capaz de cualquier cosa, por eso lo amenazó de muerte si se desviaba lo más mínimo de sus órdenes. Cornelia se había dado cuenta de que Otto la había creído. Hacía bien, porque no hubiera vacilado ni por un instante en rebanarle el pescuezo.

Sin embargo, con Markus tenía sentimientos encontrados. Habían sido compañeros en la academia de oficiales de las *SS*, hacía tres años, se habían graduado juntos y también habían participado en misiones de infiltración. Nunca le había fallado. Formaban un gran equipo. Quizá con él estaba siendo excesivamente dura, pero debía de comprender la lección, por la seguridad de ambos. No podía permitir que cuestionara su autoridad por unas órdenes contradictorias del comandante del submarino. Había cometido un error y debía recibir su castigo. A pesar de ello, continuaba confiando en él. Cuando llegaran a tierra, que era su verdadero elemento, todo volvería a la normalidad y formarían el tándem de siempre.

De repente, Cornelia pudo notar con claridad como el submarino viraba bruscamente y ascendía. Se levantó de inmediato y abrió el cajón de su escritorio. Waldemar le proporcionaba, de forma regular, la tabla de horarios de emersión del submarino a la superficie. Comprobó la hora. Aún no eran las siete de la tarde, no había anochecido del todo y no figuraba ninguna salida a la superficie a esta hora. De hecho, estaba programada para las tres de la madrugada.

Algo estaba ocurriendo. Se dispuso a salir de su camarote para averiguarlo. Cuando intentó accionar el mecanismo de apertura de su puerta, no pudo. Lo volvió a intentar, con todas sus fuerzas, sin ningún resultado. Estaba atrapada en el interior de su camarote.

La habían encerrado, atrancando el mecanismo desde el exterior. Aquello no presagiaba nada bueno.

Como Cornelia había supuesto, en apenas un minuto escuchó la señal acústica del submarino, característica de que entraban en combate.

«¡Ese imbécil de Otto Hartmann!», pensó. «¡Nunca debí confiar en su palabra!».

En realidad, no lo había hecho. No efectuó ningún intento por gritar ni golpear la puerta de su camarote, para llamar la atención de cualquier miembro de la tripulación. Se limitó a volver a tumbarse en su camastro.

Estaba sonriendo.

Mientras tanto, en el resto del submarino, se vivía la típica actividad frenética, previa a entrar en combate.

—Comandante, señal acústica confirmada —dijo el *Funkmaat* Kilp, que estaba de guardia en ese momento—. Se trata del mercante británico *City of Perth*, de más de seis mil toneladas de desplazamiento.

—¿Tenemos compañía?

—No señor, no se escuchan otras señales acústicas cercanas.

—Profundidad de periscopio —informó el navegante.

Otto se dirigió de inmediato hacia él.

—Confirmación visual —dijo el comandante.

—Distancia al objetivo, ocho millas. No se advierten cambios ni en su rumbo ni en su velocidad. No han advertido nuestra presencia.

—Sala de torpedos —se comunicó el comandante por la radio—. Inunden los tubos uno y dos y carguen los torpedos. Avisen cuando estén preparados.

El comandante Otto se encontraba con la adrenalina por las nubes, no solo porque estaba a punto de entrar en combate con un mercante desprotegido, que lo podía hundir, sino también por Cornelia. Le producía una especial satisfacción mandarle un mensaje bien claro. Quién era la persona que, realmente, tenía el control sobre el *U-77*. Otto era su comandante y ella un simple paquete que entregar. «Que aprenda la lección», pensó, satisfecho. «Una cura de humildad no le vendrá nada mal».

De inmediato se giró hacia la zona de escuchas subacuáticas. También quería tener vigilado a su compañero Markus, aunque le daba la impresión que su relación con Cornelia se había deteriorado. Fue testigo de la salida de su camarote, antes de su entrada, hacía ya diez días. Su cara reflejaba que había recibido una seria reprimenda de su superior.

Aunque al principio de la alarma de combate no se encontraba en su puesto, ya que no estaba de guardia, en apenas tres minutos lo vio aparecer y situarse en su posición, junto al *Funkmaat* Kilp. Lo tenía a la vista.

Además, había ordenado una discreta vigilancia sobre ambos. Desde aquel incidente en el camarote de Cornelia, Markus y ella no se habían cruzado la palabra. Con el único que había hablado la capitán era con su primer oficial, Waldemar. Parecía que se llevaban bien. Conocía que le entregaba los horarios de salida a la superficie del submarino y lo permitía. Era una información sin ninguna relevancia. No le importaba lo más mínimo que la conociera.

Ahora mismo, Otto se estaba relamiendo del gusto, pensando que Cornelia habría comprendido que había ordenado encerrarla en su camarote. Tan solo imaginársela, impotente y carcomida por la rabia, ya le producía una satisfacción adicional a la adrenalina del combate.

—Comandante, torpedos preparados —escuchó a Waldemar, que le sacó de sus placenteros pensamientos.

Tomó su cronógrafo.

—¿Distancia?

—Cinco millas —le respondió el navegante Matthias Otten.

—Sala de torpedos, preparados a mis órdenes —dijo, mientras miraba el cronógrafo y el periscopio—. ¡Fuego el uno!

A los cinco segundos, ordenó disparar el segundo. El *U-Boot*, como era costumbre, se estremeció con el lanzamiento.

El comandante siguió su trayectoria a través del periscopio.

—Impacto del uno y también del segundo —informó Otto.

—Señor, señales de rotura de casco —le informó Markus.

—¿Se hundirá?

—Es un buque grande, es posible que pueda permanecer a flote hasta que lleguen remolcadores, pero los daños en el casco, considerando lo que estamos escuchando, son muy severos.

—Yo también lo estoy viendo por el periscopio, no creo que pueda ser rescatado.

—Señor, captamos sonidos de tráfico marítimo.

—¿Identificación?

—Positiva. Sin duda su señal acústica se corresponde con un viejo conocido. Es el remolcador *HMS Restive.*

Otto se sobresaltó. Recordaba la compañía que portaba ese remolcador, hacía justo diez días.

—¿Alguna otra señal acústica? —preguntaba, mientras oteaba el horizonte con el periscopio.

—No, señor —le respondió el Funkmaat Kilp—. Esta vez parece que viene solo.

Otto respiró.

—Bien —dijo—. Buen trabajo, tripulación. ¡Sois grandes! ¡Tercer mercante alcanzado en esta patrulla! En ninguna de las tres misiones anteriores lo habíamos logrado. Acabamos de batir nuestro récord.

Todos se pusieron a aplaudir. Era algo memorable para la dotación del submarino.

—Bien —dijo Otto, mientras bajaba el periscopio—. No bajemos la guardia. ¡Prepárense para la inmediata inmersión!

El submarino empezó a sumergirse.

De momento, pudieron escuchar de nuevo la sirena de emergencia.

—¿Qué ocurre ahora? —preguntó Otto—. ¿Quién la ha activado? Yo no lo he autorizado.

Hans Schwarz, el segundo oficial, que era el ingeniero jefe del submarino y responsable de la mecánica, se dirigió a su comandante.

—Señor, esa alarma proviene de la sala de máquinas.

—Baje inmediatamente y desconéctela. Manténgame informado por la radio.

El segundo oficial descendió de inmediato.

En ese mismo instante, el submarino se detuvo. La maniobra de inmersión parecía que había sido abortada.

—¿Quién ha dado esa orden? ¿Primer oficial? —preguntó Otto.

—Sala de torpedos —respondió Waldemar—. Aquí todo está en orden.

El tercer oficial, Walter Velten, también se encogió de hombros, dando a entender que el tampoco comprendía nada.

—Entonces, si nadie ha dado la orden contraria, ¿por qué no estamos en inmersión?

—¡Comandante! —oyó al segundo oficial gritar a través de la radio—. ¡Aborte de inmediato la maniobra de inmersión!

—¿Qué ocurre, Hans?

—¡Ordene la salida a superficie cuanto antes! —el segundo oficial parecía muy nervioso.

—Le he preguntado qué es lo que ocurre.

—¡A superficie ya! —el grito era desesperado.

Otto nunca había oído a su segundo oficial, que era uno de los mejores ingenieros de la *Kriegsmarine*, con semejante tono de voz. Se asustó.

—Navegante, ya ha escuchado al oficial Schwarz. Devuélvanos a la superficie —ordenó.

El navegante Otten se giró hacia su comandante.

—Señor...

El comandante le interrumpió.

—Ya sé que puede ser peligroso si hay buques de guerra en las proximidades. Ahora mismo voy a bajar a la sala de máquinas a ver qué ocurre. Mientras tanto, obedezca las instrucciones del segundo oficial.

—No me entiende, señor —insistió Otten—. Los motores no parecen responder.

—¿Qué quiere decir?

—Que no tengo control sobre el submarino, comandante. Vamos a la deriva y...

Otto no esperó a que Matthias terminara su frase. Salió disparado hacia la sala de máquinas.

Todos los tripulantes del *U-Boot* sabían lo que ello podría significar y en sus rostros se reflejaba una profunda preocupación.

Bueno, todos no. Había un tripulante que continuaba sonriendo, tumbado en su camastro.

Cornelia siempre disfrutaba de estas situaciones.

28 DENIA, 18 DE MARZO DE 1943

—Escuche, Juan. Usted es el anfitrión perfecto, pero hay determinadas cosas que no estoy autorizado a contarle —le dijo Skorzeny, en el tono más educado que fue capaz de emplear.

—Creo que no me has entendido —dijo Johannes Bernhardt—. Simplemente te lo preguntaba porque acabo de leer la nota de Himmler.

—La carta era para ti y, obviamente, el *Reichsführer* no me informó de su contenido.

—Relájate, que te veo tenso. No te estoy preguntando por el motivo de una de tus misiones en España. Ese asunto no es de mi incumbencia, pero sí lo es esta nota, ya que Himmler me da unas instrucciones un tanto insólitas.

Otto seguía sin considerar apropiado preguntárselas. Si esas órdenes que le había dado a Juan, tenían que ver con él, ya se las diría. Aun así, consideró ser educado.

—Juan, si me quiere decir algo, hágalo, pero me parece de mala educación...

Bernhardt le interrumpió.

—No te azores. La nota de Himmler es muy escueta, como siempre. Consta de tres líneas con tres órdenes diferentes.

Otto se estaba muriendo de la curiosidad, pero parecía que Juan se las iba a contar.

—Veo en tus ojos que ardes en deseo de conocer su contenido —siguió Juan—. Debo decírtelo, ya que te concierne directamente.

—Disculpa. He venido desde Alemania hasta España por dos misiones. Una es la araña, *Die Spinne*, de la que veo que Himmler ya le había puesto en antecedentes. La otra es una operación menor, pero tan solo debía de estar informado yo. Nadie más. Es la relacionada con la máquina *Enigma* que me has nombrado. De ahí mi sorpresa y mi curiosidad —intentó explicarse Otto.

—La primera línea de la nota ya era conocida por mí. Himmler me ordena ponerme a tu disposición para iniciar *Die Spinne* desde España. Parece que tú eres el elegido para ser la araña madre que teja la tela. Personalmente, debo decirte que creo que Himmler, como suele ocurrir, ha elegido al hombre perfecto. No lo subestimes jamás. Tiene un don, una capacidad para anticiparse al futuro que asusta. Es un visionario. Tiene la facultad de rodearse de los mejores, por eso ha hecho de las *SS* una formidable herramienta, quizá la más efectiva de Alemania. Hasta las *Waffen-SS*, la rama militar a la que tú perteneces, son las más temidas del ejército alemán en cualquier frente, por no hablarte de sus servicios de inteligencia, el *Sicherheitsdienst,* que ha dejado obsoleta a la *Abwehr*, que no creo que tarde en ser disuelta. Es el verdadero hombre fuerte de Alemania, por encima de nuestro *Führer.* Tiene los pies en el suelo y no se deja llevar por ensoñaciones. Su único punto débil, a mi entender, es su fijación por el ocultismo y todas esas supercherías en las que cree, pero ni siquiera eso le nubla el entendimiento.

—Opino lo mismo, Juan.

—Bien —respondió—. La segunda línea me ordena una cosa insólita, que siempre ha sido un gran secreto entre Himmler y yo, pero que ahora me obliga a compartir contigo.

Otto continuó en silencio. No tenía ni idea a qué se refería.

—Y por fin, la tercera, también me da unas instrucciones un tanto extrañas, que supongo que harán referencia a tu misión secreta, ya que, en caso contrario, no tendrían sentido.

Otto rabiaba de curiosidad.

—Entonces, ¿me atañen a mí esas dos últimas líneas de la carta de Himmler?

Juan se le quedó observando.

—¿Sabes? Himmler vino a visitarme el año pasado. Estuvo sentado en el mismo sillón que estás tú ahora, saboreando el mismo *whisky*. Traía con él un pesado maletín que me entregó. En él, tan solo había dos cosas. La primera, unos veinte lingotes de oro. Él sabía que no me faltaba el dinero, el general Franco ya se ocupa de eso. Entonces, ¿para qué me traía semejante fortuna? Sin embargo, lo que consiguió llamar mi atención no fue el oro, sino la máquina *Enigma* que me entregó. Era la última tecnología en comunicaciones cifradas de las que disponía el *III Reich*, en concreto, el modelo *M4*. Ni Franco las tiene tan avanzadas ni las tendrá jamás, por muchos esfuerzos que haga. A mi pregunta acerca de para que necesitaba esa máquina, me respondió lo mismo que con el oro, que llegaría el momento que la necesitara. Esas fueron sus palabras literales. ¿Es o no es un visionario? La verdad es que, desde la distancia, hasta asusta un poco.

—¿Por qué me cuenta todo eso?

—Porque el oro va destinado para financiar parte de las actividades de *Die Spinne*, cuando se suponía que ni siquiera estaba en la mente de ningún alemán esa idea, el año pasado, cuando avanzábamos imparables por todos los frentes de guerra. Me equivoco. No estaba en la cabeza de «casi» ningún alemán, excepto en la de Himmler.

Otto comprendió a su anfitrión.

—Me resulta insólito —respondió.

—En cuanto a la máquina *Enigma*, ¿para qué quería un diplomático casi retirado como yo, que no forma parte activa en esta guerra, semejante pieza de última tecnología en comunicaciones militares? Su respuesta fue que la máquina no era para mi uso. Que la desmontara que ya llegaría una persona que sería capaz de volverla a montar, y la necesitaría.

Otto comprendió lo que quería decir. Ahora estaba asustado.

—Resulta que, ahora que acudes a mí, me estudio tu expediente y descubro que, antes de la guerra, en 1939, trabajabas como ingeniero. Estoy seguro de que eres la persona a la que iba destinada la máquina, porque, ¿sabes montarla y desmontarla?

—Por supuesto —le respondió. Ese era el motivo del asombro de Otto—. Por casualidad, ¿no sería en diciembre del año pasado cuando le visito el *Reichsführer*?

—Efectivamente. Creo que tan solo he nombrado el año. ¿Cómo puedes saber el mes exacto?

—Todo encaja. En diciembre de 1942 caí herido en combate. Pasé a la reserva, ya que recibí abundante metralla en mi cabeza. A los pocos días de estar recuperándome en un hospital de Viena, recibí una llamada de Berlín. Me ascendieron sin motivo aparente y me dieron un puesto de gran responsabilidad. Hasta hace dos semanas no supe que detrás de todos aquellos extraños movimientos estaba el propio Himmler. ¿Se da cuenta? Como le decía al principio, las fechas encajan.

—¿Tiene o no tiene una mente privilegiada? Pero aún falta la tercera línea del mensaje. Esta instrucción no la entiendo, pero supongo que tú sí lo harás. Me ordena que busque una pareja de alemanes llegados a esta zona en las últimas dos semanas, aproximadamente.

Otto supuso que tenía que ver con la célula secreta que estaba intentando localizar.

—Tienes razón, Juan, pero no te puedo informar del motivo.

De repente, su anfitrión se levantó del sillón y salió del salón. Otto pensaba que no había dicho nada inconveniente. A pesar de la tercera línea de la nota, no le podía dar más explicaciones a Juan. No estaba autorizado por Himmler a hablar de ello con nadie. Se lo dejó muy claro.

A los pocos minutos, apareció con una caja muy sucia. La dejó encima de la mesa del salón.

—Aquí está la máquina *Enigma* desmontada. Debes ponerla otra vez operativa y comunicarte con Himmler. Eso es lo que decía exactamente la segunda línea de la carta.

Otto ya se lo imaginaba.

—También me pide que te deje solo. Así que toda tuya, nadie entrará en este salón hasta que tú no salgas de él —dijo Juan, mientras lo abandonaba y cerraba las puertas a sus espaldas.

Otto se quedó solo frente a aquella sucia caja. Estaba claro que había sido ocultada bajo tierra. La abrió con cuidado. Toda la porquería que acumulaba en su exterior se trasformó en orden y limpieza en su interior. Cada pieza estaba cubierta por un paño. Una a una, las fue dejando encima de la mesa. Cuando las tuvo todas a la vista, comenzó el montaje de la misma. No le llevó demasiado tiempo. Como bien había supuesto Juan, no era la primera vez que hacía una cosa así. Nunca había ensamblado una *Enigma* de cuatro rotores, pero el cableado era muy similar a la de tres. Como bien había indicado Juan, en su vida civil era ingeniero, así que le costó menos de treinta minutos en tener la máquina lista para usarse.

Miró a su alrededor. Necesitaba una fuente de energía y una conexión a una antena. Pensó que Juan no le habría dejado en el salón si no existieran. Echó un vistazo general. No vio nada, pero eso entraba dentro de lo normal. De existir, cosa que no dudaba, debía estar camuflado en algún rincón. Buscó en las cuatro esquinas del salón. No le costó demasiado encontrarlas. Detrás de una pequeña mesa, curiosamente adecuada para poner sobre ella la máquina, estaban las conexiones que necesitaba. Trasladó la máquina allí y la conectó.

Otto pensaba que el motivo de su visita a Juan era informarle de la operación araña y de que estaba al mando de ella, pero eso ya lo sabía. Así que el verdadero motivo por el que Himmler le había conducido hasta Juan no podía ser otro que el aparato que tenía delante.

Mandó el primer mensaje, a ver si funcionaba de verdad.

1550 OS RF PRIVAT

Esperó cinco minutos. Sin respuesta.

Apuró su vaso de *whisky*. Habitualmente no le duraban tanto tiempo, pero lo estaba disfrutando. Pensó en servirse otro, ahora que estaba solo en el salón. «¿Por qué no?», pensó. Así lo hizo. Suponía que no iba a volver a catar en su vida aquella maravilla.

La máquina seguía sin responder. No sabía si no había trasmitido el mensaje o Himmler no estaba disponible para una comunicación privada. No tenía más remedio que esperar. Tampoco le importaba demasiado, mientras le quedara *whisky*. No se atrevió a encender un cigarro, ya que había observado la inexistencia de ceniceros y la casa tampoco olía a humo, así que supuso que su anfitrión no fumaba.

Movió un sillón y se sentó frente a la máquina. Por la ventana podía ver los jardines, incluso, a lo lejos, el mar Mediterráneo. Pensó que no le importaría acabar sus días retirado de la misma manera que Juan.

De repente, la maquina cobró vida

1615 RF OS PRIVAT OK

Himmler estaba al otro lado de la trasmisión, confirmado.

Iba a preguntarle qué es lo que quería, cuando se le adelantó.

DEME NOVEDADES DE LA CÉLULA

Otto le respondió.

PISO VACÍO
HE LIMPIADO LA VIGILANCIA

Esperó la respuesta.

SIGA EN LA ZONA HASTA NUEVAS INSTRUCCIONES
HABLE CON JUAN DE LA TERCERA ORDEN
RF

La firma de Himmler le indicaba que daba por concluida la conversación. Se sorprendió. Pensaba que había concluido su operación en la costa alicantina, pero no era así. Además, le autorizaba a hablar con Juan de la misión de las células clandestinas.

Otto no pudo evitar sonreír, pensando en Paul Winzer, el jefe de la *Gestapo* en Madrid, cuando se enterara de que se iba a quedar sin su flamante coche por tiempo indefinido, además sin poder discutírselo, ya que las órdenes provenían del propio *Reichsführer.*

29 EN ALGÚN LUGAR DEL MAR MEDITERRÁNEO, 26 DE MARZO DE 1943

—Esto es un auténtico desastre, señor —dijo el segundo oficial e ingeniero jefe, Hans Schwarz.

—El navegante me acaba de informar que no tenemos propulsión —le respondió el comandante Hartmann.

—Así es.

—Informe de daños.

—Señor, un motor diésel de superficie está inutilizado. El otro tiene severos daños. En cuanto a los motores eléctricos, en estos momentos, no funciona ninguno de los dos.

—Pero sin que funcionen los motores eléctricos... —empezó a decir el comandante.

—Precisamente por eso le estaba gritando por la radio que ordenara la salida a superficie de inmediato —le interrumpió Hans, que estaba muy alterado—. No disponemos de propulsión subacuática. En inmersión, estamos a la deriva.

Ahora, Otto comprendió el nerviosismo de su segundo oficial.

—¿Qué ha causado la avería?

—Aún es pronto para aventurar una hipótesis, pero un fallo de los cuatro motores a la vez, los diésel y los eléctricos, no lo he visto jamás en ninguna de mis patrullas, y llevo unas cuantas a mis espaldas. Eche la vista atrás y piense por un momento. Es exactamente lo mismo que ocurrió con las comunicaciones del submarino. El fallo, al mismo tiempo, de todos los sistemas, es altamente improbable. Casi diría que imposible que suceda de una forma fortuita.

—¿Qué está insinuando, Hans?

—Que tiene todo el aspecto de un sabotaje, señor. Creo que el *topo* que tenemos infiltrado, que ya nos dejó incomunicados nada más partir de La Spezia, ahora ha pretendido dejarnos sin propulsión.

Otto sabía que eso no era posible. El que había saboteado las comunicaciones del *U-Boot* había sido él mismo. No existía tal *topo*.

—¿Tienen arreglo? —preguntó, intentando desviar la conversación del supuesto saboteador.

—Hasta que no salgamos a la superficie, no lo sabré a ciencia cierta.

—¿Y una evaluación provisional?

—Si quiere que le dé mi impresión inicial, los motores eléctricos han sufrido daños que tan solo se podrán reparar en un puerto. En cuanto a los dos motores diésel, uno está completamente inutilizado, pero quizá pueda reparar, al menos en parte, el segundo. Eso nos daría algo de propulsión, aunque fuera en superficie.

—¡En superficie! —exclamó espantado el comandante—. Sin los motores eléctricos no podremos navegar en inmersión.

—Soy perfectamente consciente de ello, señor, pero es lo que hay. Con suerte, podremos navegar en superficie, y eso, siempre que consiga parchear el segundo motor diésel, porque, ahora mismo, no funcionan ninguno de los dos.

—¿Seguro que no hay nada que hacer con los eléctricos? — Otto insistió. Aquello era una catástrofe peor de la que se podía imaginar.

—Si dispusiéramos de comunicaciones a bordo, podríamos notificar nuestra avería. En ese caso, quizá la *Kriegsmarine* pudiera enviar otro *U-Boot* en nuestra ayuda, pero esa no es nuestra actual situación. Estamos incomunicados. Además, nos encontramos en una zona muy patrullada por los destructores británicos y los aviones antisubmarinos con base en el norte de África y Gibraltar. No hace falta que le recuerde que, en esta zona, hay abundantes estaciones de escucha enemigas. Tampoco sé si sería una buena idea.

Otto estaba pensando a toda velocidad.

—Estamos emergiendo. En apenas unos minutos nos encontraremos en la superficie, pero estaremos muy expuestos. Aún no ha anochecido. ¿Cuánto tiempo calcula que le llevará arreglar, aunque sea a medias, el segundo motor diésel?

—Quiero que comprenda que está muy dañado y... —insistió Hans.

Ahora fue el comandante el que lo interrumpió. Todos los presentes estaban muy nerviosos.

—Eso ya lo ha dicho, tan solo quiero algo de propulsión. No hace falta que le recalque la urgencia de esta reparación. Sabe que, a la deriva, estamos muertos —dijo el comandante, que también estaba alterado.

—Si nos ponemos todos a trabajar de inmediato, creo que, esta misma noche, podría dejar operativo uno de los motores diésel, aunque sea parcialmente. Al menos, aunque mínima, podríamos disponer de propulsión en superficie para legar a algún puerto seguro.

—Usted mismo ha dicho que esta zona es especialmente peligrosa.

El primer oficial, Waldemar Sichart von Sichartshoff, acababa de entrar en la sala de máquinas. Llegó a tiempo para escuchar la última parte de la conversación.

—Señor, el puerto de Alicante es neutral para hacer reparaciones, según la Ley Internacional Marítima, que es respetada por España. Creo que es nuestra única alternativa, en las actuales circunstancias.

Otto se quedó un segundo en silencio.

—¡Todos a trabajar! —dijo, dirigiéndose al equipo de mecánicos—. Saben que la supervivencia de este submarino y de todos nosotros está en sus manos.

Abandonó la sala de máquinas y subió al puente de mando. Tomó la radio interna del submarino en sus manos e informó a toda la tripulación de la situación en la que se encontraban. El *U-77* estaba dotado de un cañón de 88 milímetros, instalado en la cubierta del submarino, además de otra ametralladora de 20 milímetros de apoyo, para repeler posibles ataques aéreos. Estableció turnos de guardia, para que siempre hubiera dos artilleros preparados, en caso de ser localizados por naves o aviones enemigos. Después de impartir sus instrucciones, se retiró a su camarote. Él ya no podía hacer nada más.

«¿Cómo ha podido ocurrir?», pensó Otto. La tripulación estaba convencida que había sido obra del saboteador, pero él sabía que tal persona no existía.

Sin saber muy bien por qué, sus pensamientos se dirigieron hacia Cornelia. Recordaba perfectamente que le había dicho que, si intentaba atacar cualquier otro buque, sería el último de su carrera. «¡Pero ella estaba encerrada en su camarote, cuando todo ha ocurrido!», casi le gritó su mente. «Y su compañero, Markus, lo tenía enfrente de mí, en el puente».

Aun así, la candidata número uno, en caso de un posible sabotaje, era Cornelia. No estaba nada tranquilo, así que salió de su camarote y se dirigió, en sigilo, al de ella. Comprobó el mecanismo de apertura. Seguía atrancado. Puso su oído sobre la puerta. No había ninguna duda, estaba en su interior. Aunque deseaba culparla de la improbable avería de todos los motores a la vez, su razón se lo impedía. En todo momento había estado confinada.

Volvió a su camarote, en silencio. Quiso pensar que no había existido ningún sabotaje. En ocasiones, una concatenación de desgracias en cadena, aunque improbable, no era imposible. Al menos, eso era lo que quería creer.

Mientras tanto, Markus estaba observando al comandante Otto. Había sido testigo de cómo se acercaba al camarote de Cornelia. Le extrañaron sus sigilosas maniobras, incluso que pusiera su oído sobre la puerta. «¿Para qué hace eso?», pensó. Desde luego, aquello no era nada normal.

Cuando Otto se retiró, Markus se acercó también al camarote de Cornelia. En cuanto observó la puerta, lo comprendió todo. El comandante había ordenado atrancar el mecanismo de apertura de la puerta. Cornelia estaba prisionera dentro del submarino. Con todo el disimulo que pudo, quitó el travesaño metálico que impedía la apertura de la puerta. Sin pedir permiso, para evitar ser descubierto, entró en su camarote.

Cornelia seguía tumbada en su camastro. Al ver entrar a Markus, se incorporó.

—Ya me explicarás cuál es el sentido de todo esto —se dirigió a su capitán.

—Me alegro de verte de vuelta al equipo, Markus.

—Nunca lo abandoné y lo sabes perfectamente.

—Infórmame de las novedades.

—He procedido tal y como me ordenaste la última vez que hablamos, hace ya diez días. En cuanto escuché la alarma de combate, bajé de inmediato a la sala de máquinas. Me ayudó el hecho de que no estuviera de guardia en ese momento y la lógica tensión en el submarino. Dados mis estudios en ingeniería, además especializados en motores diésel y propulsión eléctrica, como ya conoces, no me fue nada complicado manipularlos para un fallo en diferido.

—¿Podrán repararlos, tal y como te indiqué?

—Si Hans Schwarz es tan buen ingeniero como dice, podrá arreglar parcialmente uno de los motores de superficie. En cuanto a los eléctricos, si se esmera mucho, podría recuperar uno de ellos, pero tan solo le daría autonomía para inmersiones de apenas quince o veinte minutos. Eso, en caso de que sea capaz, ya que los dejé seriamente dañados. Es decir, este submarino ya no podrá hundir a ningún buque mercante ni de ninguna clase más, pero sí que podremos ser nosotros hundidos. Sabes que, en la superficie, estamos vendidos.

—Jamás le debí de dar otra oportunidad al comandante. Sabía que, con toda probabilidad, iba a desobedecer mis instrucciones. Ahora, que cargue con las consecuencias de sus acciones.

—¡Pero nosotros también estamos a bordo del submarino! —insistió Markus—. Si nos localizan, quizá nos hundan.

—Puedes ahorrarte el «quizá». Nos hundirán.

—No te entiendo Cornelia. ¡Podríamos morir!

—Escucha, Markus, saldremos de esta. Mírame a los ojos —hizo una pequeña pausa—. ¿Qué ves en ellos?

—Tienes la misma mirada que en las operaciones clandestinas de infiltración. Determinación.

—Confía en mí. Siempre lo has hecho y no nos ha ido tan mal, ¿no?

Markus, aunque estaba confundido, sabía que Cornelia tenía un don. Siempre conseguía salir airosa de situaciones complicadas. Pero eso era en tierra firme. Ahora se encontraban en un medio extraño para ellos, rodeados de agua.

Cornelia volvió a mirar fijamente a su compañero.

—Escúchame bien, Markus. Supongo que el ingeniero jefe conseguirá algo de propulsión e intentarán dirigirse al puerto de Alicante. Es la decisión más lógica y segura.

—¿Lo conseguirán?

—No lo creo. Pienso que seremos atacados antes. Si tan solo consiguen recuperar la mitad de la propulsión de uno de los motores de superficie, este submarino no podrá superar los seis nudos, eso siendo muy generosa. A esa velocidad, tardaríamos dos o tres días en llegar a Alicante. Hay que ser realistas, un *U-Boot* navegando en superficie durante tres días, en esta zona, sin ser localizado, es una cuestión prácticamente imposible. Hay multitud de patrullas aéreas. Hay que suponer que nos encontrarán.

—¿Entonces?

—Otto Hartmann, a pesar de ser un estúpido arrogante, es un buen comandante de submarinos. Es posible que pueda esquivar o defenderse, con los cañones y ametralladoras de la cubierta, de un primer avistamiento. Pero una vez seamos localizados, al apenas disponer de propulsión ni de capacidad de inmersión, seremos un objetivo muy fácil. El segundo ataque será el definitivo, nos hundirán.

—¿Todo eso lo sabías cuando me diste las instrucciones del sabotaje? —preguntó un asombrado Markus.

—Presumía que el comandante iba a desobedecer mis instrucciones, pero no en qué ubicación lo iba a hacer. En cualquier caso, la respuesta a tu pregunta es que sí. Era consciente que, con toda probabilidad, íbamos a ser hundidos. A ti no te puedo mentir.

—No te entiendo, Cornelia.

—Escucha bien lo que te voy a decir. Protégete durante el primer ataque y no salgas a la cubierta del submarino, aunque te lo ordenen. Si hace falta, te vienes a mi camarote y te ocultas, yo te protegeré. Eso sí, cuando se produzca el segundo ataque al *U-Boot*, no me pierdas de vista ni por un momento. Sigue mis instrucciones al pie de la letra, sin vacilar. Será muy parecido a una operación táctica de superficie. Lo tengo todo preparado. Es lo que tiene dejarme tiempo para pensar. Como dice un refrán español, cuando el diablo no tiene qué hacer, con el rabo mata moscas.

Markus, a pesar de que confiaba en la extrema inteligencia táctica y organizativa de Cornelia, no podía evitar estar preocupado.

—¿Vamos a salir con vida de esta operación, Cornelia? No me mientas.

—Sabes que esa pregunta no es la primera vez que me la haces, y mi respuesta es la misma de siempre. No lo dudes ni por un momento —le respondió, con rotundidad—. Aún no ha llegado nuestra hora. Tenemos una misión muy importante que cumplir en tierra, como para dejarnos matar en un submarino comandado por un estúpido arrogante.

Markus vio furia en su mirada.

La creyó, como había hecho en todas las ocasiones anteriores.

30 EN LA ACTUALIDAD, VALENCIA, 29 DE JUNIO

—Eso no puede ser y además es imposible.

—Algo así, ¿no lo dijo un torero?

—Sí, se le atribuye a Rafael Guerra. Para ser exactos, dijo, «lo que no puede ser no puede ser y además es imposible». Otros dicen que la pronunció primero Charles Maurice de Talleyrand, pero me la trae al pairo quién fuera el primero. La cuestión es que, ahora, la está pronunciando Carlota Penella.

—¿Por qué crees que es imposible? —preguntó Rebeca.

—Porque si quitamos a Denia de la ecuación de las vacaciones, ¿qué nos queda? Tan solo Almu y Carol. Es imposible que ambas, en la combinación que tú quieras, sean superiores a veinte **T**íos **B**uenos en Ibiza.

Tomó un papel y escribió.

20TB = AL + CA

—A ver, Rebeca. Tú, que eres tan amante de lo racional, te vas a tener que rendir ante la evidencia de las matemáticas. Si despejamos a lo que equivaldría cada **T**io **B**ueno, quedaría así:

TB = (AL + CA) / 20

—Es decir, que, según tú, cada tío bueno en Ibiza sería veinte veces inferior a la suma de Almu y Carol. ¿Me lo puedes explicar? Eso es imposible —continuó Carlota.

—Quizá las matemáticas no se equivoquen —le respondió Rebeca.

—¡Venga ya!

¿Te acuerdas de la adivinanza tuya del huevo Kinder? —le recordó.

Rebeca hacía referencia a la fiesta que su tía había celebrado en su casa, para conmemorar su nominación a los últimos Premios Ondas, en la categoría de «Mejor *podcast* del año», que terminó ganando, *ex aequo*, con Pablo Romero. En esa fiesta, Carlota le había dicho a Rebeca que había un huevo Kinder en ella. Se refería a que había una persona que, como los huevos Kinder, llevaba una sorpresa dentro.

—¿Qué tiene qué ver una situación con la otra?

—Que Carol y Almu son huevos Kinder.

—Yo le quitaría lo de «Kinder».

Rebeca se rio.

—Mira que cuando quieres ser cáustica, lo consigues.

—Y eso que no he empezado contigo. Me has mentido y eso no se le hace a una hermana —Carlota aún estaba enfadada.

—Tan solo a medias, además ha sido una mentira piadosa. Sé que te lo vas a pasar mejor en Denia que en Ibiza.

—Quizá tengamos conceptos diferentes de lo que significa «pasárselo bien».

—No te creas que tan diferentes. Eres muy curiosa, cómo yo, y también te gustan los misterios. Te vas a hartar de ambas cosas en Denia.

—¿Misterios? ¿En qué consistirán exactamente? ¿En adivinar si Carol llevará lencería de Andrés Sarda y algún modelo de Amaya Arzuaga? De Almu no se me ocurre ningún misterio posible, por más que me estruje el cerebro.

—Ahora me toca a mí recrearme. Te aseguro que ambas los tienen y, aunque son diferentes, no dejan de ser muy curiosos.

—Te prometo que, si hay dos personas que conozca que me resulten menos «curiosas», esas son Almu y Carol.

—Por eso precisamente son huevos Kinder. Por fuera parece tan solo chocolate, pero por dentro... me da la impresión que van a conseguir sorprenderte y te vas a quedar con la boca abierta.

—Y tú, ¿cómo puedes saber esos presuntos misterios secretos? Si son secretos, ¿no se supone que nadie los debe conocer?

—Digamos que estos últimos meses he estado atando algunos cabos sueltos.

—¿De dónde se han soltado esos cabos?

—De mi cabeza y parece mentira que no lo hayan hecho de la tuya también.

—Te prometo que no sé de qué me estás hablando.

—Hemos vivido una aventura casi increíble. Somos las dos undécimas puertas que custodian un gran secreto milenario. Recuerda que representamos al *Daat*, que, en el árbol cabalístico, a su vez, representa la undécima *sefirah*, oculta y secreta, como nosotras.

—Eso ya lo sé, pero ¿qué tiene que ver con lo que estamos hablando?

—En realidad, en hebreo, *Daat* significa conocimiento.

—También lo sé.

—*Daat* está en el abismo, en el caos del pensamiento. Dentro de ese caos hay un orden.

—¡Eso ya te lo dije yo!

—Fíjate en nuestra posición dentro del árbol *sefirótico*.

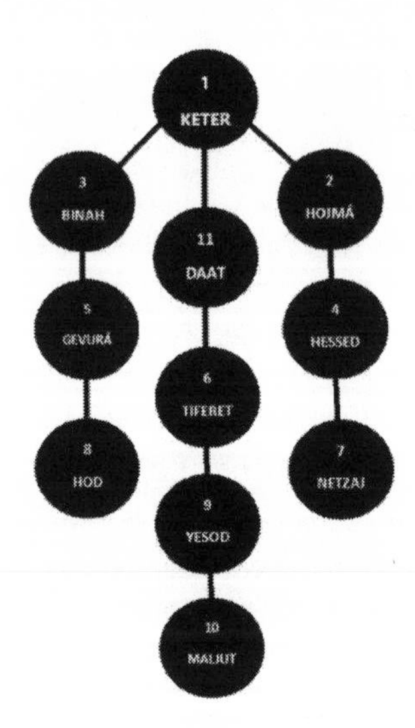

Rebeca continuó con su explicación.

—Somos una emanación del *Keter*, de la raíz del árbol, pero estamos situadas entre *Hojmá*, que representa la sabiduría, y la *Biná*, que es la inteligencia. Une conocimiento, sabiduría e inteligencia y tendrás un cóctel explosivo.

—Pero eso es según la cábala y el árbol *sefirótico*. ¿No me dirás que crees en eso?

—Ya sabes que nuestra madre me inició en esos conocimientos con apenas ocho años de edad. No se trata de creer en ella o no hacerlo, el hecho de que existe es incuestionable. Tan solo tienes que vernos a nosotras. ¿Sabes que el *Daat* también representa el caos aleatorio del pensamiento? Me parecen definiciones muy acertadas para nosotras, sobre todo para ti.

—¿De verdad pretendes convencerme, a través de la cábala, de que Denia, junto con Carol y Almu, es mejor que Ibiza, junto con veinte tíos buenos?

—No, hay algo más. Tengo pruebas de todo ello.

—¿Qué clase de pruebas?

—Un mensaje secreto.

—¿De quién? ¿De algún Dios supremo? ¿Te ha mandado el mensaje al móvil? —le preguntó Carlota, que se estaba burlando de su hermana, aunque Rebeca permanecía muy seria.

—No, me ha mandado un mensaje cifrado, que, por fin, aunque tarde, he conseguido desentrañar.

—No tengo ni idea de lo que me estás hablando. ¿De verdad no se te ha subido la cerveza a la cabeza?

Rebeca se levantó del sillón del salón y desapareció hacia el interior de la vivienda. En apenas medio minuto estaba de regreso.

Mira —dijo, enseñándole un objeto.

Ahora, Carlota sí que se quedó sin palabras.

—¿Te acuerdas del profesor Abraham Lunel? —le preguntó Rebeca, ante el silencio de su hermana.

—Sabes de sobra que me acuerdo del afable historiador hebreo. Lamenté mucho su muerte.

—Pues recordarás su frase favorita.

—¿«Nada es lo que parece»?

—En este caso, me parece que nadie es lo que parece ser.

31 EN EL MAR MEDITERRÁNEO, CARTAGENA, 28 DE MARZO DE 1943

—Estoy muy orgulloso de usted, Hans. Quizá haya salvado la vida de toda la tripulación de este submarino.

—Yo solo soy un ingeniero de la *Kriegsmarine*, al servicio de mi patria.

—No, no solo es eso. Es un héroe. Me ocuparé personalmente de que le sea concedida la Cruz de Hierro por su valiente acción.

—Señor, en el supuesto de que logremos mantener los seis nudos de media, aún nos encontramos a treinta y seis horas de navegación del puerto de Alicante. No deberíamos bajar los brazos.

—¡Por supuesto que no, *Oberleutnant zur See und Leitender Ingenieur* Hans Schwarz. Pero lo que usted ha realizado ya le vale esa condecoración. Ha conseguido reparar uno de los dos motores diésel, aunque parcialmente. Además, ha obrado un milagro, poner en operación uno de los dos eléctricos. Creo que ese gran trabajo que ha logrado es lo que nos ha permitido salvar un día y dos noches sin que ninguna patrulla enemiga nos localice. Hubiera sido imposible continuar sin poder efectuar inmersiones, aunque sean de corta duración.

—Sabe que eso es mérito suyo y de sus maniobras. Yo soy un simple mecánico.

—Mis maniobras, como usted las define, las he podido realizar gracias a que me haya logrado propulsión submarina. Navegamos una hora en superficie y quince minutos sumergidos. Por ahora ha sido suficiente para seguir con vida, contra todo pronóstico. Espero que sigamos así hasta arribar al puerto de Alicante. Nuestra posición actual es cercana a

Cartagena. Si quiere que le diga la verdad, ahora que estamos solos, jamás pensé que llegaríamos hasta aquí.

—Lo conseguiremos, comandante —dijo Hans, con más voluntad que sentido común.

No había pasado ni cinco minutos desde esa conversación, cuando uno de los vigilantes en cubierta dio un alarido.

—Señor, contacto visual con un posible avión enemigo.

En ese momento, todos los marineros que se encontraban en cubierta, pudieron escuchar, a lo lejos, el ruido inconfundible de sus motores.

—¡Todos al interior del submarino! —gritó Otto.

Entre el comandante, el ingeniero, los vigilantes y el artillero del cañón de cubierta, habría en la superficie del submarino unas seis personas.

Entraron precipitadamente por la escotilla del *U-77*.

El avión hizo una primera pasada de reconocimiento. Antes de cerrar la escotilla del submarino, Otto, con sus prismáticos, pudo observar que se trataba de un *Lockheed Hudson*. Por sus insignias, pertenecía al 500 escuadrón de la *Royal Air Force* británica, más conocida por sus siglas *RAF*. Eso significaba que procedía del norte de África, probablemente de Orán.

Eso no era nada bueno. Supuso que, en estos momentos, se estaría comunicando con el 233 escuadrón de la *RAF*, con base en Gibraltar y también especializado en guerra antisubmarina.

A pesar de ir equipado con ellas, no les lanzó ninguna bomba o carga de profundidad.

—¡Inmersión inmediata! —ordenó el comandante.

El *U-Boot* comenzó un brusco descenso.

—¡Todos a sus puestos! —ordenó Otto, desde el puente.

Cornelia estaba observando, desde la distancia, toda la maniobra. Markus se le quedó mirando a sus ojos. Le hizo un gesto de tranquilidad. Aún no había llegado el momento de poner en marcha sus planes.

—Sala de máquinas, informe.

—Motor eléctrico funcionando al 30 %. Autonomía estimada 17 minutos.

—*Funkmaat* Kilp, ¿algún sonido?

—No, señor —le respondió.

—Navegante, ¿profundidad?

—Quince metros, señor. Estimo que no deberíamos sumergirnos más de veinticinco metros. Con las baterías en mínimos, necesitaremos su poca energía para asegurarnos la emersión. Más allá de esa profundidad no se la puedo garantizar.

—Pues veinticinco metros entonces.

—¿Hemos sido avistados? —preguntó el primer oficial, que no se encontraba en cubierta.

—Sin ninguna duda. Ha hecho una pasada por encima de nosotros. Cuando se disponía a virar para hacer una segunda, ya estábamos en inmersión —le respondió el comandante.

—¿Y no nos ataca?

—Quizá nos haya perdido el rastro.

En ese momento, Kilp gritó.

—¡Señor, cuatro cargas de profundidad lanzadas al agua!

—¿En nuestra posición?

—No exactamente, pero sí muy próximas. Estimo que no habrá impacto directo, pero podríamos sufrir daños.

—Navegante, ¡maniobra de evasión! —dijo Otto, mientras tomaba la radio interna del submarino.

—Tripulación, prepárense para la detonación de cargas de profundidad.

Markus, que no estaba acostumbrado a estas situaciones de combate subacuático, se encontraba visiblemente alterado. Se giró hacia el rincón donde estaba Cornelia, que le hizo un gesto de tranquilidad con las manos. Hasta le pareció que disfrutaba de la situación.

De repente, se escuchó una explosión. El submarino se agitó levemente. La primera carga había explotado lejos. Inmediatamente se sintieron la segunda y la tercera, casi de forma simultánea. Estas sí que habían detonado a más corta distancia. Ahora, la sensación fue mucho más intensa. Se soltaron algunas piezas del puente, que produjeron un pequeño incendio, sofocado de inmediato. Incluso el segundo oficial, a pesar de estar asido, se cayó al suelo.

—Informen de daños —dijo el comandante por la radio.

—Sala de torpedos sin novedad.

—Sala de máquinas sin… —el *Maschinistmaat* Walter Bayer no pudo terminar la frase, ya que la cuarta explosión había impactado en las proximidades del *U-77*.

Todo saltó por los aires. Markus también se cayó al suelo. Le dio la impresión que habían sido alcanzados de lleno.

Otto se recompuso de inmediato.

—Ingeniero Schwarz, baje a la sala de máquinas. ¡Quiero una evaluación ya!

El segundo oficial obedeció de inmediato. En apenas un minuto ya estaba a la radio.

—Señor, pequeña rotura en el casco en la sala de máquinas. Dos heridos, los *Maschinistgefreiter* Reinherdt Pützschler y Rudolf Range. No revisten gravedad y están ayudando en las maniobras de sellado y achique.

—¿Daños adicionales?

—La vía de agua conseguirá ser taponada, pero tengo malas noticias. El único motor eléctrico que funcionaba se ha inundado. Necesitamos la energía de las baterías para achicar la enorme cantidad de agua que se está acumulando en la sala. Tenemos que salir a la superficie de inmediato, o, en breve, ya no tendremos energía para ello.

—¿Está seguro de eso? —preguntó Otto, muy preocupado. Con un avión antisubmarino en los alrededores, lo último que deseaba era exponerse de nuevo.

—Señor, de la orden ya —le urgió el segundo oficial.

—¡Prepárense para la salida a la superficie! —ordenó el comandante— Quiero a los artilleros en la torreta y a cuatro marineros más con las armas de a bordo.

El submarino empezó a ascender rápidamente.

Markus ya se había incorporado del suelo. Tenía una pequeña herida en la cabeza, que no parecía importante. Cornelia se aproximó hacia él y le dio un paño, para limpiarse la sangre.

El comandante seguía impartiendo instrucciones. Ahora, se giró hacia Markus, que continuaba siendo atendido por Cornelia.

—Rietschel —le ordenó a Markus—, a cubierta. Usted tiene experiencia con armas. También Hofmann, Jedamski y Mörsch.

Markus se alarmó. Recordó que Cornelia le había advertido que no debía salir a la superficie durante el primer ataque, aunque recibiera una orden. Se le quedó mirando.

—Me temo que eso no será posible —le respondió Cornelia—. El teniente Rietschel ha sufrido un gran golpe en la cabeza y se encuentra mareado. Si asciende a la cubierta, con toda seguridad, caería por la borda y ya sabe que eso no lo puede permitir —mintió Cornelia—. Me lo llevo a mi camarote para curarle esa fea herida.

—¿Ahora es usted enfermera también?

—No me ponga a prueba. Le sorprendería los conocimientos de los que dispongo —le respondió, lanzándole esa mirada gélida tan característica en ella.

Otto pensó que no era momento de entablar una discusión con la capitán Schiffer.

—¡Müller! —ordenó—, sustituya al teniente Rietschel, que está herido.

Los artilleros, los cuatro marinos armados y el propio comandante salieron a la cubierta del submarino.

Otto utilizó sus prismáticos.

—No se observa nada.

—Desde aquí tampoco se escucha y ni se ve nada —dijo el artillero, desde lo más alto de la torreta.

—¿Es posible que se haya retirado? —preguntó Hubert Mörsch.

—Eso parece —confirmó el comandante—. Ese *Hudson* pertenecía al escuadrón de Orán. Nosotros estamos próximos a Cartagena, bastante alejados de su base. Es posible que hayamos tenido suerte y anduviera corto de combustible.

En ese momento, el segundo oficial salió a la cubierta.

—¿Qué hace usted aquí, Hans?

—La vía de agua ha sido taponada. El motor eléctrico que logré parchear se ha perdido del todo. Aún conservamos algo de propulsión, pero en superficie.

—¿Me está queriendo decir...? —empezó a preguntar el comandante.

—Exactamente eso, señor —le interrumpió en ingeniero jefe—. Ya no podremos sumergirnos más. No disponemos de energía eléctrica. Esta vez la avería es irreparable. Aún debemos de dar gracias a que los daños en la sala de máquinas no hayan afectado también al maltrecho motor diésel, que aún nos otorga algo de propulsión, aunque sea en superficie.

—¿Lograremos llegar a Alicante?

—Creo que el motor aguantará.

—No le había preguntado eso.

Hans Schwarz se quedó mirando a su comandante.

—¿Quiere que le mienta o quiere la realidad?

Otto bajó la cabeza. Era perfectamente consciente de que, con el *U-Boot* habiendo sido avistado y navegando a tan poca velocidad en superficie, debían de estar preparados para lo peor.

Cornelia, en cambio, seguía sonriendo en el interior de su camarote, mientras cosía la leve brecha en la cabeza de Markus.

32 DENIA, 28 DE MARZO DE 1943

Skorzeny llevaba ya diez días en casa de Johannes Bernhardt, para sus amigos, simplemente Juan *El alemán*. Estaba disfrutando de la exagerada hospitalidad de él y su mujer Ellen, pero era un hombre de acción. Tanto paseo por el campo, excelente música y todavía mejor *whisky* le agradaban, no lo podía negar, pero, en exceso, también le aburrían.

Bernhardt no era idiota y se daba cuenta de que su invitado añoraba algo de acción, pero, afortunadamente para él y desgraciadamente para Skorzeny, no existía nada de ello en aquel precioso pueblo mediterráneo.

En su comunicación con Himmler, nada más arribar al *Tossalet del Oliver*, le había dado una instrucción muy curiosa, que hablara con Juan de la tercera orden que le había impartido.

Skorzeny, los dos primeros días, se mostró reacio a hacerlo. La tercera orden implicaba informar a Juan de la existencia de una célula secreta alemana desaparecida, cuestión que no tenía nada claro sí hacer. Se trataba de una operación clasificada de alto secreto. No es que Skorzeny no se fiara de la lealtad al *Reich* de Juan, la había demostrado sobradamente, pero no sabía cómo encarar el problema.

Al tercer día, paseando por la finca, se decidió a hacerlo. Trató de ser lo más sutil posible y de trasladarle la información imprescindible. Se lo contó de un modo muy resumido.

—¿Así que nuestro amigo común Himmler ha perdido una célula de las que no desmanteló cuando finalizó la guerra civil española?

Otto Skorzeny se mostró sorprendido.

—¿Lo sabías?

Juan se permitió una pequeña sonrisa.

—¿Quién crees que ayudó a Himmler a organizarlas sobre el terreno? Eso no fue lo más complicado. Lo difícil fue hacerlo delante de las mismas narices del Generalísimo y que no se enterara de que se la estábamos colando. Franco puede parecer un pusilánime, pero no hay que dejarse engañar. Bajo esa fachada de aparente desinterés por las cosas, hay una mente analítica de primer nivel. Te aseguro de que todos esos republicanos que se están organizando en el exilio, incluso constituyendo gobiernos paralelos, no podrán jamás con él. Franco dejará el poder a quién él quiera y cuando él quiera. No te extrañe que se muera todavía gobernando, anciano. La gente tiende a infravalorarlo y él se aprovecha de ello.

A Skorzeny no le interesaba lo más mínimo el general Franco, pero no pudo evitar sorprenderse por las revelaciones de Juan.

—Entonces, ahora me explico otro de los motivos por el que Himmler me atrajo hasta ti. Primero fue por la máquina *Enigma*, y ahora porque me puedes ayudar a averiguar qué le ha pasado a esa célula.

—Eso es muy sencillo. Ha sido eliminada. Al principio, aprovechando el despliegue de los miembros de la *Legión Cóndor*, Franco no le prestó especial atención a estos grupos. Sin embargo, durante la guerra civil ya comenzó a sospechar de su existencia. Esas sospechas se trasformaron en certezas cuando concluyó la guerra. Dime una cosa, ¿qué encontraste en el interior del piso franco?

—No llegué a entrar. Una inspección exterior me bastó para darme cuenta de dos cosas. La primera, que allí adentro no había nadie y la segunda, que estaba siendo discretamente vigilado. De la segunda cuestión me ocupé personalmente. Ya no creo que sigan con su operativo.

—¿No me diga que mató a los agentes franquistas?

—¡No, hombre! —respondió de inmediato Otto—. Eso tan solo hubiera complicado más las cosas. Digamos que utilicé un procedimiento más sutil.

Se lo explicó.

Juan no pudo evitar reírse.

—Eres toda una caja de sorpresas, hasta con su punto de humor.

—Bueno, ¿por qué crees Himmler que debemos hablar de este tema? —Skorzeny intentó no desviarse del tema de conversación.

—La verdad es que no lo sé. Hace años que no sé nada de esas células. Son grupos variables de miembros de los servicios de inteligencia, que nunca permanecen más de un mes en una misma ubicación, para evitar ser localizados. Yo ayudé a su creación, pero de eso hace más de seis años. No he tenido contacto con ninguno de ellos desde entonces.

Skarzony era muy perspicaz y solía tener una especie de alarma mental, cuando algo no encajaba. Dicha alarma se encontraba, ahora mismo, activada a máxima potencia. Intentó dar un giro a la conversación.

—Ha dicho que cree que han sido eliminados. ¿En qué se basa? ¿Por qué no piensa que se han trasladado a otra ubicación? Me acaba de contar que ese es su modo de operación habitual.

—Porque si fuera así, no estarías aquí.

—No lo comprendo.

—Que Himmler no te hubiera enviado si él no pensara lo mismo que yo. Reflexiona un momento. Esas células, por su propia naturaleza y seguridad, pueden ser «durmientes» durante meses, por diversas cuestiones, operativas o por su propia seguridad. ¿Para qué enviarte a España para algo que no ha dejado de ocurrir en numerosas ocasiones desde hace años?

Skorzeny comprendió el razonamiento de Juan, pero su mente seguía gritándole que algo no encajaba. Decidió lanzarse.

—¿No has pensado que hay otra posibilidad?

—¿Cuál?

—Himmler jamás me enviaría a mí para comprobar si una célula ha sido eliminada, a menos... —Otto hizo una pausa.

Juan esperó que continuara.

—...que no fuera una célula cualquiera y que estuviera involucrada en otra operación de mayor envergadura. Por otra parte, ¿no se te has parado a pensar por qué estoy yo aquí, en tu casa, en apariencia sin nada qué hacer? Eso no es propio del *Reichsführer.*

—Ahora el que no te comprendo soy yo.

—¿Me lo enseñas? —le preguntó Skorzeny, con aparente inocencia.

Juan se quedó mirando a Otto, en silencio. Al cabo de unos segundos, se empezó a reír, para sorpresa de su interlocutor.

—¿Sabes? Mira que conozco de tiempo a Himmler, pero no me deja de sorprender. Desde luego sabe elegir de quién rodearse. Por curiosidad, ¿me podrías decir cómo has llegado a esa deducción?

—Por supuesto, pero primero muéstramelo.

—Curioso, ¿verdad? —dijo Juan, que parecía de buen humor, para sorpresa de Otto—. Anda, sígueme. Estamos bastante cerca.

Anduvieron unos metros hasta llegar a un invernadero. Entraron. Al fondo había una pequeña estancia para guardar las herramientas de jardinería. Entraron. La pared frontal estaba llena de tijeras para podar de todos los tamaños. Juan empujó la pared desde una de las esquinas. Para sorpresa de Otto, giró sobre sí misma. Lo que vio era impresionante.

—Fuiste la primera, ¿verdad?

—Más que la primera, fui una cobaya. Antes de desplegar una red clandestina de semejante envergadura, Himmler quiso comprobar que iba a funcionar. ¿Qué persona mejor que yo, que ya estaba infiltrado, para servir de experimento? En teoría, con el final de la guerra debía de dejar estas operaciones, pero Franco confía mucho en mí, y a Himmler le pareció interesante que continuara activo, aunque «durmiente».

—En cuanto vi la caja que contenía la máquina *Enigma*, llena de tierra de jardín, ya me hice una idea.

—Debí limpiarla antes de entregártela, pero hubiera tardado demasiado tiempo. No pensé que ataras tantos cabos.

Se encontraban observando una especie de estación de comunicaciones avanzada. Disponía de todo tipo de emisores y receptores, tanto de alta frecuencia como de baja. Era impresionante.

—Por otra parte, ¿para qué me tendría Himmler aquí tantos días, sin un propósito concreto? Estaba claro que la persona más adecuada para ayudarme a encontrar una célula desaparecida era el miembro de otra célula. Por cierto, estos aparatos los maneja tu mujer, ¿verdad? Pasa mucho tiempo en el jardín.

Juan continuó riéndose.

—No se te escapa ningún detalle. Mi mujer Ellen es Standartenführer del Sicherheitsdienst.

Ahora el sorprendido era Otto.

—¿Coronel de los servicios de inteligencia de las *SS*? Ostenta un rango muy superior al mío. ¿Me tendré que cuadrar en su presencia?

Juan estaba risueño, probablemente imaginándose a aquel rudo oficial de las *Waffen-SS* cuadrándose frente a su delicada y menuda mujer. Hubiera resultado cómico.

—Me parece que no será necesario —respondió.

—Si no le importa, ya que parece que voy a permanecer en su residencia durante bastantes días, me gustaría poder escuchar la radio y al enemigo. Así podría entretenerme. Le preguntaré al oficial al mando, que es su mujer.

—Le he dicho que mi mujer es la que suele operar esta estación, porque es técnico especialista en comunicaciones. Creo que, en ningún momento, he afirmado que sea la oficial al mando.

—¿Qué quieres decir?

—Que estás ante la presencia del Brigadeführer Bernhardt.

—¡Señor! —se cuadró el capitán Skorzeny—. ¿Es usted general de las *SS*?

—No, para ti soy Juan —le contestó, riéndose—. En serio, olvídate de los rangos. Estoy seguro de que no soy el primer general que tienes bajo tu mando, y para mí es un honor. En cuanto a tu pregunta, por supuesto que puedes utilizar estos equipos cuando quieras, pero tan solo para escuchar. No tenemos permitido trasmitir, si no es por motivos urgentes.

Esa conversación había tenido lugar hacía una semana. Desde entonces, Otto, todos los días, se entretenía escuchando las comunicaciones del enemigo. Había descubierto el motivo por el que, durante este último año, se habían perdido tantos submarinos alemanes en el Mediterráneo. Los franceses, pero, sobre todo, los británicos, habían establecido bases en lugares estratégicos y patrullaban las veinticuatro horas del día las zonas más sensibles. Estaban muy bien organizados y coordinados.

Ahora mismo estaba frente a la estación de radio. Utilizaba la estación cuando no lo hacía Ellen, para no interferir en sus actividades. Aunque, en apariencia, el trato entre ellos continuaba igual de desenfadado que el primer día, no podía evitar sentirse algo intimidado al conocer el elevado rango dentro de las *SS* que ostentaba el matrimonio Bernhardt.

Conecto los receptores, dispuesto a escuchar la misma rutina de esta última semana.

Nada más alejado de la realidad.

Captó las comunicaciones entre un avión de avistamiento británico *Hudson*, cuyo oficial al cargo se apellidaba Clark, con su escuadrón sito en Orán. También pudo escuchar cómo se comunicaba con la base de Gibraltar. En su patrulla, había descubierto a un *U-Boot* navegando en superficie, al parecer en dirección al puerto de Alicante. Había lanzado cuatro cargas de profundidad. Pensaba que alguna de ellas podría haber impactado en el submarino, ya que lo había perdido de vista.

«¿Un *U-Boot* tan cerca de la costa y navegando por la superficie?», se extrañó Skorzeny.

Se quedó pensativo. Aquello no era nada normal. ¿Para qué iba a querer un submarino alemán entrar en el puerto de Alicante? Las misiones de los *U-Boot* de patrulla en el mar Mediterráneo, tenían como objeto exclusivo hundir buques mercantes enemigos, pero no tenía ningún sentido que se encontraran tan al norte y cerca de la costa española.

De repente, una idea alocada le vino a la cabeza.

Se levantó de la silla.

«Alocada desde luego, pero podría explicar ciertas cuestiones», pensó preocupado.

Tenía la máquina *Enigma* a su lado. Se quedó mirándola. Ya sabía que tenía instrucciones de no trasmitir nada, salvo en situaciones de emergencia.

«¿Era aquello una situación de emergencia?», se preguntó.

Estuvo valorándolo. No había constancia del hundimiento del submarino. Tampoco había escuchado ninguna llamada de auxilio desde el *U-Boot*. Consideró que, probablemente había conseguido escapar a las cargas de profundidad y continuaba con su misión. Molestar al *Reichsführer* por simples conjeturas, además desobedeciendo las instrucciones de sus anfitriones de no trasmitir nada, pesó más en su decisión.

Apagó los equipos y volvió a la residencia.

A pesar de ello, su instinto le decía que se equivocaba.
El instinto de Otto Skorzeny era muy sabio.

33 EN EL MAR MEDITERRÁNEO, 30 MILLAS AL NORTE DE CARTAGENA, 28 DE MARZO DE 1943

—¿Cómo sabías que no nos hundirían en el primer ataque?

—No lo sabía con certeza, pero era de prever. Aún disponíamos de alguna capacidad de inmersión y ya te he dicho que el comandante es bueno en el desempeño de su labor. Confiaba en que lo hiciera, como así ha ocurrido.

—¿Y cómo sabes que habrá un segundo ataque?

—Esa es una pregunta indigna de ti, Markus. ¿No te has dado cuenta de que no nos hemos sumergido ni una sola vez desde entonces? Eso significa que no podemos. Los británicos saben, por nuestra posición, que nos debemos dirigir al puerto de Alicante, que es neutral para reparaciones. Intentarán que no lleguemos. No cejarán en su intento.

—¿Nos hundirán? —Markus estaba preocupado. Cornelia había estado más aislada, pero él había hecho muchas amistades entre los marinos del *U-77*.

—El comandante Hartmann venderá cara su derrota, ya que, con los cañones y ametralladoras antiaéreas del submarino, hasta podríamos derribar a los aviones que envíen los británicos. No sería la primera vez que ocurre. En consecuencia, deberán lanzar las cargas de profundidad y las bombas desde una cierta altura.

—Entonces, ¿tenemos posibilidades?

—A pesar de ello, no tenemos ninguna opción, aunque hostiguemos a la aviación británica. No olvides que somos un blanco casi estático y en superficie. Nos alcanzarán con absoluta seguridad.

—¿Cuándo?

—En apenas treinta minutos.

Markus se sorprendió por la precisión de la respuesta.

—¿Ahora eres adivina?

—No hace falta ser eso. Es pura lógica y cálculo. El primer avión habrá avisado a la base de Gibraltar, que es la más cercana a nuestra posición. Entre preparar un *Hudson* y llegar hasta aquí, por la distancia, calculo que les empleará unas seis horas. El primer ataque ha sido alrededor de las once y media de la mañana. Ahora son las cinco de la tarde. Es una simple resta. En media hora estaremos envueltos en otro combate y será el último del *U-77*.

—¿Qué vamos a hacer? Si tan solo falta media hora, supongo que tendremos que prepararnos.

—Ya lo estamos.

—¿Qué dices?

—Estamos entrenados y sabemos qué hacer y cómo actuar ante situaciones de extrema presión. Lo hemos hecho en otras ocasiones, en nuestras operaciones tácticas de superficie.

—Pero no estamos en tierra, sino rodeados de agua.

—De ese problema ya nos ocuparemos cuando llegue el momento. Ahora, estamos en el interior de un submarino. Tenemos suelo debajo de nuestros pies. Piensa en el *U-Boot* como si fuera una operativo rodeado de enemigos y nosotros estuviéramos en su interior. Esa es nuestra situación real actual.

Markus también comprendió el razonamiento de Cornelia, que continuó explicándose.

—Haremos lo que siempre hacemos. Anticiparnos a las acciones de nuestros enemigos y utilizar el factor sorpresa. En cuanto yo dé la orden, lo más próximo a la hora del ataque aéreo, abandonaremos este camarote. Luego, limítate a seguirme, en completo silencio.

—¿Cuál es tu plan?

Cornelia se lo explicó.

—¡Pero eso es imposible! —exclamo Markus—. ¡Es una locura!

—No, no lo es y te lo voy a demostrar —le respondió, mirando a los ojos de su compañero, con una tranquilidad que espantaba.

—Tendremos que pasar por delante de toda la tripulación, en pleno combate. ¿Cómo quieres que no nos vean? —Markus era muy escéptico, a pesar de que Cornelia no demostraba ningún titubeo.

—No lo harán, créeme. En eso soy una especialista. Si me sigues de cerca lo conseguiremos. Tú irás delante y yo cubriré nuestras espaldas. Confío en que nadie repare en nuestra presencia, pero si alguien lo hace, muy a mi pesar, será lo último que vea en su vida. No sabrá ni lo que le habrá pasado.

Markus sabía que Cornelia era capaz de eso y mucho más, pero estaba nervioso. Aunque era buen nadador, no le gustaba el agua. Resolvió confiar en su compañera, tampoco tenía más opciones.

Mientras tanto, en la cubierta del *U-77* todos estaban preparados. Eran conscientes de que, con toda probabilidad, volverían a ser atacados por otro *Hudson*. Esta vez debían de repeler el ataque con sus cañones y ametralladoras antiaéreas, ya que no se podían sumergir.

La tensión era máxima, sobre todo se reflejaba en el rostro del comandante Hartmann. En su mente, tenía clara cuál iba a ser su estrategia, en caso de ser avistados, antes de alcanzar el puerto de Alicante.

El comandante Hartmann se dirigió a su tercer oficial.

—Escuche, no quiero distracciones mientras nos centramos en el previsible combate que vamos a librar. El teniente Markus y la capitán Schiffer se encuentran en el camarote de la *B-Dienst*. Quiero que se asegure que se hallan en su interior. Pegue su oído a la puerta. Si escucha voces dentro de él, atranque el mecanismo de apertura de la puerta.

—Pero comandante, si somos hundidos, morirán.

—No se preocupe, Walter. Confío en sus habilidades con nuestro armamento antiaéreo, pero en el caso de que debamos abandonar el submarino, liberaremos el mecanismo de la puerta, para que puedan escapar con nosotros en los botes salvavidas.

—Lo que usted ordene, mi comandante —dijo Walter, abandonando la torreta del submarino, donde llevaba grabado el símbolo distintivo del U-77, una especie de caballo o burro, depende de cómo se quisiera interpretar.

Walter Velten entró en el submarino. Se dirigió con cautela hacia el camarote de Cornelia. Siguió las instrucciones del comandante. Escuchó, a través de la puerta, lo que ocurría en su interior. Efectivamente, oyó una conversación entre dos personas. Aunque no podía entender lo que decían, estaba claro que ambos se encontraban en el interior del camarote.

Una vez asegurado, tomó un travesaño metálico y, en completo silencio, atrancó la puerta. Nadie podría salir de su interior.

Volvió de inmediato a la superficie. En cualquier momento podrían avistar a cualquier avión enemigo y él era el responsable de las armas antiaéreas.

—Hecho, señor. Me he asegurado de que estaban en su interior —reportó al comandante.

—Perfecto. Ahora ocupe su posición. No creo que tardemos más de media hora en ser visitados. No podrán con nosotros con la facilidad que se esperan.

En la base de Gibraltar, tal y como todos suponían, ya se había preparado un *Lockheed A-28 Hudson* con el objeto de hundir al submarino alemán. El aviador Edgar Castell fue el elegido para la misión, ya que, aunque británico, tenía raíces españolas y conocía esa zona costera como la palma de su mano.

Edgar Castell llevaba en vuelo el tiempo suficiente para saber que debía encontrarse cercano al submarino alemán. Por los informes del piloto que lo había avistado y la posición que había dado, estimaba que debía encontrarse muy próximo.

Voló dando círculos por su última posición conocida. No oteaba ningún submarino. Decidió volar en dirección a Alicante, adónde se presumía que se dirigían.

Fue una decisión acertada. A treinta millas al noroeste de la posición reportada, pudo ver la silueta inconfundible de un *U-Boot* navegando en superficie.

Comunicó su ubicación al 233 escuadrón de la *Royal Air Force* y se preparó para atacar. Era conocedor de que disponían de defensas antiaéreas y debería de ir con mucho cuidado, para no ser alcanzado.

En la cubierta del submarino, apenas unos segundos después, también avistaron al *Hudson*.

—Primer oficial —dijo, dirigiéndose a Waldemar—, tome el control del *U-Boot* mientras yo permanezco en cubierta, a cargo, junto con el tercer oficial, de las operaciones antiaéreas. Esté atento a la radio.

Ahora se dirigió al segundo oficial e ingeniero, Walter Velten.

—Usted descienda a la sala de máquinas. Permanezca allí en todo momento. No podemos permitirnos perder la poca propulsión que nos queda. Vamos a ser atacados en breve. Mientras aguante el motor diésel que aún funciona, tendremos una oportunidad de zafarnos del bombardeo de ese *Hudson*, pero si quedamos a la deriva, no hace falta que le diga cuál será el resultado.

Tanto el primer oficial como el segundo, se aprestaron a cumplir las órdenes de su comandante.

Otto, con sus prismáticos, pudo observar como el *Hudson* los había localizado. Aún permanecía a gran altura. Sin duda, el piloto estaría evaluando su ataque. Hizo una primera pasada sobre el submarino, pero fuera del alcance del armamento antiaéreo.

—Artilleros, estén preparados. Con toda probabilidad, la próxima vez que nos sobrevuele, ya estará a nuestro alcance.

Tal y como el comandante había previsto, el *Hudson* descendió de altura y lanzó una primera carga de profundidad.

—Waldemar, ¡todo a estribor! —gritó por la radio, entre el ruido de los cañones y las ametralladoras de la cubierta.

El *Hudson* se volvió a alejar, para evitar ser alcanzado.

La carga de profundidad estalló a bastante distancia del submarino. El avión la había lanzado desde demasiada altura como para ser precisa. A pesar de ello, el submarino se zarandeó.

—Sala de máquinas, informe —dijo Otto, a través de la radio.

—Comandante, el parche en la vía de agua aguanta. No hay novedades.

El resto de las salas del submarino reportaron lo mismo.

Así estuvieron una hora, con el avión hostigándoles, pero sin alcanzarse mutuamente. Les había lanzado cuatro cargas de profundidad, pero ninguna había causado daños significativos en el *U-Boot*. El artillero principal del submarino había sido alcanzado por las ametralladoras del *Hudson*, pero fue inmediatamente reemplazado.

«Tendrá que asumir más riesgos si ese bastardo quiere dañarnos», pensó Otto. «Está claro que le tiene respeto a nuestro fuego antiaéreo»

Nada más lejos de la realidad. El piloto del *Hudson* estaba esperando su momento oportuno. Mientras tanto, aguardaba que el submarino se quedara corto de munición. Aún le quedaba combustible suficiente para aguantar en el aire durante, al menos, una hora más. Después de un cuarto de hora, pensó que ese momento había llegado. Se había estado guardando una bomba antisubmarina de gran potencia para la ocasión.

Desde la cubierta del submarino se dieron cuenta de que el *Hudson* pretendía hacer una pasada a baja altura sobre el submarino, a juzgar por su trayectoria de aproximación.

—¡Todos atentos! —gritó Otto.

El avión lanzó su bomba en el momento oportuno.

Otto observó que había detonado a apenas diez metros del submarino. No se esperó a sus efectos, ya se los imaginaba.

—¡Abandonen la cubierta de inmediato! —ordenó, al mismo tiempo que el submarino parecía que quería voltearse sobre sí mismo.

Mientras se retiraban por la esclusa, empezó a entrar abundante agua. A pesar de ello, consiguieron cerrarla.

Cuando Otto y el resto de marinos accedieron al puente, el panorama era desolador. Todo el mundo parecía herido y había fuego.

—Señor —exclamó un ensangrentado Waldemar —nos hundimos.

—Ya lo he notado —le respondió. En ese momento, Otto se dio cuenta de que él también estaba herido en la cabeza. A pesar de ello, no desfalleció.

—¡Sala de máquinas! —gritó por la radio.

No recibió ninguna respuesta.

—Señor —dijo Karl Geffe—, me temo que la radio interna no funciona.

—Primer oficial, continúe al mando de lo que queda de este *U-Boot* y haga lo que pueda para devolvernos a la superficie —dijo, dirigiéndose a Waldemar. Ahora se giró hacia el resto de los marinos que quedaban en el puente —Todos menos el navegador Otten, distribúyanse por los diferentes compartimentos del submarino. Yo acudiré a la sala de máquinas. Los quiero de regreso en el puente en cinco minutos, con un informe de daños.

Así lo hicieron. Otto descendió, como pudo, a la sala de máquinas. Lo que observó en su trayecto, ya le bastó para hacerse una idea de lo que iba a ver. El submarino parecía dañado de muerte.

Nada más entrar, vio al *Maschinistmaat*, Friedrich Reissberger, con la cabeza reventada. Ni se acercó a él, estaba muerto. También observo al segundo oficial e ingeniero Walter Velten, tendido en el suelo, cubierto de sangre. Intentaba levantarse. Otto acudió de inmediato a su ayuda.

—Comandante, nos vamos a pique.

—Eso ya lo veremos —le respondió Otto, con determinación.

—Con todos los respetos, señor, el impacto de esa bomba ha sido en el otro extremo del submarino. Mire a su alrededor. Si en esta sala estamos así, ¿cómo piensa que estarán en la proa?

—¿Puede sacarnos a la superficie?

—¿Bromea? No tenemos potencia eléctrica.

Otto tomó a Walter por los hombros y se le quedó mirando a los ojos.

—Nos hundimos muy lentamente. Apenas estaremos a diez metros. Me niego a darme por vencido todavía. Consiga algo de energía, sáquela de dónde sea. De usted dependemos todos.

Walter se quedó mirando a su comandante.

—Señor, haré todo lo que pueda, pero me temo que los daños en el resto del submarino serán letales.

—Denos un mínimo de potencia eléctrica, que yo me ocupo del resto del *U-Boot* —le respondió, mientras abandonaba la sala de máquinas.

Cuando Otto regresó al puente, se encontró con todos los marineros en él. Solo con observar sus rostros, ya supo lo que iba a escuchar.

—Comandante, aunque todo el personal ha sido capaz de abandonarla y sellarla, la proa está completamente inundada. Como ya habrá observado, aunque lentamente, nos hundimos sin remedio—dijo el tercer oficial, Walter Velten.

—Así es, comandante. Los daños son irreparables y nos no puedo hacer nada por evitarlo. Nos vamos a pique —dijo el navegador, Matthias Otten.

—Ha sido un verdadero placer servir con todos ustedes —se despidió, siempre con caballerosidad, el primer oficial, Waldemar Sichart von Sichartshoff.

34 DENIA, 28 DE MARZO DE 1943

—*U-Boot* alemán alcanzado de lleno por bomba antisubmarina. Hundido. Estimo que se trata de una pérdida total, ya que se observan diversas piezas flotando en el área del impacto, así como manchas de aceite. Regreso a la base, está anocheciendo. La escasa visibilidad ya hace inútil mi presencia, además dispongo del combustible justo.

—¡Enhorabuena, aviador Castell! Informamos al Mando Antisubmarino del Mediterráneo. ¿Lo ha logrado identificar antes de hundirlo?

—Si, señor. Por su anagrama, se trataba del *U-77*.

—¡Ese bastardo! En las últimas dos semanas ha hundido tres mercantes nuestros. Ya no lo hará más. Buen trabajo, le esperamos en el escuadrón. Corto.

Otto Skorzeny no había podido reprimir su curiosidad y había vuelto a la estación de radio. No se había quedado nada tranquilo esta mañana, cuando captó el primer ataque sobre el *U-Boot*.

La trasmisión que acababa de escuchar era entre un tal Castell, piloto de un *Hudson*, y su base en Gibraltar. El combate se había prolongado durante casi hora y media. Para su espanto, parecía que se había decantado del lado británico.

Estaba confundido, y no por el hecho del hundimiento de un *U-Boot*. Desgraciadamente para ellos, el año 1943 no había comenzado nada bien para los submarinos alemanes. Al principio de la guerra eran capaces de hundir muchos mercantes, pero ahora parecía que la situación se había equilibrado. Los *U-Boot* estaban cayendo con demasiada facilidad. Los británicos habían destinado muchos recursos a acabar con los submarinos, que tanto daño estaban haciendo entre sus convoyes de buques mercantes. Eso no era noticia en sí misma.

Sin embargo, los gritos que había sentido este mediodía desde su interior, provenientes de su instinto, ahora se habían trasformado en alaridos.

Había demasiados detalles que no terminaban de encajar en esta historia. La primera, que el submarino estuviera tan al norte, navegando, en apariencia, hacia el puerto de Alicante. «¿Qué sentido tiene eso?», volvió a pensar. Por otra parte, ahora, en adición a sus preocupaciones y alocadas hipótesis, se encontraba con un hecho verdaderamente insólito.

Durante el combate, había podido captar todas las comunicaciones del *Hudson* con su base en Gibraltar. Sin embargo, para su absoluta extrañeza, ni una sola del *U-Boot*. Durante el primer ataque lo podía justificar, ya que había logrado huir y, quizá su comandante, de forma prudente y para evitar ser localizados, había ordenado silencio en las comunicaciones. Sin embargo, este segundo combate había sido muy diferente. Estaba claro que el *U-Boot* necesitaba ayuda.

Los *U-Boot* iban perfectamente equipados en materia de consumiciones. A bordo, todos disponían de una máquina *Enigma*, además de trasmisores de onda corta y alta frecuencia. El procedimiento siempre consistía en comunicarse con el mando de la *Kriegsmarine* e informarles de que estaban siendo atacados. El *U-Boot* más cercano a su posición siempre acudía en su ayuda, bien para repeler el ataque o, en el caso de pérdida del submarino, para recoger a los posibles supervivientes.

Otto se quedó junto a la radio durante quince minutos más, aguardando esa esperada comunicación.

Nada.

Ya no pudo reprimirse más. Dejó el invernadero y se dirigió hacia el interior de la residencia. Entró primero a la cocina. Allí estaba Ellen.

—Al despacho de Juan —se limitó a decirle.

Ellen se le quedó mirando. En sus ojos vio una expresión de alarma. Dejó lo que estaba haciendo y le acompañó.

Ambos entraron en el despacho de Juan, que estaba sentado en un sillón leyendo un libro. Al ver a su mujer y a Otto entrar de esa manera, se levantó.

—¿Qué ocurre? —les preguntó.

—Yo no sé... —empezó a decir Ellen.

Otto le interrumpió.

—Me van a permitir que me dirija a ustedes como procede. Coronel Ellen Bernhardt y general Johannes Bernhardt, creo que tenemos un grave problema que requiere de su autorización para que pueda actuar.

Ellen y Juan se quedaron mirándose entre sí, sin comprender nada. Tomó la iniciativa Ellen.

—Capitán Skorzeny, esta mañana ha pasado un buen rato en la sala de comunicaciones. Cuando ha vuelto he podido notar que algo le preocupaba, pero no ha dicho nada. Ahora regresa del invernadero, completamente alterado. No es difícil deducir que ambos hechos están conectados.

—Así es, coronel —respondió.

Les explicó tanto la trasmisión que había interceptado esta mañana como lo que acababa de escuchar hacía quince minutos.

—Vaya, otro *U-Boot* que cae —se lamentó el general—. Ya sabrá que, para nuestra desgracia, eso no es ninguna novedad. ¿Nos dice lo que de verdad le preocupa? Porque, quiero suponer, que no nos habrá reunido para eso.

—Señora y señor, soy consciente de que lo que van a escuchar les va a parecer una teoría un tanto alocada, pero hagan lo mismo que yo. Intenten buscar un punto de unión entre todos los hechos extraños que envuelven este incidente.

—Adelante, capitán —siguió el general—, tiene toda nuestra atención.

—El primer hecho, ya conocido por todos, es mi presencia en España para llevar a cabo una labor en apariencia rutinaria, que el *Reichsführer* Himmler podía haber resuelto con cualquiera de sus equipos que tiene destacados aquí. La localización de una célula desaparecida. Está claro que esa célula debía de tener gran importancia. Todos sabemos que dispone de otras distribuidas por toda España. Cualquiera podría haber ocupado el lugar de la desaparecida. ¿Qué es lo que hacía a esta diferente del resto?

—Me parece que eso ya lo habíamos comentado.

—¿Saben que fui capaz de escuchar todas las trasmisiones británicas, pero ni una sola alemana?

—Eso no es posible. Nuestra estación de escucha dispone de la tecnología adecuada para ello —le respondió la coronel.

—Por eso lo destaco. Los equipos funcionan perfectamente. El *U-Boot* no ha efectuado ni una sola trasmisión, ni durante el primer ataque ni durante el segundo, a pesar de encontrarse en una situación desesperada.

—¿Eso es cierto? —preguntó la coronel.

—Por supuesto. Llevo toda la tarde en el invernadero. Nada. Pero eso no es todo. Me gustaría que escucharan lo que voy a aventurar con la mente abierta. No tengo ninguna prueba de ello, pero mi instinto no me deja en paz. No se suele equivocar.

—Tiene nuestras mentes abiertas —le respondió el general.

—Primer hecho, submarino muy al norte de la zona habitual de patrullas, muy próximo a la costa alicantina. Segundo hecho, célula en la misma costa alicantina, especialmente importante. Tercer hecho, que, a pesar de ser atacados, no utilicen la radio para nada. Es el cóctel perfecto. El submarino estaba sirviendo de trasporte para una operación de infiltración. Seguramente debería dejar en esta costa a uno o varios agentes, que tendrían instrucciones, una vez en tierra, de acudir a ese piso franco, ahora vacío. Eso lo explicaría todo, incluso las órdenes específicas de Himmler de que me asegurara personalmente de que no estuviera vigilado por agentes franquistas.

Tanto la coronel como el general se quedaron mirando. Se notaba que estaban considerando la hipótesis de Skorzeny, que continuó hablando.

—Ya saben a qué me dedico en Berlín y cuál es mi especialidad, la preparación de equipos de infiltración e incluso la dirección de operaciones encubiertas, fuera de territorio alemán. Habitualmente utilizamos medios aéreos o terrestres, pero, en algunas ocasiones, también submarinos. Esta última opción queda reservada para las operaciones de más alto secreto, ya que es mucho más difícil localizar la infiltración por ese medio.

Durante unos segundos, los tres se quedaron en silencio, que fue roto por el general.

—Capitán, ¿podría abandonar el despacho y dejarnos solos un instante?

—Por supuesto —dijo Skorzeny, que salió de inmediato. Acudió al salón y se sirvió un generoso vaso de *whisky*. Esta vez no lo saboreó, se lo bebió de un solo trago.

Apenas cinco minutos después, fue requerido de nuevo al salón. Skorzeny observo que ambos estaban muy serios.

—Capitán, hemos considerado que su hipótesis de los hechos podría tener visos de realidad, pero, al no tener la absoluta seguridad, sería arriesgado proceder sin órdenes superiores.

—¿Qué quieren decir?

—Que nos vamos a ir los tres al invernadero. Le autorizamos para que trasmita a través de *Enigma* y se comunique con el *Reichsführer*. Infórmele de la situación. Que él decida. Nosotros no disponemos de toda la información, en consecuencia, podríamos cometer un error si actuamos por libre. Sean cuales sean sus órdenes, las seguiremos.

—Si me permiten decirlo —intervino el capitán—, creo que han tomado la decisión más sensata.

—¡Pues no perdamos más tiempo! —dijo la coronel.

Se dirigieron hacia el invernadero y entraron en la sala de comunicaciones. Otto abrió la máquina enigma y envió el encabezamiento previo a los mensajes.

1945 OS JB EB RF PRIVAT

—Esta vez les incluyo a ustedes en la comunicación, para que Himmler tenga constancia de su presencia.

Esperaron diez minutos. No recibían contestación.

—¿Y si no nos responde? —preguntó la coronel.

—Himmler es un hombre muy ocupado. Ahora mismo podría encontrarse en cualquier lugar, sin acceso a una máquina *Enigma*. En caso de que no nos responda, ya hemos convenido que no haremos nada.

—Les aseguro que responderá en los próximos cinco minutos —dijo el capitán.

—¿También habla su instinto? —le preguntó el general, en tono jocoso.

—Habla mi experiencia con él. Desde el principio, le ha dado una importancia capital a esta operación. Está muy pendiente.

Tal y como previó el capitán, a los dos minutos escasos recibieron una respuesta.

2005 RF OS JB EB PRIVAT OK

Himmler estaba al otro lado de una *Enigma* y aceptaba la trasmisión. Luego de intercambiarse la combinación de los cuatro rotores de la máquina, para la correcta configuración del cifrado, empezó el capitán la conversación.

ATAQUE A U-BOOT EN LAS PROXIMIDADES
NO HA COMUNICADO EMERGENCIA
POSIBLEMENTE HUNDIDO
SOLICITAMOS INSTRUCCIONES

—Creo que, si mi hipótesis es correcta, el *Reichsführer* comprenderá la gravedad de la situación —dijo el capitán.

Trascurridos cinco minutos, no recibían ninguna respuesta.

—Himmler suele contestar muy parco en palabras, pero también muy rápido —observó la coronel—. Resulta extraño.

Aún tuvieron que esperar otros diez minutos más la respuesta de Himmler.

NO HABRÁ AYUDA PARA ESE U-BOOT
ESPEREN OTRA COMUNICACIÓN MAÑANA
RF

Los tres se quedaron mirando la sorprendente respuesta del *Reichsführer,* que además había dado por terminada la escueta conversación.

—No lo puedo creer, y no porque eche por tierra mi hipótesis. Es muy extraño que no socorran a un *U-Boot.* Seguro que la *Kriegsmarine* dispondrá de otros submarinos próximos. Podría haber supervivientes que morirán si no reciben socorro de inmediato. La frase de que no habrá ayuda para esa tripulación, resulta demoledora y dolorosa —afirmó el capitán.

—Es la primera vez que escucho algo así —intervino la coronel—. He captado, desde esta estación, otros ataques a submarinos y siempre han enviado ayuda. Desde luego que es muy extraño, pero habíamos convenido que obedeceríamos las instrucciones de Himmler, y han quedado muy claras. No podemos hacer nada.

—Totalmente de acuerdo con mi esposa, digo, con la coronel Bernhardt, ya que hoy estamos en plan formal.

El instinto de Skorzeny ya no daba alaridos.

Ahora eran auténticos bramidos.

35 EN ALGÚN LUGAR DEL MAR MEDITERRÁNEO, 28 DE MARZO DE 1943

La situación en el puente de mando era desoladora. Allí se encontraban unos veinte miembros de la dotación del *U-77*, todos abrazados.

—Moriremos como orgullosos miembros de la *Kriegsmarine* —dijo el comandante—. En pie, por nuestra patria y descansemos en el fondo del mar, como los marinos que somos.

—Aún nos quedará tiempo —observó el navegante—. En esta zona, la profundidad no supera los cien metros. Ya saben que los *U-Boot* pueden sumergirse hasta superar los doscientos metros. El casco podría aguantar.

—Morir ahogados por el agua o por falta de oxígeno. Vaya alternativas nos ofrece, querido Matthias —intervino Waldemar.

—Creo que deberíamos estar todos juntos cuando llegue ese momento —observó el segundo oficial—. Quizá todos lo que se encuentran en las diferentes secciones del submarino deberían reunirse con nosotros en el puente.

—Tiene razón, Hans. Intentaré utilizar la radio interior. Ya sé que no funciona, pero por volverlo a probar no pierdo nada. En cualquier caso, prepárense para descender a por ellos.

—Atención, os habla vuestro comandante. Os ruego que subáis todos al puente para estar todos juntos —dijo Otto a través de la radio.

Como se imaginaba, no obtuvo respuesta.

—Bueno, pues vayan a buscarlos —ordenó a sus compañeros de puente.

—Señor, la radio —dijo el tercer oficial—. Me ha parecido escuchar algún sonido.

Otto se lanzó hacia ella.

—¿Me escucha alguien?

—Aquí sala de máquinas —oyó a lo lejos.

—No sabe lo que me alegro de escucharle, Hans. Abandonen su compartimento y suban al puente.

—¡Y un cuerno! —escuchó un sorprendido Otto. El segundo oficial no acostumbraba a hablar así—. Señor, he conseguido reparar parcialmente una batería. Tenemos energía eléctrica, lo que desconozco es a qué profundidad nos encontramos y si será suficiente.

—Matthias, emersión inmediata.

—¡Qué locura dice, señor!

—¡Ya! —ordenó tajante Otto.

Al ver tan alterado al comandante, el navegante se dirigió hacia los maltrechos mandos.

Para sorpresa de todos, el submarino dejó de descender, se equilibró y comenzó una tímida ascensión.

La cara de incredulidad de todos los presentes en el puente era de auténtico escándalo.

—¿Qué ocurre? —preguntó Waldemar.

—Hans ha obrado un milagro. Tenemos una pequeña cantidad de energía eléctrica.

—¿A qué profundidad estamos? —preguntó de inmediato Matthias.

—Es imposible saberlo con exactitud —le contestó el primer oficial—. Todos los sistemas parecen averiados, pero, una estimación rápida, por el tiempo que llevamos descendiendo y la inclinación del submarino, diría que no más allá de los veinticinco metros.

—¡Podemos lograrlo! —el comandante intentó animar a los presentes.

Waldemar hizo cálculos mentales.

—A este ritmo de ascensión, necesitaremos que la batería aguante veinte minutos más. El submarino pesa demasiado, al estar inundada toda la zona de proa.

Otto tomó la radio.

—Hans, ¿me escucha?

—Sí, comandante.

—¿Cuánto tiempo calcula que aguantará la batería suministrando energía?

—Ya es un milagro que lo esté haciendo ahora mismo, pero no creo que soporte mucho más de cinco minutos.

Otto soltó la radio.

—Cinco minutos —dijo al resto de los presentes.

—No lo conseguiremos —afirmó con rotundidad Waldemar.

Otto se quedó muy serio. Se notaba que estaba pensando a toda velocidad.

—Waldemar —dijo, dirigiéndose al primer oficial—, acaba de decir que estamos ascendiendo con excesiva lentitud porque el submarino pesa demasiado, ¿verdad?

—Claro. Toda la sala de torpedos y sus alrededores se encuentra inundada.

Otto corrió a la radio de nuevo.

—Hans, ¿tenemos bombas de achique en la sala de torpedos?

—Por supuesto, señor —escuchó como le respondía—. Pero estarán inundadas, no creo que estén operativas.

—¿Podría probar trasladar la energía que nos queda en la batería a esas bombas?

—Claro, pero corremos el riesgo de perder la propia batería.

—¡No me importa! ¡Pruébelo! —casi le gritó el comandante.

Hans se apresuró a cumplir las órdenes de Otto.

—Hecho, señor —escuchó por la radio.

No se observaba ningún cambio aparente en la situación del submarino.

—Hans, ¿funcionan?

—Desde aquí abajo es imposible saberlo. Lo único que le puedo confirmar es que toda la energía está derivada a ellas.

De repente, notaron una fuerte sacudida en el *U-Boot*. El submarino se inclinó de forma muy acentuada. Todos se cayeron al suelo.

Otto se levantó sin saber muy bien qué había ocurrido. Quizá el maltrecho casco del submarino no había aguantado más.

—¡Señor! —gritó el navegante—. Parece que las bombas de achique funcionan. La proa tira de nosotros hacia la superficie. Eso es lo que ha provocado la brusca inclinación.

—¡Lo vamos a conseguir! —exclamó Waldemar—. Ahora no tenemos agua alojada en los tanques. Al estar achicando agua las bombas, ahora ya no tenemos sobrepeso.

La reacción de los presentes en el puente fue extraña, más de incredulidad que de alegría. Habían pasado de darse por muertos a tener posibilidades de sobrevivir.

—Les ordenaría que todos se situaran en sus puestos, pero todo está averiado. Tan solo esperemos que logremos salir a la superficie.

En apenas tres minutos, notaron como el *U-Boot* salía de forma violenta del agua.

—Los primeros oficiales que me acompañen —ordenó Otto, mientras se dirigía hacia la esclusa.

No se abría. Probablemente hubiera sufrido daños como el resto del submarino.

—Necesitamos ayuda —gritó Otto.

Entre seis marineros, lograron que el mecanismo de apertura funcionara. Otto, Waldemar y Walter salieron a la cubierta del submarino. El segundo oficial, Hans, continuaba en la sala de máquinas. Lo que observaron les dejó espantados. Los graves daños en la estructura del *U-Boot* eran apreciables también desde el exterior.

—Comandante —dijo Walter, el ingeniero—, si me lo permite, si nos queda algo de propulsión en superficie, deberíamos acercarnos todo lo posible a la costa. Creo que nuestro *U-77* se hundirá en las próximas horas. Los daños parecen irreparables. Ahora, tenemos que pensar en salvar nuestras vidas.

—Coincido con la opinión de Walter, señor —dijo Waldemar, dirigiéndose a Otto—. Además, ya veo casi imposible llegar hasta el puerto de Alicante. No solo no lo conseguiríamos, sino que los británicos habrán enviado otro *Hudson* a vigilar sus alrededores, por si hemos conseguido escapar.

Otto se resistía a dar por perdido su submarino, pero era consciente de que los consejos de sus oficiales eran sensatos.

—¿Qué me proponen?

—Si me lo permite —contestó Waldemar—, creo que deberíamos navegar hacia la costa, en concreto a puertos discretos, como Calpe o Denia.

—¡Pero no están preparados para recibir submarinos! —exclamó Otto—. Se trata de pequeños puertos sin demasiado calado.

—El puerto de Denia sí que podría disponer del calado necesario —le respondió—, pero no creo que importe.

—Presumo que entiendo lo que propone el primer oficial —intervino Walter—. Dudo que, con el actual estado del submarino, seamos capaces de alcanzarlos, pero sí de aproximarnos lo suficiente a ellos. Allí no nos buscarán los *Hudson*. Antes de llegar, abandonaría el *U-Boot*, utilizando los salvavidas y el bote neumático. Estamos en el mar Mediterráneo, no en el océano Pacífico. Aquí, la temperatura del agua, a pesar de estar en el mes de marzo, permitiría que pudiéramos alcanzar la costa.

—¿Me podría garantizar eso? —le respondió el comandante.

—Por supuesto que no. No sé cuánto tiempo va a ser capaz de mantenerse a flote este *U-Boot*, pero creo que es nuestra mejor opción. En realidad, quizá la única.

—Pues no se hable más. Waldemar, asuma el mando del submarino. Usted, Walter, preocúpese de que se mantenga a flote el mayor tiempo posible. Hans seguirá en la sala de máquinas intentando darnos propulsión y yo organizaré la evacuación. ¡Vayamos al interior y pongámonos a trabajar!

Así lo hicieron los tres. Ante la mera posibilidad de salvar sus vidas, la adrenalina corría por sus venas.

Durante las tres horas siguientes, el agonizante *U-Boot* se iba aproximando, con desesperante lentitud, hacia la costa. Hans había conseguido un 10 % de potencia en uno de los motores diésel, y se desplazaban a una velocidad de tres nudos.

Walter, por su parte, le parecía incluso demasiado elevada. Creía que el casco del *U-77* no soportaría más nudos. El problema es que había evaluado todos los daños estructurales y creía que dispondrían de otras dos horas, como mucho. Era el responsable, como ingeniero jefe, de determinar el momento exacto de la evacuación, aunque la orden la debiera impartir el comandante. Si le aconsejaba una evacuación temprana, se encontrarían lejos de tierra firme, pero si apuraba demasiado, corría el riesgo de que se hundiera el submarino, con la tripulación en su interior.

Waldemar, junto con el navegante Matthias, hacían lo que podían para mantener el rumbo de aproximación a la costa.

Otto estaba preparando los chalecos salvavidas. También había comprobado el estado de las dos barcas neumáticas de salvamento. Afortunadamente, no habían sufrido daños aparentes. Para su fortuna, esa parecía la zona menos dañada del submarino. También había hecho un listado de toda la dotación y estaba organizándola por grupos de cinco personas, con pesos parecidos, para que ninguna barca fuera descompensada.

Hans continuaba peleándose con el único motor diésel que funcionaba. En cualquier momento podía dejar de hacerlo, ya que los daños eran muy severos.

Estaban navegando por el filo de una navaja, nunca mejor dicho.

Al cabo de una hora y media más de pausada aunque tranquila navegación, Walter se dirigió al comandante.

—Señor, ha llegado el momento de la orden de evacuación.

—¿Está seguro? El *U-Boot* continúa a flote y avanzando. Para nuestra fortuna, es una noche oscura y estamos en una zona que no se espera la aviación británica. No esperamos ser hostigados.

—Observe la silueta del submarino —le dijo Walter. Ambos estaban subidos a la torreta—. La línea de flotación ha descendido más de un metro, pero eso no es lo más preocupante. Estamos escorándonos aceleradamente hacía la proa y babor. Eso significa que las vías de agua de esa zona están volviéndola a inundar. Ahora ya no tenemos potencia para activar otra vez las bombas de achique. Es muy peligroso.

—¿Qué quiere decir?

—Que en los próximos quince minutos, este *U-Boot* se podría hundir. Por su escora, se produciría sin previo aviso. Si nos esperamos hasta el último segundo posible, corremos el riesgo de no poder evacuar a la dotación.

Otto se resistía a dar por perdido a su submarino, pero llevaba horas concienciándose, y sabía que este momento iba a llegar.

—Entremos en el submarino. La evacuación ya está organizada. Daré la orden de iniciarla.

—Señor, ¿libero de su camarote al teniente Rietschel y a la capitán Schiffer? Tendrán que ser evacuados también.

—No se preocupe —le dijo Otto—, ya lo tenía previsto. Yo me encargo de ellos.

Cruzaron la escotilla y se dirigieron al interior del submarino.

Otto dio instrucciones de que toda la dotación se presentara en el puente. Estaban muy apretados, pero cabían.

—¡Escuchadme con atención! Ha llegado el momento de evacuar este submarino. Disponemos de chalecos salvavidas para toda la tripulación, dos barcas neumáticas, además hemos estado construyendo otras balsas improvisadas con tablas de la cubierta. Nos encontramos a varias millas de la costa, al sur del cabo de la Nao, exactamente a 38 grados, 33 minutos y 33 segundos norte, 0 grados, 14 minutos y 87 segundos este. Eso quiere decir que el puerto y la población más cercana es Calpe. Ese debe ser el objetivo a alcanzar. No os preocupéis por la temperatura del agua, ahora mismo está a 15 grados, lo que nos permitiría incluso estar varias horas en ella sin sufrir síntomas de hipotermia.

La tripulación estaba expectante, Otto continuó.

—Es fundamental que la evacuación de haga de una manera ordenada. Sé que hay heridos entre nosotros, por eso he dividido la dotación en nueve grupos, teniendo en cuenta su estado y su peso. Hay siete compuestos por cinco personas y dos de seis, ya que somos cuarenta y siete tripulantes en total. Observaréis que he incluido al fallecido *Maschinistmaat*, Friedrich Reissberger. Su grupo se encargará de cargar con su cadáver. No lo vamos a dejar atrás —dijo, mientras pasaba una hoja a cada miembro de la tripulación—. Observaréis que, al lado del nombre de cada uno, hay un número. Los que compartáis número, estaréis en el mismo grupo. Los números del 1 al 3 iremos a la barca uno. Los números 4 al 6 utilizaréis el segundo bote y, finalmente, los números del 7 al 9 utilizaréis las balsas de madera que hemos construido.

1-OBERLEUTNANT ZUR SEE OTTO HARTMANN
1-OBERLEUTNANT ZUR SEE WALDEMAR SICHART VON SICHARDSHOFF
1-OBERLEUTNANT ZUR SEE HANS SCHWARZ
1-LEUTNANT ZUR SEE WALTER VELTEN

9-OBERSTEUERMANN MATTHIAS OTTEN
1-B-DIEST CORNELIA SCHIFFER
1-FUNKMAAT MARKUS RIETSCHEL
2-MASCHINISTMAAT WALTER BAYER
3-FUNKGEFREITER KARL BRUCKNER
6-MASCHINISTGEFREITER WALTER BUDDE
8-FUNKOBERGEFREITER KARL GEFFE
9-MATROSEN-OBERGEFREITER KURT GOTTSCHALK
2-MATROSEN-GEFREITER HEINRICH GROTHAUS
4-MASCHINISTOBERGEFREITER ALFRED HAAS
7-MATROSEN-OBERGEFREITER JOHANNES HOFMANN
5-MASCHINISTOBERGEFREITER WALTER JEDAMSKI
4-FUNKMAAT WILHELM JORDAN
2-FUNKMAAT HERMANN KILP
3-MASCHINISTGEFREITER MATHÄUS LÖWEN
7-MATROSEN-GEFREITER JOHANN MAYER
7-MATROSEN-GEFREITER HELMUT WILKELMANN
5-MATROSEN-GEFREITER GEORG WIZMANN
8-MATROSEN-GEFREITER HEINZ ZERR
5-MATROSEN-OBERGEFREITER HUBERT MÖRSCH
9-OBERMECHANIKERMAAT PAUL MÜLLER
7-MASCHINISTGEFREITER REINHERDT PÜTZSCHLER
2-MECHANIKERGEFREITER RUDOLF RANGE
5-MASCHINISTGEFREITER OTTO REICHERT
6-MASCHINISTOBERGEFREITER GÜNTER REINKE
3-MASCHINISTMAAT FRIEDRICH REISSBERGER
5-MATROSEN-OBERGEFREITER ALOIS RIEDER
2-SIGNALMAAT OTTO RINK
7-MASCHINISTMAAT EWALD ROTKORD
9-MASCHINISTGEFREITER KARL SCHMIDT
4-MASCHINISTOBERGEFREITER GERHARD SCHÜTT
6-MASCHINISTOBERGEFREITER KURT STILLE
6-MATROSEN-OBERGEFREITER WERNER STRAUSS
8-MASCHINISTOBERGEFREITER RUDOLF TANZBERGER
9-OBERMASCHINISTMAAT KARL UNKELBACH
3-MASCHINISTGEFREITER WALTER WEISS
4-MATROSEN-GEFREITER HELMUT WINKELMANN
8-MATROSEN-GEFREITERGEORG WITZMANN
6-MATROSEN-GEFREITER HEINZ ZERR

3-METEOLOGE ERNST PETER
8-MASCHINISTGEFREITER LUDVIG HESSE
4-MATROSEN-OBERGEFREITER HUBERT GROSS
3-MASCHINISTMAAT HARALD WARNER

La tripulación parecía no reaccionar.

—¿Qué esperáis para acudir cada uno a su posición? —urgió el tercer oficial—. El submarino se puede hundir en cualquier momento.

—¡Sobre todo, organización! —gritó el comandante—. Iniciaremos la salida por la esclusa siguiendo el orden de grupos. Si lo hacemos bien, en apenas cinco minutos estaremos todos en la cubierta. Yo, como comandante, a pesar de estar incluido en el primer grupo, abandonaré el último el submarino.

Ahora, la tripulación pareció salir de su letargo. Comenzaron a salir del submarino, de una manera ordenada, siguiendo las instrucciones del comandante.

A los siete minutos exactos, ya solo quedaba a bordo el comandante Otto Hartmann. Bueno, eso no era exactamente cierto. También se encontraban, encerrados en su camarote, la capitán Schiffer y el teniente Rietschel.

Había llegado el momento de liberarlos.

Otto se acercó a la puerta. Comprobó que seguía atrancada, con el travesaño puesto. Puso su oído en la puerta y escuchó una conversación. Ambos estaban en su interior.

—Buen viaje al fondo del mar —dijo, en voz alta, mientras los dejaba atrapados y se dirigía hacia la escotilla de salida.

En ese momento, el submarino se escoró hacia babor de forma notable. Otto consiguió salir a cubierta, pero se dio cuenta de que bastantes miembros de la dotación habían caído al agua.

—Nadar hacia la costa —les gritó, mientras buscaba a los miembros de su grupo. Los localizó. A pesar de que el submarino se estaba empezando a hundir, habían conseguido poner a flote la primera barca neumática. Otto se subió a ella.

La confusión en la cubierta era total. El *U-Boot* comenzó a hundirse por la proa.

—¡Comandante! —Otto oyó gritar al *Funkmaat* Wilhelm Jordan—. La segunda barca ha quedado atrapada en la proa. No la vamos a poder sacar.

—¡Salten al agua de inmediato! —les respondió—. El submarino se va a hundir ya.

Todos los que quedaban en cubierta le hicieron caso.

—Los que puedan, agárrense a otros botes —les ordenó el comandante—. Los demás, tendrán que alcanzar la costa nadando.

—¡Pero, señor! Estamos a varias millas de distancia.

—Lo pueden conseguir —les animó.

En ese momento, el *U-Boot*, de forma brusca, se levantó desde la popa, para sumergirse por última vez.

Desde el bote neumático pudieron observar cómo algunos marinos eran engullidos por los remolinos que se formaron en el agua.

—Pobres diablos —dijo el tercer oficial, Walter, mientras tomaba conciencia de la situación y miraba a los miembros del bote neumático.

Se dio cuenta de inmediato.

—Comandante, en nuestro grupo faltan la capitán Schiffer y el teniente Rietschel.

Otto Hartmann bajó la cabeza.

—He intentado liberarlos, pero en ese preciso momento se ha producido la violenta escora del *U-Boot*. Me he caído al suelo. Al levantarme, para mi absoluta desolación, he observado como el travesaño se había doblado. He intentado tirar de él con todas mis fuerzas, pero me ha sido imposible.

Waldemar Sichart von Sichartshoff se quedó mirando a su comandante.

—¡Es usted un sucio mentiroso! ¡Los ha dejado morir!

—¡Pues sí! ¿Tiene algún problema con ello, primer oficial?

—El problema lo tendrá usted cuando arribemos a la costa. Lo pienso hacer constar en mi informe. Pagará por lo que ha hecho.

—Señor —intervino el tercer oficial—, ¿es eso cierto? ¡Me dijo que los iba a liberar!

—No pertenecían a nuestra tripulación —intentó defenderse el comandante—. Ni siquiera eran marinos, como nosotros.

Waldemar no se pudo reprimir más.

—¡Es usted una deshonra para la *Kriegsmarine*, sucio asesino! —exclamó, mientras se levantaba del bote y se dirigía, en actitud violenta, hacia Otto.

—¡No nos movamos! —gritó el segundo oficial, al advertir el severo zarandeo del bote—. ¡Podemos caer todos al agua!

Waldemar hizo caso omiso al aviso y se abalanzó sobre el comandante. Ambos cayeron al agua. El desequilibrio súbito de pesos que se produjo en el bote, hizo que volcara.

Ahora, todos estaban a merced de los elementos.

36 MADRID, 29 DE MARZO DE 1943

—¡Señor, tiene que ver esto!

El comandante Antonio Sarmiento tomó en sus manos el telegrama que acababa de llegar a la sede de la Oficina de Escuchas y Descifrado del Cuartel General del Alto Estado Mayor del Ejército.

Lo leyó.

—¡Qué interesante! Todo un *U-Boot* hundido por los británicos frente a costa alicantina —exclamó Sarmiento, con un tono claramente irónico.

—Con todos los respetos, señor, creo que no es para burlarse. Me parece una noticia muy significativa.

El comandante levantó la vista del telegrama.

—Teniente Aguilar, ¿de verdad le parece una noticia significativa el hundimiento de un submarino alemán? No llevo las cuentas exactas, pero creo que este mes, la marina y la aviación británicas habrán hundido unos quince, al menos. No le he visto en mi despacho en los catorce casos anteriores.

—Porque este es especial.

—¿Y por qué cree eso? Los británicos se han volcado en la caza de esos *U-Boot* alemanes, ya que les causan mucho daño a su red de suministros, a través de sus buques mercantes, que son atacados y hundidos. Han mejorado de forma notable su tecnología de detección y han establecido escuadrones aéreos que patrullan los mares, las veinticuatro horas del día.

—Señor, no piense que se trata de un *U-Boot* más. Lea donde fue localizado y hundido.

—Ya lo he hecho, en el mar Mediterráneo. ¿Qué tiene eso de extraño? La *Royal Air Force* ya ha hundido unos cuantos.

—¿Enfrente de la costa alicantina? Los *U-Boot* no llegan tan al norte. No es una ruta de tránsito de mercantes, que son sus principales objetivos.

—En el telegrama pone que lo localizaron y dañaron, por primera vez, bastante más al sur.

—Señor, me he permitido hablar con el agregado militar de la embajada británica en Madrid. Me ha proporcionado una información inquietante. Tienen la impresión de que se dirigía al puerto de Alicante.

—¿Ha hecho eso? ¿Con qué permiso? —ahora, el comandante parecía enfadado.

—Señor, no se ha tratado de una llamada oficial. Conozco personalmente Alan Hug Hillgarth desde sus tiempos de vicecónsul en Palma de Mallorca. Es amigo de la familia, sobre todo de mi padre. Ya sabe que yo provengo de allí. Era habitual verlo cenando en mi casa. Entonces, yo era una niña, pero lo solía llamar tío Alan. Hemos mantenido el contacto durante todos estos años. Ahora su puesto de trabajo está aquí, en Madrid.

—Vaya, tiene contactos —se limitó a responder el comandante—, pero, aun así, no le veo la menor relevancia a esa información.

—Señor, aisladamente no, pero intente ver el cuadro en su conjunto.

—¿Qué cuadro?

—Estábamos siguiendo a una célula alemana de sus servicios de inteligencia, en posesión de una máquina *Enigma*. Sospechaban que estaban siendo vigilados. No solo no cambian de piso franco, como suele ser habitual, sino que permanecen en el mismo lugar. No solo eso, sino que siguen operando con la máquina de cifrado.

—Esa información ya la conocía, ¿adónde quiere ir a parar? No la comprendo.

—Señor, lo que quiero destacarle son dos cuestiones fundamentales. La primera es el inusual comportamiento de esa célula en concreto. Los alemanes no cometen esos errores tan básicos, lo sabemos por experiencia. Siguen, al pie de la letra, su manual de operaciones. La única explicación que le encuentro es que, si se arriesgaron tanto, tan solo podía ser debido a las instrucciones que acababan de recibir a través de *Enigma*.

—¿Y qué? Dos miembros de esa célula están muertos y los otros dos en paradero desconocido. ¿Cómo quiere que sepamos cuáles podrían ser esas instrucciones que acababan de recibir, según usted?

—Por la segunda cuestión fundamental, el hundimiento del *U-Boot*.

—¿Qué tiene qué ver con ese tema?

—Señor, si los británicos tienen razón y el submarino alemán se dirigía hacia la costa, desde luego que no era para hundir mercantes británicos, porque allí no hay. Su misión debía ser otra. Es posible que fueran a dejar un «paquete».

—Aunque ese fuera el caso, ¿y qué? Sigo sin comprenderla.

—Señor, vuelva a mirar el cuadro al completo. Célula alemana que se arriesga, como ninguna otra lo ha hecho jamás, permaneciendo en exceso en el mismo lugar. Submarino en dirección a la costa, para, presumiblemente, dejar algún miembro de sus servicios secretos.

—Eso son meras conjeturas, teniente.

—¡Únalas todas! —exclamó María Aguilar—. ¿Sabe dónde fue hundido exactamente el submarino? Eso no aparece en las informaciones oficiales iniciales. Me lo ha confirmado Alan.

—¿Dónde?

—Justo enfrente de la costa de Calpe. ¡De Calpe! ¿No lo entiende?

—Sí, claro que lo hago. El piso franco de la célula que detectamos se encontraba en las proximidades de Calpe, me acuerdo perfectamente.

—¡Pues ya tiene todos los hechos delante de usted!

—Lo que tengo son meras conjeturas de una teniente obsesionada con un caso ya cerrado. Sabe que tenemos más trabajo con otras detecciones en activo. Me parece que no debería perder más el tiempo en este tema.

La teniente María Aguilar se quedó en silencio, sin abandonar el despacho del comandante.

—Señor —dijo, al fin—. Sabe que llevo trabajando muy duro estos últimos meses. Me debe muchos días libres. Solicito un permiso de una semana.

El comandante no pudo evitar sonreír.

—¿Me quiere decir que va a emplear unos días de sus vacaciones para continuar trabajando?

—¿Tiene algún inconveniente, señor? Le aseguro que no haré uso de mi rango ni comprometeré a esta unidad. Tan solo me gustaría desplazarme unos días a la costa alicantina, para descansar. Creo que lo necesito.

—Creo que lo que necesita es otra cosa, pero es muy libre de emplear sus días libres para lo que quiera —le respondió el comandante—. Le concedo el permiso, siempre que no se meta en líos ni sepa de usted en toda la semana. En caso contrario, se lo revocaré y deberá volver a Madrid de inmediato.

—No se preocupe, eso no ocurrirá. Muchas gracias, señor —dijo la teniente, mientras abandonaba el despacho del jefe de su unidad.

37 DENIA, 29 DE MARZO DE 1943

—¡Capitán Skorzeny! —Ellen entró gritando en la cocina—. Acaba de entrar una comunicación de Himmler, a través de Enigma, para usted. Es privada.

—Skorzeny solía levantarse temprano. Ahora mismo, se estaba tomando un café. Miró el reloj. Eran las siete y media de la mañana. Dejó el café y se dirigió hacia el invernadero.

Vio la cabecera del mensaje.

0715 RF OS PRIVAT

Le llamó la atención que Himmler no incluyera en la conversación a la coronel y al general. Le respondió de inmediato, configuraron los rotores de la máquina de cifrado. Quedó a la espera.

VAYA A CALPE URGENTE
REDACTE INFOME U-BOOT HUNDIDO
MÁXIMA DISCRECCIÓN
NO COLABORE CON LA EMBAJADA NI CONSULADO
RF

Skorzeny se quedó mirando aquella trasmisión. Ahora que había sido hundido, parecía que Himmler se preocupaba por aquel *U-Boot,* pero se negó a ayudarle cuando supo del ataque que había sufrido ayer mismo. Otto no lo comprendía, pero se limitó a seguir las instrucciones de Himmler.

Le informó a Ellen que debía partir de inmediato. Volvería a mediodía. Quiso despedirse del general, pero su esposa le informó que estaba paseando. No tenía tiempo de buscarle, así que tomó su coche y se marchó a toda velocidad hacia Calpe.

La silueta del pueblo, con el Peñón de Ifach enfrente, era inconfundible.

Himmler, como siempre, había sido muy escueto con sus instrucciones. Supuso que debería dirigirse al puerto pesquero de Calpe.

Eran las diez de la mañana. Observó cómo estaba arribando un pesquero. Le pareció extraño, ya que a esas horas debería estar faenando. Aparcó el coche y se dirigió hacia él.

El pequeño barco pesquero se llamaba precisamente *Peñón de Ifach*, lo pudo ver claramente rotulado en la proa de su casco.

Lo primero que le llamó la atención fue la excesiva cantidad de tripulantes que llevaba a bordo. A medida que se iba acercando, se pudo fijar mejor. Gran parte de aquellas personas no parecían pescadores. Su aspecto era lamentable. Intentó acelerar el paso para verlos cara a cara, pero cuando llegó a la altura del pesquero, ya los habían desembarcado y se los llevaban a lo que parecía una fonda.

Contó nueve personas. Le pareció evidente que se trataba de supervivientes del *U-Boot* hundido ayer. Al no haber recibido auxilio de la *Kriegsmarine*, supuso que los pescadores habrían escuchado el incidente y les habrían recogido del mar.

Consideró cómo debía proceder. Pensó que el pesquero, quizá una vez completada la tarea de salvamento, pudiera volver a hacerse a la mar. Por otra parte, los nueve supervivientes no se iban a escapar de la fonda. Tomo nota mental de su nombre, *Fonda Querol*, y se dirigió hacia el que parecía al patrón del pesquero.

—Hola, buenos días, soy Helmut Bergmann, del consulado alemán —se presentó Skorzeny.

—¡Caramba! Sí que han venido rápido —le respondió—. Yo soy Blai Agulló.

—¿Qué ha ocurrido?

—No sé qué decirle. A las seis de la mañana, como es habitual, cuando estábamos a punto de calar las redes, el patrón nos mandó parar. Parecía que escuchaba voces en el mar.

—¿No es usted el patrón?

—No, soy el primer motorista, El patrón es aquella persona de allí —dijo, señalando hacia el pesquero.

Se despidió de Blai y se presentó al patrón otra vez, con su identidad ficticia.

—Hola, señor Bergmann. Yo soy Andrés Perles, el patrón del *Peñón de Ifach.*

—Me acaba de comentar Blai que usted ha sido quién ha escuchado «voces en el agua».

—Sí, estaba en el puente. A las seis nos disponíamos a comenzar a faenar, pero, desde allí arriba, me pareció escuchar lamentos. No me atrevería a llamarlas «voces». Ordené que todos cesaran en sus labores y puse rumbo en dirección a esos sonidos. Todavía no había amanecido, por lo que la visibilidad era muy escasa. A pesar de ello, ponto encontramos una balsa volcada. Asidos a ella, había nueve personas. Lanzamos un bote y los recogimos. Estaban ateridos de frío. Les dimos abrigo y algo de coñac, que era lo único que llevábamos a bordo para que entraran en calor. Estaban muy nerviosos. Se intentaban comunicar con nosotros, pero no los entendíamos. No paraban de hacer gestos con las manos hacia el interior de la mar. Supusimos que nos querían decir que había más náufragos.

—¿Qué hicieron?

—Pues seguir buscando más personas. Estuvimos, al menos, dos horas más navegando por aquellas aguas, siguiendo las instrucciones de aquellos pobres diablos. No encontramos a nadie más. No sé qué tipo de embarcación habrá naufragado, pero, desde luego, aquellos parecían marinos alemanes.

—Durante toda la operación de salvamento, ¿consiguieron entender algo de lo que les decían?

—Ya le he dicho que estaban muy nerviosos. Intentamos comunicarnos. Recuerdo que le pregunté a uno de ellos qué cuanto tiempo llevaban en el agua. No sé si llegó a comprender mi pregunta, pero con los dedos de su mano, me indicó que seis.

Skorzeny no pudo evitar estremecerse ante esa información.

—No creo que haya más supervivientes, señor. Ahora se los han llevado a la *Fonda Querol* para darles algo de comida caliente. Estaban con síntomas de hipotermia. Quizá ellos le puedan dar más información, al hablar su idioma.

—Debo de darles la enhorabuena a todos ustedes —dijo Skorzeny—. Han demostrado mucha humanidad actuando como lo han hecho. Han salvado la vida a nueve valientes marinos. Ahora, como usted dice, iré a hablar con ellos. No creo que tarde en venir el cónsul en Alicante, mi jefe, Joachim Von Konoblock. Le agradecería que no le nombrara mi presencia. Ya sabe cómo funcionan estas cosas, el jefe siempre quiere ser el que se marque el tanto frente a nuestro gobierno. Yo soy un simple trabajador.

—No se preocupe —le respondió, mientras se despedían con un apretón de manos.

Se encaminó hacia la fonda. Sabía que el cónsul estaría a punto de llegar. Himmler le había pedido discreción y que no colaborara con ellos. Comprendía perfectamente el motivo. Los consulados y la embajada colaboraban con el *Abwehr*, que era un servicio de inteligencia alemán que mantenía muy malas relaciones con las *SS* y su *Sicherheitsdienst*, que disponían de una estructura paralela.

Nada más entrar en la fonda, el espectáculo que vio era desolador. En el comedor principal, donde no cabrían más de veinte personas, pudo ver a los nueve marineros, con los rostros desencajados, tomando lo que parecía ser una sopa caliente. Había otras tantas personas intentando hacerles entrar en calor, con abrigos y mantas. Se presentó a la persona que regentaba la pensión, Joaquina Pastor, con su falsa identidad.

Cuando los marinos vieron entrar a Skorzeny, comprendieron de inmediato que estaban en presencia de un oficial militar alemán. Sus rasgos físicos dejaban poco lugar a las dudas.

—Tranquilos —les habló en alemán—. Siéntense y sigan tomando esa sopa. Les vendrá de maravilla.

Le obedecieron. Mientras ellos continuaban con su sopa, Skorzeny aprovechó para mantener una pequeña charla con ellos.

—He venido tan rápido como he podido. Soy el capitán Helmut Bergmann. En breve, llegará el cónsul en Alicante, quién se ocupará de ustedes. Supongo que son supervivientes del *U-77*.

—Sí, señor —contestó uno de ellos.

—Lamento que no hayamos podido socorrerlos, pero no recibimos ningún mensaje de auxilio por parte de su comandante.

—No disponíamos de comunicaciones. Se estropearon nada más salir de nuestra base.

Ahora comprendió Otto el misterio de la ausencia de petición de socorro. «Pobres desgraciados», se dijo, pensando en lo que debían de haber sufrido en sus últimas veinticuatro horas.

—¿Qué sucedió?

Otro marinero le narró los hechos. Gran parte de ellos ya los conocía por la interceptación de las escuchas británicas, durante los dos ataques.

—¿Cuántas personas navegaban en el *U-Boot*?

—Cuarenta y siete personas.

«¿Y tan solo nueve supervivientes?», se preguntó, afligido, Otto. Tenía un nudo en la garganta.

—¿Me podrían decir sus nombres y sus rangos?

Los nueve lo hicieron. Le sorprendió que no sobreviviera ni el comandante ni ninguno de sus tres primeros oficiales. Les preguntó el motivo.

—Señor, yo iba en la barca neumática, junto a ellos. Se produjo una discusión y, a consecuencia de ella, el bote volcó. Los que pudimos nos asimos a ella, pero los que no lo hicieron, bueno, supongo que ahora descansarán en el fondo del mar —dijo el marinero, que se había identificado como Ernst Peter.

—¿Qué clase de discusión fue esa?

—El primer oficial se enfadó con el comandante porque había dejado encerrados en el submarino a dos personas. Comenzó una pelea. Esa fue la causa del vuelco.

Aquello era una cosa muy extraña. Un comandante de *U-Boot* de la *Kriegsmarine* jamás dejaría atrás a uno solo de los suyos.

—¿Por qué el comandante dejó a dos marinos que se hundieran con el submarino?

—No eran marinos, señor. Embarcaron con nosotros en La Spezia, pero no formaban parte de la dotación.

Otto comprendió todo. Esas dos personas debían ser el «paquete» que el submarino trasportaba. Habían fallecido. Ya disponía de toda la información que necesitaba. Consideró que había llegado el momento de largarse, si quería evitar cruzarse con el cónsul. Se despidió de aquellos valientes y volvió a su coche.

En su camino, se encontró de nuevo con el patrón del *Peñón de Ifach.*

—Señor Bergmann, quizá le interese saber que, desde el puerto de Altea han zarpado dos embarcaciones, *La Mari Paqui* y la *Mauricio*, en busca de posibles supervivientes.

Otto le dio las gracias de nuevo y continuó andando hacia su vehículo. Justo cuando se subió y arrancó el motor, observó la llegada de dos vehículos más. Reconoció al cónsul, que iba acompañado de otra persona. «Supongo que será el agregado naval, seguro que del *Abwehr*», pensó. «Me ha venido justo el tiempo, pero ya tengo toda la información que preciso».

Puso rumbo a Altea. Las embarcaciones se habían hecho a la mar hacía unas dos horas. No tenía nada más que hacer, así que decidió comer en una fonda frente al puerto y esperar.

Hasta la tarde no regresaron los pesqueros. Para desgracia de Otto, tan solo habían hallado cinco cuerpos sin vida. Pudo comprobar que uno de ellos, por sus galones, era el comandante del *U-Boot.*

El patrón del pesquero le informó que habían aparecido cuerpos flotando en las playas de El Campello y La Vila Joiosa. En total, sumaban treinta y seis cadáveres encontrados.

Los hallados en Altea iban a ser enterrados allí mismo, sin embargo, el resto recibirían sepultura en el cementerio de Alicante.

Skorzeny estaba abatido. Aunque había seguido las instrucciones del *Reichsführer* y había cumplido su misión, tenía la sensación que las cosas no habían salido como Himmler esperaba.

Volvió al *Tossalet del Oliver,* residencia de los Bernhardt. Aparcó el coche y se dirigió directamente hasta el invernadero, sin llegar a entrar en la casa. Empezaba a anochecer y no deseaba demorar su informe.

Había sido un día largo y desolador, esperando, en vano, noticias de más supervivientes. No estaba de humor.

Se sentó enfrente de la máquina *Enigma.* Mandó el mensaje inicial. No había pasado ni un minuto cuando Himmler le contestó. Estaba claro que esperaba sus noticias con interés.

CONFIRMADO U-77 HUNDIDO FRENTE A CALPE
36 MUERTOS Y 9 SUPERVIVIENTES
SUPERVIVIENTES EN PODER DE LA EMBAJADA

Espero la respuesta de Himmler, que también fue inmediata.

SUMAN 45
HABÍA 47 TRIPULANTES

Esta respuesta terminó de confirmar las sospechas de Skorzeny.

DOS DESAPARECIDOS
HUNDIDOS CON EL U-BOOT
CONFIRMADO POR MARINERO

Ahora la respuesta se demoró algo más. Supuso que estaba asumiendo la pérdida de sus dos oficiales, que pretendía infiltrar.

MAÑANA A LAS 0800 AVIÓN LUFTWAFFE
AEROPUERTO DE ALICANTE
FIN DE MISIÓN
RF

Estaba claro que Himmler quería escucharle en persona, para hacerle volar a Berlín mañana a primera hora. Había organizado el vuelo de la *Luftwaffe* entre mensaje y mensaje, en apenas un par de minutos.

Entró en la vivienda. Les contó al matrimonio Bernhardt todo lo que había vivido durante el día que, como él, se lamentaron de los treinta y seis fallecidos. Era una tragedia. Cenaron casi en silencio.

—Mañana deberé salir de su residencia sobre las seis y media. Han sido unos fabulosos anfitriones. Supongo que, una vez aclarado este desagradable tema con el *Reichsführer,* volveremos a vernos. No hace falta que se levanten a esa hora para despedirme —dijo Otto.

Se levantaron de la mesa y se abrazaron.

—Es un gran tipo, capitán —dijo Johannes Bernhardt—. Himmler sabe rodearse de buena gente.

—Ahora mismo estoy algo confundido.

—Lo urgente ya ha quedado atrás. Ahora debe centrarse en lo importante.

—*Die Spinne* —murmuró Otto.

—La araña es la verdadera causa por la que Himmler se ha fijado en usted, no lo dude ni por un momento —concluyó el general.

38 EN LA ACTUALIDAD, VALENCIA, 29 DE JUNIO

—Definitivamente, has perdido el sentido. Ahora resulta que la cábala te manda mensajes a través de *Los tres cerditos* de Walt Disney —dijo Carlota, mientras miraba a su hermana con una cara de desconcierto—. ¿Y si ponemos en la televisión a *Bob Esponja*? Igual también se comunica con nosotras. *Arenita* siempre me ha parecido muy sospechosa. ¿Una ardilla en el fondo del océano? Un esponja, un calamar o una estrella de mar tienen un pase, pero la ardilla estaba infiltrada.

—¡No seas idiota! —le recriminó Rebeca—. Estoy intentando hablar en serio, aunque no te lo parezca.

—No me lo parece —le confirmó Carlota.

Rebeca hizo caso omiso del comentario burlón de su hermana y continuó con la explicación.

—Carol me regaló este libro cuando estuvimos en Madrid. El mismo fin de semana que nos enteramos de que éramos hermanas y de quiénes eran nuestros padres.

—También me acuerdo, pero sigo sin comprender qué es lo que tiene que ver todo el *rollo* que me estás contando con las vacaciones en Denia. Que si la cábala, que si Abraham Lunel, que si mensajes ocultos en *Los tres cerditos*... no sé, ya solo falta el famoso elefante rosa.

—¿Sabes? Siempre me extrañó mucho que Carol me regalara ese libro. Tenía un fuerte vínculo sentimental con ella. Fue su primera lectura.

—Lo quiso compartir contigo.

—Esa es la cuestión. ¿Qué es lo que quiso compartir conmigo?

—Rebeca, deja de beber cerveza, que se te va la cabeza. Estamos hablando del libro de *Los tres cerditos*.

—¿De verdad crees eso?

—¡Pero si lo estás diciendo tú!

—Carol lo pasó fatal los primeros días que fue a la escuela. Desde bien pequeñita había estado sobreprotegida. De repente, un día, su madre la abandona a las puertas de un autobús, le dice que se suba a él sin ella, para marcharse a un lugar extraño con otras niñas desconocidas. Fue una experiencia traumática para ella. Se refugió en su libro favorito, como lo hubiera podido hacer con un peluche. En el reparto de pupitres, le correspondió sentarse conmigo. Recuerdo que, casi antes de decirme cómo se llamaba, sacó ese libro que tienes encima de la mesa y me pidió que se lo leyera.

—Muy enternecedor, pero todas hemos pasado por esa experiencia. Yo no recuerdo que fuera tan *ñoña* como Carol. De hecho, recuerdo que el sentimiento que me invadía no era miedo, sino curiosidad, ante una aventura desconocida.

—Yo tuve la misma sensación que tú, curiosidad, pero Carol no. De hecho, para hacer frente mentalmente a ese terror que la invadía, se identificaba con el cerdito que construía la casa de ladrillo. Quería sentirse como él, segura.

—Bien, una vez hemos establecido que Carol era muy insegura de pequeña, ¿me piensas contar de qué va toda esta historia?

—La conclusión que saqué fue que, para desprenderse de semejante tesoro, debía existir un motivo mucho más poderoso que el simplemente sentimental.

—¿Y cuál es ese motivo? Si me estás contando toda esta aburrida historia, seguro que lo sabes.

—Por supuesto —le respondió Rebeca, muy seria.

—¿Y me lo piensas contar?

—La clave siempre estuvo en la lotería americana.

Ahora, Carlota ya no se pudo contener y soltó una carcajada de escándalo.

—Acaba de aparecer en la historia el elefante rosa —dijo, entre risas incontenidas—. Por favor, no me hagas más esto. Está bien, me rindo. Iré a Denia o a Benidorm, pero no sigas.

Rebeca seguía seria.

—Me parece que cuando te explique a qué me refiero, no te hará tanta gracia.

—Yo no estaría tan segura —le respondió—. Cada vez que avanza la historia, se vuelve más surrealista. ¿Qué puede tener en común la lotería americana con *Los tres cerditos*? Y no se te ocurra contestarme que tiene relación con el que construyó una casa de ladrillo, porque era más rico que los otros dos cerditos, que se tuvieron que conformar con casas de paja o de madera.

—Pues sí que tiene que ver.

—¡Por favor, para ya! —Carlota estaba llorando de risa, cogiéndose la tripa con las manos.

Rebeca abrió el libro de *Los tres cerditos* por la página favorita de Carol.

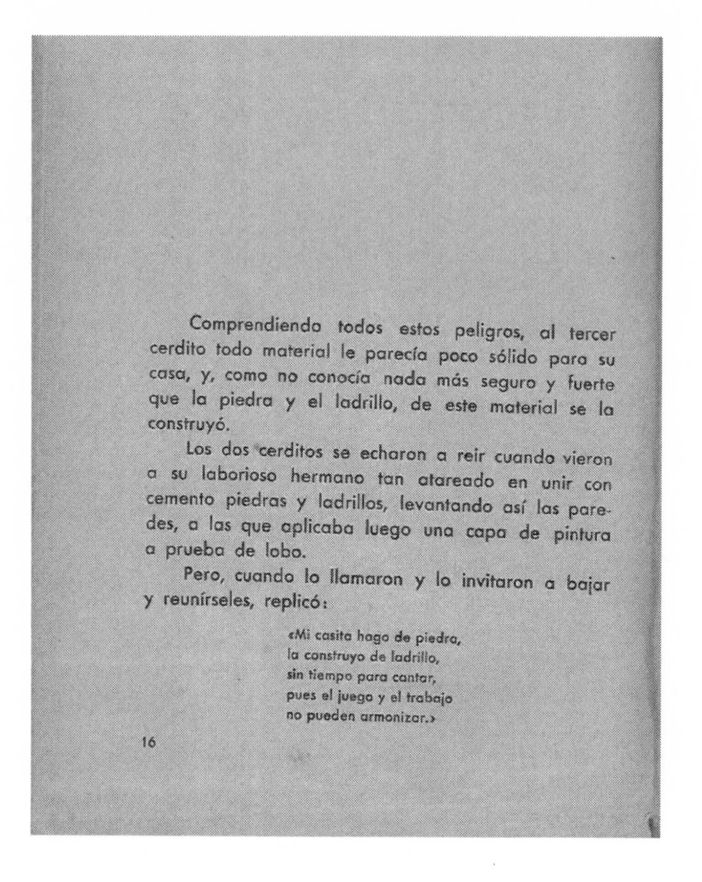

Comprendiendo todos estos peligros, al tercer cerdito todo material le parecía poco sólido para su casa, y, como no conocía nada más seguro y fuerte que la piedra y el ladrillo, de este material se la construyó.

Los dos cerditos se echaron a reír cuando vieron a su laborioso hermano tan atareado en unir con cemento piedras y ladrillos, levantando así las paredes, a las que aplicaba luego una capa de pintura a prueba de lobo.

Pero, cuando lo llamaron y lo invitaron a bajar y reunírseles, replicó:

«Mi casita hago de piedra,
la construyo de ladrillo,
sin tiempo para cantar,
pues el juego y el trabajo
no pueden armonizar.»

16

—Ahora, fíjate en el párrafo que Carol no paraba de hacerme leer. Con seis años, yo leía con mucha soltura, pero ella apenas sabía hacerlo, más por haberlo memorizado que por saber leer.

«Mi casita hago de piedra,
la construyo de ladrillo,
sin tiempo para cantar,
pues el juego y el trabajo
no pueden armonizar.»

16

Carlota, por fin, fue capaz de parar de reírse.

—Sí, ya me lo habías explicado —dijo—. Le hacía sentirse más segura y todo eso.

—El libro no venía solo.

Ahora, Carlota, que estaba haciendo esfuerzos por permanecer seria, volvió a las andadas.

—¿Iba con un cerdo o con el lobo feroz?

—Con un boleto de lotería americana.

Carlota volvió a intentar recuperar la seriedad.

—¿Y qué significado especial tiene eso?

—Al principio, pensé que se trataba de un simple marcapáginas, ya que estaba recortado y tenía esa forma. Además, estaba situado en la página que acabas de ver, la número dieciséis. Supuse que era el modo que tenía Carol de acceder directamente a su página favorita.

—Me parece algo lógico.

—Pues no lo es.

—¿Por qué? ¿Acaso ese boleto de lotería tiene poderes mágicos?

—Sí, los tiene.

—No empieces otra vez, Rebeca.

—Es que los tiene y te lo puedo demostrar. Mira el boleto de lotería por ti misma.

Carlota ya estaba seria. Si su hermana le daba tanta importancia a ese detalle, sería por algo.

A Carlota se le borró cualquier rastro de hilaridad en su rostro. Se notaba que su mente estaba trabajando con toda su capacidad, que no era poca, ya que los ojos le brillaban de una manera muy característica.

—¿Tienes un papel? —le preguntó a su hermana.

Rebeca no pudo evitar sonreír. Parecía que Carlota iba en la buena dirección.

—Toma —se lo dio, sin levantarse del sillón.

—¿Ya sabías que te lo iba a pedir?

—Tanto como saber, no, pero lo presumía. Al fin y al cabo, eres mi hermana.

Carlota lo tomó y escribió el último párrafo, el que tenía obsesionada a su amiga Carol.

Mi casita hago de piedra,
la construyo de ladrillo,
sin tiempo para cantar,
pues el juego y el trabajo
no pueden armonizar.

—Vamos a ver qué ocurre si unimos los números marcados en el boleto de lotería primitiva con este párrafo. Vamos a suponer que cada letra se corresponde con un número, así la primera «m» es el 1, la «i» es el dos, la «c» es el 3 y así sucesivamente.

Mi ca**s**ita hag**o** de piedra,
la constru**y**o d**e** **l**adrill**o**,
si**n** tiempo para **c**antar,
pu**e**s el juego y el trabajo
no pueden armonizar.

—Ahora, ¿te das cuenta? —le dijo Rebeca, emocionada.

—Soy el once —leyó Carlota, que seguía concentrada.

—Me parece que el mensaje está muy claro. Carol ya me dijo, cuando estuvimos en Madrid, que ella era una undécima puerta, lo que pasa es que no lo supe ver hasta bastante después.

—Pero ¿cuántas undécimas puertas hay?

—Ahí está la clave. Sabemos, por la historia, que tan solo existen dos.

—Pero eso significaría...

—Que la segunda undécima puerta no eres tú, como creías, sino Carol —le interrumpió Rebeca.

—¿Carol? Pero eso tiene múltiples implicaciones. El mensaje que conducía al paradero del árbol judío milenario está dividido en dos partes, cada uno en posesión de una de las dos undécimas puertas. Si yo no soy una de ellas, la obvia conclusión es que mi mitad del mensaje no es auténtico.

—Progresas adecuadamente.

—Entonces, si mi parte es falsa, es posible que no hayamos localizado el verdadero emplazamiento del árbol.

—Tú lo has dicho.

—¿Y la clave de todo ello la tiene Carol?

—Es la deducción más lógica, ¿no? Además, ella me lo dijo hace tiempo, lo que pasa es que no la entendí.

—Perdona —dijo Carlota—, pero Carol es un organismo unicelular. ¿Cómo nos ha podido tener engañadas tanto tiempo?

—Como ya te había dicho, en esta historia, nadie parece ser lo que realmente es. Carol nos ha estado tomando el pelo durante mucho tiempo. De organismo unicelular nada, al menos posee dos células.

Carlota estaba desorientada. Ello cambiaba por completo la percepción que tenía de Carol.

—¿Y Almu? ¿Tampoco es lo que parece?

—Tampoco.

—¿No será otra undécima puerta, que parece que están de oferta?

—¿No me digas que no has cambiado tu percepción de nuestras vacaciones en Denia? —sonrió Rebeca

—No me has respondido.

—No, no tiene nada que ver con eso —le contestó Rebeca, pero Almu tiene una puerta que te va a impresionar.

—¿Qué quieres decir?

Ahora, fue Rebeca la que se rio, echándose en el sillón.

—¡Oye! ¡No me dejes así! —insistió Carlota.

39 EN ALGÚN PUNTO DE LA COSTA MEDITERRÁNEA, CALPE, 29 DE MARZO DE 1943

—¿Cómo sabías que todo ocurriría así?

—Estaba claro lo que iba a suceder. Otto Hartmann es un buen comandante y estaba rodeado de una excelente dotación. No olvides que la seleccionó especialmente Himmler. La única opción que tenían de intentar salvar sus vidas era hacer lo que hicieron, porque el submarino estaba perdido. Como forman, o mejor dicho, formaban, un gran equipo de mando, afortunadamente, fueron conscientes de ello y actuaron en consecuencia. Aun así, no sé cuántos de ellos habrán conseguido salvarse. Me temo que no muchos. Espero que Waldemar se encuentre entre los supervivientes. Si no llega a ser por su ayuda, no estaríamos aquí y ahora.

—¿Cómo podías saber que el comandante actuaría así?

—Porque, a pesar de ser un buen táctico en combate, su arrogancia y su ego le arruinan todo lo demás. Es demasiado previsible.

—¿Pero cómo podías conocer sus intenciones de encerrarnos en tu camarote?

—Te lo acabo de decir, es previsible es sus acciones. No olvides que ya lo había hecho en una ocasión anterior, cuestión que también predije y no me preocupó en absoluto. Tú tenías tus instrucciones y yo no tenía nada que hacer.

—¿Solo por eso? Yo también conozco a Otto Hartmann y jamás me hubiera imaginado que pretendiera que nos hundiéramos con el submarino.

—Eso era lo que tenía claro desde el principio —le respondió Cornelia, sonriendo por primera vez—. ¿No lo comprendes? No podía permitir ni siquiera la remota posibilidad de que saliéramos con vida de aquella situación desesperada. La única manera de asegurarse al 100 % es que jamás lográramos escapar del interior del submarino. Sabía que, si conseguíamos salvarnos, en cuánto informara a Himmler de sus acciones y de que no había seguido sus órdenes, poniéndonos en serio peligro a nosotros y a la misión principal del *U-Boot*, le aguardaría un pelotón de fusilamiento. Él también estaba luchando por su vida.

—Cada vez me sorprendes más, y mira que es difícil.

—Estaba claro que no iba a permitir que saliéramos de mi camarote. Ya te he dicho que no es original. Primero, por todo lo que te acabo de contar y segundo, porque se disponía a utilizar los dos botes salvavidas instalados para la tripulación y no pensaba cumplir con las órdenes de Himmler de dejarnos uno para nuestro uso particular. Cuando un *U-Boot* es herido de muerte, todos los marineros se ponen el chaleco salvavidas y suben a la barca neumática, a la espera de ser rescatados por otro submarino que envía la *Kriegsmarine*. Pero ahora todos sabíamos que no se iba a producir ese salvamento, porque, al no existir comunicaciones a bordo, no podrán informar de nuestra situación. ¿No lo comprendes? No iba a venir otro *U-Boot* en nuestro rescate. Eso significa que necesitaban nuestro bote para su intento de escape. Resulta irónico.

—¿Qué de todo? —le preguntó Markus.

—Que el comandante fuera el que saboteara las comunicaciones. Era el único que tenía un motivo para ello. Se disponía a incumplir las instrucciones de Himmler y lo último que deseaba es que me comunicara con él y le informara. Al final, ese sabotaje, probablemente, haya acabado con su vida, sin embargo, ha salvado las nuestras.

—Desde luego. Tu idea fue genial. Aunque tengo que reconocerte que, en un primer momento, no acababa de ver tu plan, pero el hecho de que estemos aquí significa que ha funcionado.

—Sabía que Otto daría instrucciones de encerrarnos antes de que comenzara el ataque definitivo contra el submarino para que nos hundiéramos con él. Como te expliqué, debíamos actuar como lo hacemos en una operación táctica en superficie, anticipación, sorpresa y camuflaje. Anticipación, saliendo del camarote antes de ser encerrados. No se lo esperaban, ese fue el factor sorpresa, pero debíamos de dar la sensación de que nos encontrábamos en su interior. ¿Cómo? Aquí entra la ayuda inestimable de Waldemar y su radio. Apenas disponíamos de energía eléctrica, desde luego no para trasmitir, ya que se necesita una gran cantidad de ella, pero sí para recibir. Conectar la emisora y dejarla encendida, escuchando voces, les daría la impresión de que estábamos en su interior, cuando, en realidad, ya nos encontrábamos camuflados en nuestro escondite.

—Brillante.

—Es para lo que estamos entrenados. Por otra parte, me temo que gran parte de la dotación haya perecido. Fue un error que se quedaran inmóviles encima de los botes neumáticos y las pequeñas barcas improvisadas. Dada la temperatura del agua, se disponía de unas ocho horas antes de que los efectos del cansancio, las heridas y la hipotermia les acabaran afectando. Había que nadar hacia la costa sin perder ni un solo minuto. Los botes tan solo son útiles para situaciones de rescate por otra unidad.

Cornelia y Markus, mientras mantenían esta conversación, estaban exhaustos, tumbados en la arena de la playa. No se habían preocupado ni de vestirse. Aún estaban en ropa interior. Se habían ocultado debajo de uno de los botes salvavidas del submarino. Esa era una zona no transitada del *U-Boot*. Cuando consideraron que ya estaban a una distancia prudencial de la costa, salieron de su escondite y, con sigilo, del submarino. Se desnudaron, se ataron a su espalda una muda de ropa, para intentar que se mojara lo menos posible y se lanzaron al agua. Ambos estaban en excelente forma física y consiguieron llegar hasta donde estaban ahora, una playa que estaba desierta.

—¿Sabes dónde nos encontramos exactamente? —le preguntó Markus.

—Sí, en una playa.

—Muy graciosa, ya sabes a qué me refiero.

Cornelia se le quedó mirando. Tuvo que reconocer que Markus, desnudo, ganaba bastante, cosa poco habitual en los hombres.

—Me parece que nos merecemos relajarnos un poco. Aunque haya aparentado seguridad en estas últimas horas, porque era mi obligación como jefe de la misión, ahora te puedo confesar que no tenía nada claro si lo íbamos a conseguir.

—¡La Diosa es terrenal! —exclamó Markus, riendo.

—Anda, ven aquí —le respondió Cornelia, mientras lo cogía entre sus brazos y le colocaba encima de ella—. ¿Sabes quién es Jean Cocteau?

—No tengo ni idea —le respondió Markus, mientras permanecían abrazados. «Además, ahora mismo no me importa en absoluto», pensó.

—Es un francés que, entre otras muchas cosas, es poeta. En una ocasión dijo una frase muy sabía, «lo consiguieron porque no sabían que era imposible». Terminemos la jornada con cierto estilo —las intenciones de Cornelia eran más que evidentes.

Markus se sorprendió un poco, pero esos regalos jamás se rechazan, y menos si provenían de Cornelia.

Se lo merecían.

40 EN ALGÚN PUNTO DE LA COSTA MEDITERRÁNEA, CALPE, 29 DE MARZO DE 1943

Markus estaba agotado. Más que eso, reventado.

Cornelia le había demostrado que sus capacidades de liderazgo, iniciativa, energía y tácticas operativas no solo se le podían aplicar a las operaciones de infiltración.

«Bueno, algo de infiltración sí que ha habido», pensó, divertido.

Se giró para observar sus alrededores. Estaban desnudos, tumbados, en solitario, en la orilla de una playa paradisiaca. Se recreó durante un instante con la extraordinaria vista. De Cornelia, no de la playa.

—Parece que nunca hayas visto a una mujer desnuda —le dijo, sonriendo al sentirse observada.

—Como tú no, te lo aseguro.

—Pues con todo tu aspecto atlético, ahora, pareces desfondado.

—No lo parezco, lo estoy. ¡Cómo para no estarlo! Eres más alta que yo mismo, y eso que mido más de 1,85 metros, pero ahora me acabas de demostrar que también estás en mejor estado de forma. ¿Esto es parte de vuestro adiestramiento en los *Einsatzgruppen*? Es por pedir el ingreso, nada más volver a Alemania.

Cornelia se rio y le dio un beso cariñoso en la mejilla.

—Anda, vistámonos, que la ropa ya se habrá secado. Si alguien acude a la playa y nos ve así, no sé qué haría.

—Yo sí. Si lleva cámara, lo primero sería hacerte una fotografía.

Cornelia se levantó y le arrojó arena al cuerpo, riéndose. Markus también se levantó, se dieron un último abrazo y comenzaron a vestirse.

Volvían a ser la capitán Schiffer y el teniente Rietschel, aunque vestidos de civiles. De hecho, más que militares, ahora parecían una pareja de turistas disfrutando de la costa alicantina.

—Hemos tenido fortuna en el lugar del naufragio. Aunque no sé exactamente dónde nos encontramos, probablemente sea en algún lugar cercano a Calpe. Recuerda que debemos de acudir a una casa en sus alrededores. Himmler me urgió a que me comunicara con él, cuando llegáramos a tierra. Hay una célula con una máquina *Enigma* esperándonos.

—Salimos a la carretera y preguntamos —le respondió Markus.

—Llamaríamos la atención. Aunque hable perfectamente el español sin acento alemán, nuestro aspecto físico nos delata.

—Pues esfuérzate por hablar peor el español, además hazlo con acento. Nuestra mejor cobertura es hacernos pasar por turistas.

—Quizá tengas razón, aunque me costará hablar mal el español. Son muchos años practicándolo, pero creo que tienes razón.

Salieron a la carretera. No circulaba ningún vehículo por ella. Ya era mediodía, pensaron que era cuestión de tiempo que alguno lo hiciera. Como no sabían en qué dirección andar, decidieron quedarse sentados, observando la playa, pero sin perder de vista la carretera.

De repente, escucharon el inconfundible sonido de un vehículo. Cuando lo vieron aproximarse, levantaron el pulgar, para ver si les recogía. El coche paró a su lado. Lo conducía una chica joven, con toda el aspecto de ser una turista también.

—Hola, ¿os puedo ayudar?

—Sí —contestó Cornelia, con su peor español que fue capaz de hablar—. Mi amigo y yo hemos salido, de buena mañana, a pasear. Me temo que nos hemos entretenido y despistado un tanto. No sabemos ni dónde nos encontramos. Tenemos una casa alquilada en la playa de la Fossa. Ya no sabemos si dirigirnos al norte o al sur.

—Anda, subíos —dijo la chica—. Me llamo Michelle y también he venido de vacaciones con mi novio. Ahora mismo estamos en la playa del Arenal, a apenas tres kilómetros de vuestro destino.

—¿No te molestaremos?

—¡En absoluto! Nosotros también estamos en una casa y me había acercado al Calpe a comprar algunas provisiones —dijo, señalando unas bolsas de cartón en el asiento posterior del coche. Me viene de paso, nosotros estamos en Les Bassetes.

—Eso está más al norte de nuestra casa.

—Exacto —respondió Michelle, cuyo acento parecía delatarla como parisina—. Si podéis acomodaros, os llevo.

—Te lo agradecemos de verdad, Michelle. Creo que ya hemos realizado las actividades previstas para el día de hoy —dijo Cornelia, mientras le guiñaba un ojo—. Estamos algo cansados, ya sabes.

Michelle la entendió de inmediato.

—Es uno de los mayores placeres, además, en estas playas de arena tan fina. Parecen un colchón hecho con pedacitos del cielo, ¿no os parece? —dijo, mientras les sonreía abiertamente.

Cornelia no pudo evitar sonreír también, aunque por diferentes motivos. Esa definición tan solo se le podía ocurrir a un francés, jamás a un alemán.

Subieron al vehículo. El trayecto apenas duró cinco minutos. Charlaron animadamente hasta que Cornelia le indicó su casa.

—Es esta, ya hemos llegado.

—¿Cuándo os volvéis a Alemania? —les preguntó Michelle—. Podíamos quedar una noche los cuatro a tomar algo.

—Esta es nuestra última noche aquí —le respondió Cornelia—. Mañana mismo nos vamos a Valencia, a pasar allí nuestros últimos días de vacaciones. Te agradecemos de verdad tu amabilidad.

—¡Qué lástima! Bueno, espero que os vaya todo muy bien.

—Lo mismo digo, Michelle —respondió, mientras Markus y Cornelia salían del vehículo—. Y gracias por traernos.

Michelle continuó su camino.

Cuando desapareció de su vista, Cornelia, con su vista entrenada, observó lo mismo que había hecho Otto Skorzeny, hacía apenas once días.

—¿Te das cuenta, Markus?

—Perfectamente. La casa parece deshabitada. Es muy extraño.

—No quiero sorpresas. Vamos a acceder a la casa, cada uno por un lado. Estate muy atento, como si se tratara de una operación táctica. Esto no me huele bien.

—A mí tampoco.

—Markus, asciende por esa pequeña cuesta y observa la casa desde detrás. Yo echaré un vistazo por las escaleras principales. Luego la rodearé por la parte opuesta a ti. Hasta que no veas mi señal, no te aproximes.

—¿Esperas encontrar compañía desagradable? —preguntó Markus, ante las medidas de precaución que estaba tomando.

—No sé lo que espero encontrar, por eso me comporto con cautela. ¡Vamos! —exclamó Cornelia.

Cada uno se marchó hacia su lugar. En apenas un minuto, Markus estaba en posición. Cornelia subió por las escaleras. Observó el suelo. Por allí hacía tiempo que no pasaba nadie. Continuo hacía la casa, por la parte izquierda. La sensación de abandono se acrecentó. Con cautela, se acercó a la puerta de entrada. Pegó su oído a la puerta. No se escuchaba ningún sonido.

Le hizo un gesto con la mano a Markus, indicándole que se podía acercar. Cuando llegó a su lado, por gestos, le indicó cómo proceder. Markus derribaría la puerta y entrarían en tromba.

—No estamos armados —le susurró a Cornelia.

—Yo sí —le respondió, enseñándole un pequeño cuchillo que llevaba oculto en la cintura—. Con esto me basta, aunque presumo que no me va a hacer falta. Ahora, silencio. A mi orden, entramos.

Se prepararon. Cornelia hizo un gesto con su mano. Markus derribó la puerta con facilidad. La capitán entró en primer lugar, como un auténtico relámpago. Markus pensó que, si había algún extraño dentro de la vivienda, no sabría ni quién le había arrebatado la vida. Markus permaneció en la puerta, a la espera de instrucciones.

—Despejado —oyó decir a Cornelia.

—Como presumíamos, aquí no hay nadie. Parece que la vivienda lleva vacía bastante tiempo.

La observaron con detenimiento. No daba la sensación de que sus ocupantes la hubieran abandonado con precipitación. Parecía lo que debía parecer, un piso alquilado por unos turistas. No le faltaba detalle, ropa floreada muy del estilo español, folletos turísticos e incluso algún mapa, con puntos de interés a visitar. Cornelia los observó con detenimiento. Se trataba de playas, nada que pudiera servirles de ayuda.

En realidad, lo único que les podía servir de ayuda era la máquina *Enigma*, que estaba claro que no se encontraba en el piso franco.

Markus observó lo obvio.

—No hay ningún signo de violencia. El piso franco está perfectamente preparado para, en caso de ser localizado, dar la impresión de que se trata de una vivienda de turistas. La conclusión parece obvia.

—¿Eso te parece?

—Está claro. La célula no nos ha podido esperar. Debíamos de haber llegado hace dos semanas. Ya sabes que tienen protocolos muy estrictos de movilidad, para evitar ser detectados.

Cornelia no le respondió. No dejaba de observar el interior de aquella casa. Recorrió de nuevo sus dos habitaciones, fijándose en cada detalle, para terminar volviendo al salón principal.

No parecía convencida.

—Es muy extraño. Me dio la sensación de que Himmler le daba mucha importancia a que nos comunicáramos con él, al llegar a tierra. Supongo que le daría instrucciones a esta célula y les ordenaría que permanecieran en su posición hasta nuestra llegada.

—No lo dudo, pero, insisto, no olvides que hemos llegado con dos semanas de retraso.

Cornelia hacía gestos de negación con la cabeza.

—¿No te parece todo demasiado perfecto? Cada cosa está colocada en su lugar exacto. Ya sabes lo que eso suele significar en nuestro trabajo.

—¿Insinúas que es un escenario preparado? ¿Puede ser una emboscada?

—No, eso no. Estamos solos, ya nos hemos asegurado de eso antes de entrar.

—¿Entonces?

—No tengo ninguna prueba de nada, salvo que mi instinto me dice que algo no está bien.

—Pues tu instinto no se suele equivocar.

—Por ejemplo, mira el objeto que hay sobre esa mesa.

—Es un cubo de arena de madera para jugar en la playa —le respondió Markus—. ¿Qué le ocurre? Es una pieza más del decorado, para darle aspecto turístico a esta casa.

Cornelia se aproximó y lo tomó entre sus manos. Estuvo un par de minutos observándolo con mucha minuciosidad, por todos los costados.

—Markus, ¿para qué crees que un grupo de turistas adultos alemanes iban a tener en su casa un juguete infantil como este? ¿Para hacer castillitos de arena?

—¿Qué insinúas?

—¡Qué nos larguemos de esta casa lo más rápido posible!

41 BERLÍN, 30 DE MARZO DE 1943

—Lo lamento, señor.

—No lo haga.

Skorzeny acababa de entrar en el despacho de Himmler. Esperaba verlo deprimido, pero, para su absoluta sorpresa, parecía que estaba sumido en una actividad frenética. En un principio, le sorprendió.

—Señor, esperaba que el fracaso en su operación de infiltración le hiciera estar de mal humor.

Ahora, Himmler levantó la cabeza.

—¿Quién le ha dicho que se trataba de una operación de infiltración?

—Bueno, lo he supuesto, por todas las circunstancias que he conocido. Me parece el razonamiento más lógico.

—Primero, jamás fue una operación de infiltración y segundo, ¿quién le ha dicho que haya fracasado?

—Sabe que lo vi todo con mis propios ojos.

—A veces, la vista es un sentido engañoso. No se fíe de él. Es más importante lo que no se puede ver que lo que se ve —le respondió.

Skorzeny no sabía cómo continuar la conversación. Decidió permanecer en silencio. Por otra parte, el *Reichsführer* estaba manteniendo este diálogo sin levantar la vista de su mesa, donde tenía desplegada una lista.

NAMEN DER GEFALLENEN

Dienstgrad	Name	Vorname	Geburtsdatum	Todesdatum
MaschMt	BAYER	Walter	01.06.1919	28.03.1943
FkGfr	BRUCKNER	Karl	17.06.1921	28.03.1943
MaschGfr.	BUDDE	Walter	05.05.1923	28.03.1943
FkOGfr	GEFFE	Karl	01.10.1921	28.03.1943
MtrOGfr	GOTTSCHALK	Kurt	16.05.1921	28.03.1943
MtrGfr	GROTHAUS	Heinrich	05.07.1924	28.03.1943
OLt.z.S	HARTMANN	Otto	18.04.1917	28.03.1943
MtrOGfr	HOFMANN	Johannes	13.11.1923	28.03.1943
MaschOGfr	JEDAMSKI	Walter	09.02.1920	28.03.1943
FkMt	JORDAN	Wilhelm	21.09.1920	28.03.1943
FkMt	KILP	Hermann	05.09.1920	28.03.1943
MaschGfr	LÖWEN	Mathäus	24.01.1923	28.03.1943
MtrGfr	MAYER	Johann	18.09.1924	28.03.1943
MtrOGfr	MÖRSCH	Hubert	27.05.1923	28.03.1943
OMechMt	MÜLLER	Paul	21.08.1917	28.03.1943
OStrm	OTTEN	Matthias	10.10.1913	28.03.1943
MaschGfr	PÜTZSCHLER	Reinhardt	14.03.1923	28.03.1943
MechGfr	RANGE	Rudolf	09.06.1923	28.03.1943
MaschGfr	REICHERT	Otto	13.05.1922	28.03.1943
MaschOGfr	REINKE	Günter	25.04.1920	28.03.1943
MaschMt	REISSBERGER	Friedrich	25.06.1915	28.03.1943
MtrOGfr	RIEDER	Alois	12.12.1919	28.03.1943
SigMt	RINK	Otto	01.01.1923	28.03.1943
MaschMt	ROTKORD	Ewald	03.04.1921	28.03.1943
MaschGfr	SCHMIDT	Karl	30.03.1924	28.03.1943
MaschOGfr	SCHÜTT	Gerhard	11.04.1924	28.03.1943
OLt.Ing	SCHWARZ	Hans	17.04.1920	28.03.1943
OLt.z.S	SICHARDSHOF F	Waldemar von	03.01.1918	28.03.1943
MaschOGfr	STILLE	Kurt	27.10.1922	28.03.1943
MtrOGfr	STRAUSS	Werner	17.11.1922	28.03.1943
MaschOGfr	TANZBERGER	Rudolf	11.05.1922	28.03.1943
OMaschMt	UNKELBACH	Karl	28.05.1917	28.03.1943
Lt.z.S	VELTEN	Walter	14.01.1922	28.03.1943
MaschGfr	WEISS	Walter	06.02.1924	28.03.1943
MtrGfr	WINKELMANN	Helmut	12.03.1924	28.03.1943
MtrGfr	WITZMANN	Georg	12.02.1924	28.03.1943
MtrGfr	ZERR	Heinz	09.04.1922	28.03.1943

Skorzeny dedujo que se podría tratar de la lista oficial de fallecidos del *U-77*. El silencio resultaba incómodo, así que Otto intentó continuar la conversación.

—Ya le he informado que pude hablar con uno de los supervivientes, el marinero Ernst Peter. Me dijo que los dos miembros ajenos de la dotación se habían hundido con el submarino.

—¿Se cree que yo no lo he hecho ya? Los perros de la *Abwehr* me ponían problemas. Creo que el agregado naval de la embajada nunca me había escuchado enfadado de verdad.

En menos de un minuto, estaba manteniendo una conversación telefónica con él.

—Supongo que le confirmaría lo que yo le dije.

—No exactamente. Nadie los vio en el exterior del submarino durante las maniobras de evacuación, pero, de igual manera, tampoco nadie los vio en el interior del *U-Boot* cuando se hundió. Eso es lo que esperaba de ellos. Es su especialidad, no ser vistos por nadie.

—Pero el marinero le diría que los dejaron encerrados en su camarote —insistió Otto.

Por un momento, Himmler pareció relajarse y se permitió una tímida sonrisa.

—Usted no tiene ni idea de quiénes son esas dos personas y de lo que son capaces. Valen más que toda la tripulación de ese submarino junta.

Skorzeny notó que hablaba de ellas en presente. Estaba claro que pensaba que estaban vivas. «Bueno, no gano nada discutiendo de este tema, voy a dejarlo estar», pensó.

Himmler parece que le leyó el pensamiento.

—En cuanto a su otra misión, supongo que no tendría ningún problema con los Bernhardt. Son buena gente, fieles y grandes amigos.

—No, señor. No le voy a negar que me sorprendieran dos cuestiones. El primero, su elevado rango dentro de las *SS*, lo desconocía.

—Lo desconoce usted y casi todo el mundo. Son rangos honorarios por los servicios prestados al *III Reich*. Es evidente que nunca han combatido con las *Waffen-SS* como usted, pero sus rangos son igualmente válidos. ¿Y la segunda?

—Que estuvieran al día de *Die Spinne*. Pensaba que mi misión era informarles de la operación, tal y como usted me había ordenado.

Himmler volvió a sonreír.

—Su misión, en realidad, no era esa. Simplemente quería que se conocieran. Ellos ya estaban informados, como habrá podido comprobar. El matrimonio Bernhardt, tan humildes y cercanos a sus vecinos, ya sabe lo que esconden. Ellos serán uno de los principales puntales de la araña en España. Debía asegurarme de que su relación fuera fluida, ya que colaborarán de forma muy estrecha en el futuro. ¿Por qué cree que le ordene permanecer tantos días en su casa, sin hacer nada? ¿Creía que le había dado vacaciones?

—Pensaba que estaba en espera por la otra misión.

—La «otra misión», aunque urgente, sé que, de una manera o de otra, acabará resolviéndose. Lo importante siempre ha sido *Die Spinne.*

—Entonces, ¿para qué me ha citado en su despacho? —se atrevió a preguntarle Skorzeny—. Está claro que tiene más información que yo, no necesita ningún informe mío.

—Es cierto —respondió Himmler, que seguía mirando aquella lista—. Nunca he necesitado ningún informe suyo, pero su cita conmigo sí que tiene una finalidad. En quince minutos tenemos una reunión.

—¿Con quién? —ahora Skorzeny sí que estaba sorprendido—. No sabía nada.

—De eso se trata *Die Spinne*, ¿no? Anda, capitán, acompáñeme a la sala de reuniones. Presumo que ya habrán llegado todos.

«Quiénes eran "todos"?», se preguntó Skorzeny.

Siguió al *Reichsführer* a través de los pasillos del *Hotel Prinz Albrecht*, que, en realidad, era la sede de la RSHA, la Oficina Central de Seguridad del *Reich*. Llegaron hasta una gran puerta. Estaba protegida por dos oficiales de las *SS*, que se hicieron a un lado en cuanto vieron llegar a su jefe, que abrió la puerta.

—Adelante, capitán.

Cuando entró en la sala, observó siete personas sentadas alrededor de la mesa. A uno de ellos lo conocía personalmente y a otro, por haberlo visto en un documental. A los demás no los conocía, pero lo que parecía claro es que aquellas personas no eran militares.

—Señores —dijo Himmler—. Les presento al Hauptsturmführer de las Waffen-SS, Otto Skorzeny.

Todos le saludaron con un leve movimiento de cabeza.

—Empezando de izquierda a derecha —continuó, dirigiéndose al capitán—, al primero ya lo conoce, Alfried Krupp. A su lado se encuentra Georg Von Schnitzler, el propietario del emporio de empresas químicas y farmacéuticas *IG Farben*, que será nuestro director financiero. A su lado se encuentra su segundo al mando, Fritz Ter Meer, miembro del gabinete de directores de *IG Farben* y responsable de los laboratorios Bayer, que será su adjunto. A continuación le presento a Ferdinand Porsche, propietario de *Porsche AG*, fabricante de automóviles, seguido de los hermanos Rudolf y Adolf Dassler, fundadores de las empresas textiles *Puma* y *Adidas*, respectivamente. El último que queda es el barón Kurt von Schröder, que será el banquero del grupo, por sus excelentes contactos en Londres y en Nueva York.

Skorzeny estaba impresionado.

—No están todos los que son, pero tiene ante usted lo que será el núcleo duro económico de nuestra organización. Ya han recibido las correspondientes instrucciones. Todos están a sus órdenes. Como ya supondrá, la araña tiene ocho patas, ahora está en presencia de una de ellas.

—Es un placer para mí conocerles, señores —dijo, a modo de introducción, Skorzeny—. Yo soy un simple capitán de las *Waffen-SS* y no entiendo gran cosa de economía, como ustedes no entenderán de tácticas de combate.

—No se menosprecie —dijo Himmler, sonriendo—. Usted es ingeniero por la Universidad de Viena, por lo que no le será difícil entenderse con ellos, que también lo son.

—Me halaga, pero ya han pasado más de cinco años que no me dedico a la ingeniería, desde que pertenezco a las *Waffen-SS*.

—Eso también está resuelto. Aunque no se lo parezca, el barón Kurt von Schröder es *Brigadeführer* de los servicios de inteligencia de las *SS*.

«¡Otro general!», se alarmó Skorzeny, que hizo ademán de cuadrarse.

—Por favor, capitán, el que estoy a sus órdenes soy yo —le respondió el barón—. Actuaré de enlace entre usted y todos los miembros del equipo económico.

Skorzeny empezó a tomar conciencia de que *Die Spinne* iba a ser una operación de grandísima envergadura, mucho más de lo que se imaginaba.

«Y yo estoy al mando», pensó, acongojado.

42 VALENCIA, 30 DE MARZO DE 1943

—Ahora, que hemos llegado a nuestro destino definitivo, ¿me puedes contar qué es lo que te alarmó tanto de la casa de Calpe?

—No fue nada en concreto.

—¿Cómo qué no? Pues salimos de allí a toda prisa y llegamos hasta el pueblo corriendo. Para no ser nada en concreto...

—Creo que deberíamos repasar los detalles de nuestra operación y olvidarnos de aquella casa.

Markus y Cornelia habían llegado a Valencia y se encontraban en su habitación del Hotel Reina Victoria. Era el más lujoso de la ciudad. De estilo modernista, fue construido en 1910 por el arquitecto Luis Ferreres. En él se habían alojado personajes célebres, tales como Ernst Hemingway, Jacinto Benavente o Federico García Lorca, por ejemplo. Sin embargo, a Cornelia le atraía más que se hubieran hospedado en él dos personajes menos famosos que los anteriores, el húngaro Endre Ernő Friedmann y la alemana Gerta Pohorylle, conocida por su seudónimo de Gerda Taro, que había fallecido hacía unos seis años. Eran pareja y corresponsales gráficos de guerra. Nadie los conocía por sus nombres auténticos, ya que firmaban conjuntamente sus trabajos con el nombre ficticio de Robert Capa. A Cornelia le entusiasmaba la fotografía.

Himmler había decidido que, para su cobertura, era mejor que se alojaran a la vista de todos y que no recurrieran a una oscura pensión. Markus y Cornelia eran una pareja de recién casados, ricos de familia, que estaban de viaje turístico por España. Por otra parte, su ubicación era perfecta para el cumplimiento de su misión, ya que se encontraban a poco más de cinco minutos andando de su objetivo.

—¿Ya no te interesa contactar con Himmler? Ayer mismo parecías muy interesada.

—Y aún lo estoy, pero no podemos hacer nada. Sin una *Enigma*, no me puedo comunicar con él. De todas maneras, conocemos nuestras órdenes.

—¿No te extrañan un poco? Nunca lo hemos comentado, pero esta obsesión del *Reichsführer* parece enfermiza. Ya estuvo en España hace poco más de dos años y se volvió de vacío, después de ser agasajado por el general Franco, que llenó de esvásticas la ciudad de Madrid y organizó una recepción, por todo lo alto, en la Estación del Norte de la capital.

—¿Por qué te parece eso? —le preguntó Cornelia, con curiosidad.

—Himmler es un reconocido anticlerical. ¿Por qué persigue ese objeto desde hace años? Sabemos que lo ha buscado por todos los rincones de Alemania. Cuando se quedó sin opciones, pensó en España, ya que los visigodos llegaron en el siglo V y permanecieron hasta su expulsión por los musulmanes, a principios del siglo VIII. Como te decía, su visita fue en vano. Por toda la propaganda que Franco hizo de su visita, conocemos que, después de los actos protocolarios en Madrid, voló al aeródromo de Barcelona. Su destino real era en Monasterio de Montserrat.

—Himmler no es anticlerical, es otra cosa, parece mentira que no lo conozcas —le replicó Cornelia—. Hace dos meses que nos casamos, en una ceremonia presidida por él mismo.

—¡Pero aquello no fue una boda! —exclamó Markus—. El ritual fue el propio de las *SS*, inspirado en las liturgias marcadas por la *Deutsches Ahnenerbe.*

La *Deutsches Ahnenerbe,* más conocida por la *Ahnenerbe* a secas, era una organización creada por Himmler para poner en valor las tradiciones alemanas e investigar el alcance de la verdadera raza germánica, pero pronto se convirtió en un grupo de estudios ocultistas. La *Ahnenerbe* se estructuraba en cuarenta y tres departamentos, aunque, sin duda, los cuatro más destacados eran el dedicado a la lingüística, el de investigación sobre la simbología y las tradiciones populares y, finalmente, dos que estaban íntimamente relacionados, el de arqueología germánica y la sección esotérica, que eran las dos actividades que más fascinaban a Heinrich Himmler. Para formar parte de esta institución, mezcla de ciencia y creencias paranormales, era necesario ser doctor universitario. Destacadas figuras intelectuales alemanas y austriacas pertenecían a esta organización.

—Quizá, para las religiones inspiradas en el cristianismo, no nos podamos considerar casados, pero, a ojos de las tradiciones germánicas determinadas por la *Ahnenerbe,* somos marido y mujer. Por otra parte, ¿no te gusto como esposa?

—¡Por supuesto! —exclamó de inmediato Markus—. ¿A quién no le gustarías?

—Pues recuerda bien que tan solo es nuestra tapadera —le respondió Cornelia—. Lo de la playa estuvo bien, pero no se volverá a repetir. Somos oficiales del *Sicherheitsdienst* ejecutando una operación de campo.

—Lo tengo muy claro —dijo Markus, aunque, en realidad, no le hubiera importado nada repetirlo cada día.

—En cuanto a lo que comentabas del Monasterio de Montserrat, Himmler acudió precisamente siguiendo las investigaciones de la *Ahnenerbe.* Se entrevistó con el monje Andreu Ripoll. Fue una conversación muy tensa.

—¿Por qué?

—Porque la *Ahnenerbe* daba credibilidad a la teoría de que José de Arimatea ocultó la reliquia en el sur de Francia, en concreto en el pequeño pueblo de Montségur. Himmler mandó un equipo, que no fue capaz de encontrarlo. Dada su proximidad con Montserrat, el departamento arqueológico de la *Ahnenerbe* recomendó su búsqueda en los túneles y pasadizos secretos del monasterio. El monje negó, tanto que estuviera en posesión de esa reliquia como de la propia existencia de esos pasadizos secretos. Entonces, Himmler insistió en ver los archivos del monasterio, para asegurarse de la veracidad de las afirmaciones del monje. Andreu Ripoll también se negó. Tú conoces a Himmler. Imagínate su grandísimo disgusto.

—Supongo que por eso estamos nosotros aquí y ahora.

—Sí. Después de buscarlo por media Europa, ahora, la *Ahnenerbe* considera muy verosímil que se encuentre en Valencia.

—¿Y nos envía a nosotros? No somos arqueólogos ni tenemos ningún conocimiento en la materia. No estamos preparados.

Cornelia sonrió.

—Himmler no necesita a arqueólogos. Necesita a ladrones.

Markus no pudo evitar sonreír también.

—Supongo que, para eso, sí que estamos preparados, aunque no comprendo que no necesite a arqueólogos.

—¡Pues claro que los precisa! ¿Te crees que no han hecho su trabajo? Ya sabes toda la preparación y las molestias logísticas que se ha tomado el *Reichsführer* para que nos encontremos aquí, en absoluto secreto. No lo saben ni nuestros compañeros de los servicios de información de las *SS* en España. Cuando le da tanta importancia a una operación como esta, es porque ya se ha asegurado previamente de los detalles históricos.

—¿Tú los conoces?

—Bueno, no a fondo, pero cuando me encargó comandar esta misión, me explicó lo que debía conocer para llevarla a cabo. Supongo que él tendrá más información que yo.

—¿Estás autorizada a compartirla?

—Supongo que sí, ya que no me hizo ninguna advertencia en sentido contrario, aunque, básicamente, ya sabes su conclusión. El verdadero y auténtico Santo Grial, con el que Jesús de Nazaret celebró la Última Cena, se encuentra en la Catedral de Valencia.

—Sí, eso ya lo conozco, pero ¿qué le hace pensar eso? ¿Por qué Valencia es diferente a los otros lugares por dónde lo ha buscado?

—Porque este es el auténtico. Tras un largo proceso de investigación y documentación llevado a cabo por el departamento de arqueología de la *Ahnenerbe*, envió a cuatro especialistas a Barcelona, incluyendo al propio jefe de la sección esotérica, Friedrich Hielscher.

—¿A Barcelona? —se extrañó Markus—. ¿Otra vez para hablar con los monjes del Monasterio de Montserrat?

—No, en este caso al Archivo de la Corona de Aragón, en concreto para hablar con su director, el historiador Ernest Martínez Ferrando.

—¿Para qué?

—Porque en este archivo se custodiaba un documento que consideraban muy importante. La prueba de la autenticidad —le dijo Cornelia, mientras extraía un papel bastante arrugado.

—¿Has llevado ese papel encima siempre? —preguntó asombrado Markus.

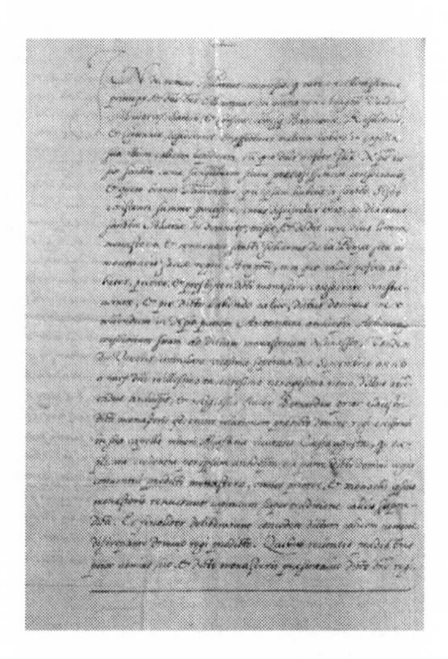

—Sí, ya sabes cuál es nuestra cobertura. Además de una pareja de recién casados, somos estudiantes de Historia en la Universidad de Stuttgart.

—¿Qué prueba ese papel?

—Es un acta notarial del año 1399, donde se detalla cómo se le entrega el Santo Cáliz al rey Martin I El Humano, de Aragón.

—¿Esas son todas las pruebas?

—Ni muchísimo menos. El vaso de la Última Cena permaneció en Roma, hasta el año 258, cuando el Papa Sixto II ordenó sacar el cáliz, para protegerlo de las persecuciones que sufrían los cristianos, a manos del emperador Valeriano. Lo confió a su diácono, San Lorenzo de Roma, originario de Huesca, una provincia de España. Después de ser ocultado en diferentes ubicaciones, está documentado que, en 1071, el obispo de Jaca llevó el cáliz al Monasterio de San Juan de la Peña. También está confirmada su presencia allí en otro documento, datado en 1134, en que se consta escrito que *«En un arca de marfil está el Cáliz en que Cristo N. Señor consagró su sangre, el cual envió S. Laurenzo a su patria, Huesca»*. Permaneció en esa ubicación hasta 1399, cuando fue entregado al rey Martín I, cuya acta notarial de entrega acabas de ver. Dicho rey lo trasladaría hasta su residencia oficial, el Palacio de la Aljafería de Zaragoza.

—¿Y cómo acabo en Valencia? —ahora Markus parecía interesado por la historia del cáliz.

—En 1424, el rey Alfonso el Magnánimo, segundo sucesor de Martin el Humano, decide trasladarse a Valencia. En ese momento, se encontraba inmerso en batallas para expandir sus territorios por otras regiones mediterráneas, sobre todo por Nápoles. Necesitaba dinero, ya que estas campañas eran muy costosas. No tuvo más remedio que endeudarse, ya que no disponía de los fondos necesarios. La jerarquía eclesiástica valenciana fue uno de sus principales prestamistas, que le exigieron, como garantía de devolución del dinero prestado, todas las joyas reales y sus reliquias. ¿Adivinas qué objeto estaba entre ellas?

—¿El Santo Cáliz?

—Exacto. Desde el año 1437 se ha encontrado en la Catedral de Valencia hasta la actualidad, exceptuando algunos cortos periodos de tiempo, durante las guerras napoleónicas y la reciente Guerra Civil Española, donde estuvo escondido en el pueblo de Carlet. No obstante, esta gran reliquia no se exhibía al público.

—¿Cómo qué no? ¿Y dónde está? —Markus se había enganchado a la historia.

—No te apures. Hasta 1916, estaba guardado en la sala de reliquias de la catedral, oculto al público, pero ese mismo año se decidió colocarlo en el altar de la capilla de la Aula Capitular, sustituyendo al Cristo en la cruz.

Markus seguía pendiente del relato de Cornelia.

—La exhibición al público del Santo Cáliz fue una gran noticia en Valencia. Se hicieron eco todos los periódicos de la ciudad.

Diario de Valencia

Solemne acontecimiento religioso

Traslado del Santo Cáliz a su nueva capilla del Aula Capitular

Historia del Santo Cáliz.-- Cómo fué traído a nuestra ciudad.-- Huesca y San Juan de la Peña.-- La Aljafería de Zaragoza.-- El Real de Valencia.-- Nuestra Catedral.-- Veneración en que le tuvo nuestra ciudad.-- Culto que le tributaba.-- Culto que actualmente le tributa.-- Proyectos de nuestro Excmo. Cabildo.
La Sala Capitular antigua.

—Toda lo que me has contado es apasionante, pero hay una cosa que no me termina de cuadrar. Si todos estos hechos eran conocidos desde hace muchísimos años, ¿por qué Himmler no se interesó por él hasta ahora?

—Es una buena pregunta. Supongo que siempre creyó en las leyendas *pangermánicas* que lo situaban en Alemania. Ya conoces su fanatismo con ese tema. Apuró todas las posibilidades, hasta que terminó por imponerse la razón y la ciencia.

—Por la ciencia te iba a preguntar ahora. Me has contado el periplo que vivió el Santo Grial, desde su salida de Roma hasta su llegada a Valencia, pero ¿qué pruebas aporta la ciencia de su autenticidad?

—Para eso precisamente se trasladó el equipo de arqueólogos de la *Ahnenerbe* a Barcelona y posteriormente a Valencia. Por boca del director del Archivo de la Corona de Aragón, que es valenciano, pudieron conocer que, de un análisis del material pétreo, está hecha sobre piedra catalogada en la antigüedad cono *sardinus*. Antes de que me preguntes que tiene de significativo este detalle, te diré que representativa de la tribu de Judá, la misma a la que perteneció Jesús de Nazaret. Además, opina que se trata de una copa de bendición de origen hebreo, una *Kos Kidush*, coetánea de la época de Herodes. Piensa por un momento, Markus, que no existe otra en todo el mundo que se conserve entera. No solo eso, sino que se atreve a datar el cáliz en el siglo I.

—¡Asombroso! —exclamó Markus—. ¡Vamos a robar el auténtico Santo Grial! ¿Cuándo iniciaremos la operación?

—Primero, creo que necesitamos comprar algún material y también algo de ropa. La que llevamos puesta es la misma con la que huimos del submarino. En cuanto al inicio de la operación, será esta misma noche.

—¿Tan pronto? ¿Ya tienes un plan para robar el Santo Cáliz? No será nada sencillo. Para empezar, habrá vigilantes y los accesos serán muy complicados. Estamos hablando de un edificio del siglo XIII. Imagínate sus muros y sus puertas.

—No vamos a robar el Santo Cáliz.

—¿Qué? —preguntó Markus, completamente sorprendido por aquella afirmación.

Cornelia sonrió, mientras Markus intentaba comprender aquella afirmación tan extraña.

—¿Sabes lo que dices? ¿Por qué no lo vamos a robar?

—Porque en la casa de Calpe había un cubo de arena.

43 VALENCIA, 30 DE MARZO DE 1943

Markus no consiguió arrancarle ni una sola palabra más a Cornelia, acerca del motivo por el que no iban a robar el Santo Grial, por un simple juguete que había visto en Calpe. Estaba claro que ese objeto formaba parte del camuflaje, como casa turística, del piso franco de la célula secreta. No le encontraba ningún sentido, pero su compañera estaba al mando de la operación, así que se limitó a obedecerla.

Tal y como habían comentado, salieron de compras. Ropa y calzado nuevo, así como diverso material que necesitarían para cumplir con su misión. A Markus le llamó a atención algunos objetos extraños que compró Cornelia, como unas gafas grandes y feas, nada que ver con su estilo, tinte para el pelo de dos colores o tijeras, aparte de unas prendas de lo más curiosas. Apenas les llevó una hora. Cuando concluyeron, volvieron al hotel. Se asearon y se vistieron con su nueva y flamante ropa.

Salieron de su hotel, cruzaron la plaza del Generalísimo y encararon la calle San Vicente, hasta entrar en la estrecha, pero llena de vida y gran bullicio, calle Zaragoza. Al fondo se observaba el Miguelete, que era la torre campanario de la catedral.

Entraron en la catedral por la Puerta de los Hierros, de estilo barroco. No se entretuvieron demasiado admirando su belleza, tal solo tomaron un folleto del Santo Cáliz.

Se dirigieron directamente hacia la sala que les interesaba, la capilla de la Aula Capitular, donde se encontraba expuesto al público el objeto de sus deseos, el Santo Grial.

Lo admiraron de cerca.

Parecía que eran unos turistas más, pero, a la vez que observaban la belleza que les rodeaba, con su mirada profesional entrenada, comprobaban los posibles accesos, medidas de seguridad y demás elementos que fueran de su interés. También se fijaron en los alguaciles. Markus pudo observar cómo Cornelia les tomaba, con disimulo, algunas fotografías, con la cámara de que se acababa de comprar. No perdía detalle.

Se dieron una vuelta por el interior de la catedral y salieron al exterior, esta vez por la Puerta de los Apóstoles, de estilo gótico.

Se alejaron, para ver una perspectiva desde cierta distancia.

—Observa bien lo que ves —dijo Cornelia.

—No sé lo que tú pensarás, pero yo ya me he hecho una idea muy clara de la catedral.

—No me refiero a la catedral.

Markus se le quedó mirando, haciendo un gesto de incomprensión con los hombros.

—Lo que quiero que observes es el edificio de al lado de la catedral —recalcó Cornelia.

—Lo veo —le respondió—. ¿Y qué?

—Es la Iglesia de la Virgen de los Desamparados, la patrona de la ciudad. Creo que está en proyecto otorgarle la dignidad de basílica.

—Encantado de conocerla —dijo, haciéndole una pequeña reverencia burlona.

—No te lo tomes a broma. Es el lugar donde entraremos a robar esta noche —dijo, mientras echaba a andar hacia ella.

Ahora sí que consiguió captar la atención de Markus.

—¿Qué hay ahí adentro que merezca la pena robar, por encima del Santo Cáliz? —dijo, siguiéndola.

—No tengo ni la más remota idea, supongo que algo encontraremos, pero eso no importa.

Markus se rio, pensando que, a pesar de su advertencia, Cornelia no hablaba en serio. Cuando se giró, observó que su compañera se había detenido a sus puertas, pero no llegó a entrar. Tomó unas fotografías desde la puerta, también a los alguaciles que la vigilaban. Se la notaba concentrada.

—Oye, ¿me estás tomando el pelo?

—En absoluto. Anda, volvamos al hotel. Aquí ya hemos terminado. Vamos a prepararnos y te explicaré el plan en la tranquilidad de la habitación —le dijo, mientras comenzaba a andar a un paso bastante rápido.

Markus la siguió como pudo. No intercambiaron ni una sola palabra durante los casi diez minutos que les costó regresar al Hotel Reina Victoria.

Entraron en su habitación y se sentaron. Cornelia seguía sin pronunciar ni una sola palabra.

—¿Sabes? —Markus rompió el hielo—. Se supone que somos compañeros. Ambos debemos de conocer la operación y el objetivo de una manera clara, como siempre. Ya sabes cuál es nuestro lema. Dos personas, pero un solo equipo. Pues ahora mismo, no veo el equipo por ninguna parte.

Cornelia miró a Markus. Tenía motivos para estar enfadado, ya que no había compartido con él sus planes ni sus objetivos, pero había llegado el momento de descubrir sus cartas.

—Sé que estás molesto porque no estoy compartiendo cierta información contigo, pero te aseguro que lo que no comparto es porque tampoco lo sé —mintió a medias Cornelia.

—¿Me estás queriendo decir que vamos a entrar en un edificio, en el que no se encuentra el Santo Cáliz, para robar algo que no es el objetivo de nuestra misión?

—Más o menos es así, aunque todo tiene una explicación lógica.

—¿Lógica? —repitió Markus—. Lo que estoy escuchando es cualquier cosa menos lógica. No saber qué vamos a robar sí que me parece un problema.

—Bueno, pues entonces ese problema lo tenemos los dos, porque yo tampoco lo sé, pero no te preocupes, luego te explicaré el motivo. Ahora, me gustaría conocer tu opinión acerca de lo que has visto hoy.

Markus no entendía a su compañera, pero la obedeció.

—La catedral es un edificio casi impenetrable. Sus muros y puertas son sólidos. Los componentes que hemos comprado en la droguería, para fabricar explosivo casero, no nos servirán de nada. Por otra parte, supongo que, los alguaciles que hemos visto, también estarán durante la noche. Habrá vigilancia interior las veinticuatro horas, pero eso no me preocupa, estamos entrenados para ello. El problema es conseguir entrar.

—¡Muy bien, Markus! Has hecho un análisis muy acertado. Por eso no entraremos, sino saldremos.

—¿Qué? —Markus iba de sorpresa en sorpresa.

Cornelia empezó a mentir, pero lo hacía con una soltura que asustaba.

—¿Para qué te crees que entraremos esta noche en la iglesia? La Virgen de los Desamparados, más conocida por los valencianos, en su propia lengua, como la *Geperudeta*, que, traducido, sería algo así como la *Jorobadita*, es muy venerada en *la* ciudad. La iglesia que la alberga es un templo construido en el siglo XVII, también con gruesos muros y puertas sólidas. Debido a la popularidad de la Virgen, estará también vigilado las veinticuatro horas. Nos servirá de entrenamiento para nuestro plan. Evaluaremos sus virtudes y sus riesgos, pero no en el escenario principal. Si funciona, lo podremos aplicar a nuestro objetivo, que sigue siendo el Santo Grial. Por eso te decía que no sabía qué íbamos a robar. Supongo que algo habrá de valor, aunque, en realidad, nos da igual. Ya improvisaremos, porque eso no es lo importante.

Ahora, Markus comprendió el motivo de querer entrar en la iglesia.

—Hablas de «nuestro plan», pero yo no lo conozco.

—Pues en tu propio análisis está la clave. El plan es de lo más básico. Ya sabes lo que pienso en las operaciones tácticas de campo. Cuando más simple es un plan, más posibilidades tienes de que salga todo como estaba previsto. En este caso, el plan consiste en entrar cuando el edificio esté abierto al público y permanecer escondidos hasta que cierre sus puertas. Ya habremos salvado el principal escollo. Luego, salir será más sencillo, ya que, o bien los vigilantes, o bien en el cuarto donde descansen, tendrán una copia de las llaves de las puertas. De una manera o de otra, de forma sigilosa, las conseguiremos. Piensa que tenemos toda la noche por delante.

Markus tuvo que reconocer que el plan era bueno.

—¿Y por qué no lo aplicamos directamente sobre la catedral y nos saltamos esa iglesia? —preguntó, con cierta lógica.

Cornelia siguió mintiendo.

—El plan supone algunas cuestiones que, en realidad, no conocemos con total seguridad. Hay imponderables. Me he fijado que los alguaciles, en ambos edificios, son municipales. Imagínate, por ejemplo, que los vigilantes no disponen de llaves de la iglesia. En ese caso, es de suponer que tampoco las tendrán los de la catedral. Prefiero representar el papel de turista borracha que se ha quedado dormida, junto con su pareja, fuera de nuestro escenario real de la operación. Como mucho, pasaremos una noche en los calabozos y pagaremos una multa, pero no tendrán ningún motivo para aumentar la vigilancia en la catedral. Somos unos simples estudiantes de Historia recién casados, no lo olvides. No recelarán nada. Además, Himmler insistió en que quiere una operación limpia, sin muertos. No olvides que España es un país amigo de Alemania, no podemos ir por ahí matando alguaciles.

—No es que me parezca un mal plan —reflexionó Markus—, pero no te reconozco. Siempre te muestras más valiente. Ahora estás tomando unas precauciones que, quizá, sean excesivas. Habitualmente sigues el camino más directo al objetivo. No te gusta dar rodeos.

Cornelia le hubiera gustado responderle que tenía razón, pero se tuvo que morder la lengua. Esa era la versión que debía de contarle y todo lo que, de momento, debía saber Markus. Si no se equivocaba, cosa que dudaba mucho que ocurriera, él mismo descubriría los verdaderos motivos de todo aquello en apenas un rato.

—Debemos prepararnos —dijo Cornelia—, la iglesia de la Virgen cierra al público en una hora. Ya sabes, ropa oscura y el calzado con suela de goma. Nada más, ni explosivos ni siquiera mi cuchillo. No solo no los necesitaremos, además, si nos descubren, comprometerían nuestra versión de ser unos simples turistas borrachos.

Markus asintió.

Se prepararon y, cuando Cornelia hizo un gesto, salieron del hotel. Llegaron a las puertas de la iglesia de la Virgen de los Desamparados, veinte minutos antes de su horario de cierre. Entraron y se arrodillaron en uno de los bancos de madera, el más próximo a una de las capillas laterales, que ya habían elegido como su escondite, cuando cerraran. Las sombras que proyectaban las columnas, junto con su vestuario negro, les ayudarían a camuflarse. Ya lo habían hecho en infinidad de ocasiones, aunque, eso sí, no en el interior de un templo católico.

Cuando faltaban cinco minutos para el cierre, Cornelia le hizo un gesto a Markus. Había llegado el momento de camuflarse. Se levantaron con sigilo y accedieron a la capilla lateral.

Observaron como la iglesia se había vaciado. Se apagaron las luces. Un alguacil cerró las puertas. No lo podían ver desde su posición, pero escucharon el sonido.

Markus buscó con la mirada a su compañera. No la pudo ver. «Desde luego, es increíble cómo se camufla», pensó. «¿O realmente no está?», se preguntó.

Se preocupó.

Con sigilo, se movió alrededor de la capilla, casi rebuscando en cada rincón.

Ya no tenía ninguna duda.

Cornelia había desaparecido.

44 VALENCIA, NOCHE DEL 30 AL 31 DE MARZO DE 1943

Markus se sorprendió, no tanto por el hecho de que Cornelia se hubiera escabullido en su presencia sin que se diera cuenta. Era especialista en eso. Su sorpresa era porque no le había dado instrucciones de cómo debía actuar. Se encontraba agazapado, entre la penumbra de una capilla lateral y no sabía qué debía de hacer. Ante la falta de instrucciones, decidió no hacer nada y esperar.

«Supongo que habrá ido a hacer una primera inspección general del templo», pensó. «En ese caso, es mejor que ejecute el reconocimiento una persona sola, y ella es mejor en eso».

No obstante, no le gustaba no haber sido advertido. Tenía que reconocer que Cornelia se estaba comportando de un modo extraño. Siempre habían actuado como un equipo y compartido toda la información, pero ahora tenía la desagradable sensación de que le ocultaba algo.

De todas maneras, no tenía más alternativa que esperar su regreso.

Se entretuvo haciendo una inspección visual del altar. Si tenían que elegir algo que robar, suponía que se debería encontrar allí. «Así mantengo mi mente ocupada», se dijo.

Observó el altar, en penumbra.

A pesar de no poder ver todos los detalles, le pareció precioso. Supuso que la venerada Virgen de los Desamparados sería la situada en el centro del altar. Pensó que quizá llevara alguna joya digna de ser sustraída, para completar el plan que había trazado Cornelia.

«Pensando en Cornelia, sigue sin aparecer», se dijo, mientras miraba su reloj.

Media hora.

Mientras pensaba si se debía empezar a preocupar, se llevó un buen susto.

—No —escuchó a sus espaldas.

Markus tenía a Cornelia justo detrás de él.

—No, ¿qué?

—Que no tienes por qué preocuparte, que era lo que estabas pensando —le respondió, con una pequeña sonrisa—. He hecho un reconocimiento previo. Tan solo hay un alguacil, que se encuentra sentado en un pequeño cubículo junto a una de las puertas principales. Aunque solo haya uno, vale por dos, ya que mide casi como yo. He estado esperando un buen rato, para ver si hacía rondas de vigilancia y su periodicidad, pero me da la impresión que su intención es dormirse.

—Eso es perfecto —dijo Markus—. ¿Has visto las llaves?

—En la habitación donde se encuentra tan solo hay una pequeña taquilla con ropa colgada en su interior. Es muy austera. No se observan llaves por ninguna parte, pero me he dado cuenta de que, a la altura de su cinturón, la chaqueta de su uniforme le hace una protuberancia irregular. No es un arma, pero su forma podría ser compatible con un manojo de llaves.

—Que las lleve encima puede ser un inconveniente, si se encuentra sentado en un cuarto pequeño. No podrás quitárselas sin que se dé cuenta.

—No si se duerme, cosa que no creo que tarde en suceder. Ese será mi cometido, no te preocupes por ello.

—¿Y el mío? No pienso quedarme esperando aquí.

—Ya sabes cuál es tu parte del plan, buscar algún objeto de valor que robar.

—Me he fijado en el altar. Parece la parte más rica de este templo. Se encuentra la Virgen. He pensado que quizá porte alguna joya de interés.

—¡Exacto! —dijo Cornelia, haciéndose la sorprendida—. Vuelve a observar el altar. A su derecha, verás una puerta. Detrás de ella hay unas pequeñas escaleras que dan acceso a una estancia, llamada antesala del camarín. Desde allí se accede al propio camarín, que está justo a espaldas de la Virgen, únicamente separada por una vitrina de cristal. Durante la Guerra Civil Española, la imagen sufrió desperfectos y, cuando la guerra terminó, fue restaurada, añadiéndole una corona de plata dorada, enriquecida con piedras preciosas y alhajas. Ese podría ser un buen objeto para sustraer. El único inconveniente es que estarás muy expuesto, ya que, si el guardia se levanta, te podría ver casi desde cualquier posición del templo.

—¿Cómo puedes saber todo eso? —le preguntó Markus. Los conocimientos de Cornelia le parecieron chocantes. Hacía un rato aparentaba no saber nada de esta iglesia y, ahora, aportaba detalles de lo contrario.

—¿Por qué te crees que ostento la Cruz de Hierro? Me preparo muy a conciencia mis misiones —Cornelia intentó desviar la atención de Markus. «Quizá deba ser más discreta», se dijo. Se había dado cuenta de la extrañeza de su compañero.

—Entonces, ¿qué hacemos ahora?

—Lo primero, esperar a que se duerma el guardia. Después, sabotearé el panel eléctrico del templo.

—¿Por qué?

—Es una medida de seguridad adicional. Ni siquiera llevamos una hora aquí adentro. Es posible que, más tarde, haga rondas de vigilancia. Tampoco sabemos si enciende las luces para ello. Imagínate que, justo en ese momento, estás sustrayendo la corona de la Virgen. Te tendrá enfrente de sus ojos, al descubierto. Esos son los imponderables de los que te hablaba y por lo que estamos en este templo y no en la catedral —continuó mintiendo Cornelia.

—¿Cómo sabré cuándo es el momento adecuado para robarla?

—Primero debes esperar a que le sustraiga al guardia las llaves. Si ese bulto no lo fueran, deberíamos pasar al «plan B» y hacernos pasar por turistas borrachos, ya que no podremos salir de la iglesia. En ese caso no tendrías que hacer nada. Yo te avisaré.

—Perfecto —le respondió Markus.

—Sitúate en posición y espera mis instrucciones —le ordenó, mientras volvía a desaparecer.

Cornelia se aproximó con sigilo al cubículo donde estaba sentado el alguacil. Seguía allí, aunque continuaba despierto. Estaba leyendo un libro. Pensó que aquello podría ser un inconveniente, primero porque se le veía interesado en la lectura y segundo, porque no podía cortar la electricidad del templo, ya que lo advertiría de inmediato. No le quedaba más que esperar a que cayera en los brazos de Morfeo.

Pasó una hora y nada cambió.

Cornelia estaba acostumbrada a estas esperas. En las operaciones de campo, siempre había que actuar en el momento adecuado y ello, en ocasiones, suponía aguardar en silencio, preparada, durante muchas horas. Nada nuevo.

Markus también estaba acostumbrado a las esperas, por ello no se extrañó del prolongado tiempo que llevaba en el camarín de la Virgen. Tal y como se lo había descrito Cornelia, le separaba tan solo una puerta de cristal con una pequeña cerradura. No sería un problema para abrirla, era antigua y no pensaba que fuera a hacer el suficiente ruido como para despertar al vigilante. Su parte de la misión la tenía controlada. Tan solo debía de aguardar a las instrucciones de Cornelia.

Pasó otra hora más. Ya era casi la una de la madrugada.

De repente, Markus notó una mano en su espalda. Como era habitual, no había escuchado nada.

—¡Por favor, Cornelia, no me des estos sustos!

—Me gusta ver tu cara de sorpresa —le respondió—. Es muy graciosa.

—Te veo de buen humor. Supongo que has completado tu parte de la misión.

—Sí. Al final, el celador se ha dormido. El bulto que llevaba bajo su uniforme eran las llaves, como presumí. He tardado un poco en reunirme contigo porque las he probado todas, para asegurarme de que abrieran las puertas principales de salida.

—Supongo que lo habrán hecho.

—En realidad, no, pero no importa.

—¿Qué dices?

—No te alteres —dijo Cornelia, que no parecía haber perdido la sonrisa en su rostro—. Mira este plano.

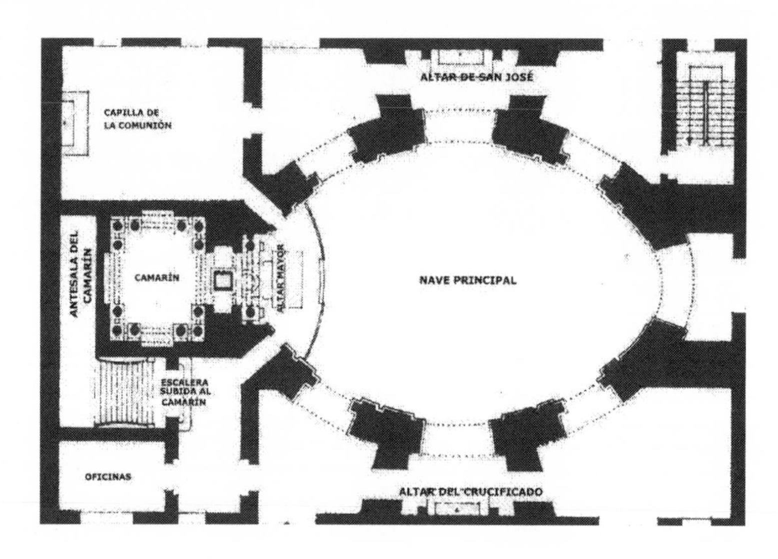

—¿Desde cuándo tienes esto en tu poder? —Markus no daba crédito.

—Eso no importa ahora. Según este plano, el templo debería tener seis puertas de acceso, pero he comprobado que tan solo dispone de cinco. Una de ellas está cegada. De las cinco que restan, están las dos principales, por donde hemos entrado, que son las situadas en la parte inferior del plano.

Hay otra que da justo enfrente de la catedral, pero quiero que te fijes en la parte superior.

—Sí, veo dos puertas más.

—Una da acceso al museo, pero la otra es perfecta, sale al exterior del templo por la parte trasera, a la calle de la Leña. El celador sí que tenía llaves de esa puerta. Se ve que es por la que accede el personal del servicio del templo.

Ahora, Markus comprendió el buen humor de Cornelia. Una vez más, sus planes parecían funcionar.

—Bueno, voy a manipular la cerradura de esta vitrina y a hacerme con la corona de la Virgen.

Para sorpresa de Markus, Cornelia, con un objeto que tenía en su mano, rompió el cristal. El ruido hizo eco en todo el templo. Sonó como un gran estruendo.

—¿Te has vuelto loca? —Markus se quedó mirando a su compañera—. Es imposible que el celador no haya escuchado este escándalo.

—Te aseguro que lo que es imposible es que lo haya escuchado —le respondió Cornelia, con esa mirada gélida que te quitaban las ganas de seguir preguntando. Además, Markus tenía claro el motivo. Al menos, eso creía.

A veces, las apariencias engañan.

45 VALENCIA, NOCHE DEL 30 AL 31 DE MARZO DE 1943

—No te entiendo, Cornelia. Podría haber abierto la cerradura de la vitrina con facilidad. ¿A qué ha venido romper el cristal? —Markus estaba pasmado por la reacción de su compañera.

—Si pretendemos que esto pase por un auténtico robo de unos aficionados, no podemos demostrar ciertas habilidades —le respondió Cornelia, que, tan solo hoy, le había contado más mentiras a Markus que en los tres años anteriores.

—Dejaste muy claro que no habría muertos en esta operación —insistió.

—¿Quieres darte prisa y tomar la corona de la Virgen? —ahora, Cornelia se puso seria.

Markus le obedeció. Con cuidado de no caerse, se apoyó en la figura de la Virgen de los Desamparados y le retiró la corona. La verdad es que el aspecto era muy lujoso.

—Supongo que debe ser un gran tesoro.

—En realidad, no vale gran cosa. Aunque sea dorada, no es oro, es plata, y las alhajas y las piedras tampoco son nada del otro mundo. Por otra parte, ni siquiera tiene un valor sentimental para los valencianos, ya que es de muy reciente fabricación. Me consta que no les ha gustado la restauración que se le hizo de la imagen de la Virgen después de la Guerra Civil, hasta el punto de que proyectan hacerle otra en los próximos años.

—Cornelia, me empiezas a asustar. Tu nivel de conocimientos acerca de este templo y de la Virgen es asombroso, con plano incluido. Esto no lo has podido preparar en un par de horas.

—Es cierto, pero enseguida lo comprenderás todo.

—¿Qué es lo que comprenderé?

—Para empezar, desvístete.

Markus se quedó con la boca abierta.

—¿Crees que es el momento y el lugar adecuado? —le respondió, desconcertado.

—¡No, idiota! —exclamó Cornelia—. Debemos ponernos estos uniformes.

Extendió encima de una mesa dos trajes de alguaciles.

—Como ya te había dicho, el celador, afortunadamente, era de gran tamaño. Le he quitado el traje que llevaba puesto y he tomado el de repuesto, que tenía colgado en la taquilla.

—¡Cornelia! ¡No estás improvisando! Te conozco lo suficiente, todo esto formaba parte de tu plan desde el principio. Demasiadas casualidades. Ya sabías la estatura del guardia y que tenía otro uniforme en la taquilla, incluso antes de entrar aquí.

—Es posible, pero haz el favor de darte prisa —le respondió con una sonrisa, mientras ella misma se despojaba de su ropa sin ningún pudor.

Markus hizo lo propio.

En apenas unos minutos, se habían convertido en dos alguaciles de la ciudad. Los uniformes les venían algo pequeños, sobre todo a Cornelia, pero apenas se notaba. Además, la chaqueta lo disimulaba.

Cornelia se recogió su melena rubia en un moño, que ocultó tras la capucha de la chaqueta.

—¿Parezco un hombre?

—Cornelia, por favor. Pareces una alguacil guapísima.

—Entonces no me vale —dijo, mientras se revolvía el pelo por la parte de delante—. No existen alguaciles femeninas.

—Pues lo tienes un poco difícil, y no solo por tu melena, ya me entiendes... —dijo Markus, sin poder reprimir una sonrisa.

—¡No me mires los pechos! —le replicó Cornelia, que, a pesar del inconveniente, parecía de buen humor—. Bueno, cuando salgamos a la calle, tomaré tu chaqueta y me la echaré por encima, junto a la mía. Creo que entre eso y la penumbra de la noche, podrá colar de aquí al hotel.

—Si eso es lo que tú quieres... —Markus no estaba nada convencido de que el disfraz fuera a funcionar.

Ahora, Cornelia pareció cambiar de actitud de forma súbita.

—Escúchame con mucha atención, Markus. Es muy importante que, a partir de ahora, sigas mis instrucciones al pie de la letra, sin rechistar, por extrañas que te parezcan. ¿Lo comprendes?

—Por supuesto —Markus, ahora, sentía curiosidad.

—Cuando salgamos por la puerta, nos encontraremos con la calle de la Leña, vacía, justo enfrente del Palacio Arzobispal. Nos encaminaremos a la derecha, en dirección al hotel, por la parte lateral de la catedral. Al poco de andar, nos encontraremos con un grupo de personas, entre tres y cuatro. Limítate a permanecer junto a mí y callado. Yo intercambiaré unas breves palabras con ellos y seguiremos andando. Pase lo que pase, no hagas nada. ¿Lo tienes claro?

—¿Cómo puedes saber todo eso? —Markus estaba asombrado.

—Ahora, eso no importa. Lo fundamental es no llamar la atención. No quiero más preguntas, tan solo que hagas lo que te he dicho. De verdad que es importante.

—Lo que tú ordenes.

Se dirigieron hacia la puerta de salida, que se encontraba en el otro extremo del templo. Cornelia sacó un manojo de llaves de uno de los bolsillos de su chaqueta y la abrió.

—Naturalidad —le recordó Cornelia—. Somos una pareja de alguaciles en ronda por la ciudad.

—Por supuesto.

Cerraron la puerta a sus espaldas. Tal y como había previsto Cornelia, la calle estaba desierta a estas horas de la madrugada.

Anduvieron hacia el puente que unía el Palacio Arzobispal con la catedral. En ese momento, aparecieron dos parejas de jóvenes, que estaba claro que venían de tomar alguna copa, por su actitud festiva.

Cornelia se dirigió al grupo.

—Bona nit. On aneu a estes hores de la matinà?

Markus hizo todo lo posible por mantener su compostura. La voz de Cornelia parecía la de un hombre acatarrado, además, hablando un idioma desconocido con un acento que jamás le había oído emplear.

—Bona nit i bona ronda. Venim de casa d'uns amics, però la festa ja ha acabat.

Había respondido una de las dos chicas del grupo.

—No són hores per a caminar per la ciutat. Aneu amb compte —le respondió Cornelia.

—No es preocupen que ens anem a casa ja.

Cornelia les hizo un saludo de despedida, y cada uno se fue por un lado diferente, el grupo de jóvenes hacia el Palacio Arzobispal y ellos, camino de su hotel.

Cuando se alejaron, Markus le dirigió una mirada de lo más extraña a su compañera.

—De las mil preguntas que tengo por hacerte, ¿me podrías explicar de qué he sido testigo exactamente?

—De la confirmación de mi teoría. Tenía razón desde el principio. Ahora, nuestra prioridad es llegar al hotel cuanto antes, no sea que nos crucemos con otros alguaciles auténticos.

—¿Qué idioma es ese qué estabas hablando? ¿Y ese acento tan marcado?

—Es valenciano, la lengua local.

—¿Lo hablas?

—¡Por favor, Markus! —exclamó—. Ya sabes que domino muchos idiomas. Mientras tu especialidad es la ingeniería, la mía es la infiltración en países extranjeros. Para ello, es fundamental el conocimiento a fondo de sus lenguas. ¿Por qué te crees que me seleccionó Himmler para esta misión? ¿Por mi melena rubia y ojos azules?

—No, ya veo que no —Markus estaba impresionado y no era para menos. Que Cornelia, con sus cánones de belleza nórdica, se hubiera hecho pasar por un rudo alguacil hablando en una lengua local, sin despertar ninguna sospecha de su impostura, era lo más sorprendente que le había visto hacer, que ya era mucho decir.

Llegaron al hotel. El recepcionista se extrañó por ver a dos alguaciles.

—¿Ocurre algo, señores?

—No es preocupe, és una patrulla de rutina. Últimament han hagut alguns furts. En uns quinze minuts baixem.

El conserje hizo un gesto afirmativo con la cabeza. Cornelia le tuvo que dar un tirón a Markus, que parecía hipnotizado con aquella situación.

Entraron en su habitación.

—Bueno, ahora que estamos solos, quiero que... —empezó a decir Markus.

—Escucha, no estamos solos. Ve al baño, toma el tinte rubio y te lo aplicas. No me importa su resultado, debes dejar de ser moreno —le dijo, mientras ella iba en busca de las tijeras.

Para la absoluta sorpresa de Markus, Cornelia empezó a cortarse su espléndida cabellera rubia.

—¿Qué esperas? No creo que dispongamos de mucho tiempo. ¡Vamos! —casi le gritó, ante la inacción de su compañero.

En apenas media hora, Markus era un joven rubio y Cornelia se había trasformado por completo. Ahora esa una chica morena de pelo corto.

—Ahora, la ropa que compré.

—Cornelia, no entiendo nada —dijo Markus.

—¡Ya lo harás! ¡Ponte la ropa de una vez! —le dijo en un tono que denotaba urgencia, pero también tensión.

Markus obedeció. Cornelia también se puso la ropa que habían comprado, junto con las gafas. Ambos se miraron al espejo.

—Increíble —dijo Markus—. No nos parecemos a nosotros mismos. Nos hemos echado encima quince o veinte años, entre la ropa, la caracterización y el pelo. Ahora nos asemejamos a un matrimonio de mediana edad.

—Entonces, es perfecto, justo lo que pretendía. Empaqueta todas nuestras pertenencias en la maleta, incluidos todos los envases y utensilios que hemos utilizado. Que no quede ni rastro en la habitación de lo que acabamos de hacer. Nos vamos de Valencia.

—¡Qué dices! —exclamó Markus—. Tenemos una misión que cumplir aquí.

—¡No cuestione mis órdenes, teniente! Debemos de huir de la ciudad lo más rápido posible. Estamos a menos de diez minutos de la Estación del Norte. Tomaremos el próximo tren.

—Si me lo permite, capitán, ¿para ir adónde?

—Al piso franco de la célula. Ahora sí, necesito una máquina *Enigma* para comunicarme con el *Reichsführer* de forma urgente.

—¡Pero si desconocemos su ubicación!

—La desconocerás tú, yo hace tiempo que la sé.

Markus estaba completamente desarbolado. No entendía nada de lo que estaba sucediendo a su alrededor.

—¿Qué es lo que ha cambiado desde nuestra llegada a España?

—Aunque te resulte extraño, un simple cubo de arena.

—¡Cornelia, otra vez eso! No me respondas cosas que no comprendo. Me has dicho, hace un momento, que me lo ibas a explicar todo en el hotel.

—¿De verdad que no te has enterado aún?

—¿De qué me tengo que...?

—¿De verdad que no has reconocido a la persona con la que acabo de mantener una conversación en valenciano? —le interrumpió Cornelia.

—Pero si no conozco a nadie en esta...

—¡Por favor, Markus! ¡Era Michelle, la supuesta francesita de Calpe!

46 VALENCIA, NOCHE DEL 30 AL 31 DE MARZO DE 1943

—Señor, necesito que me autorice la entrada ya.

—¿Está completamente segura de lo que hace? Ya sabe que nos estamos excediendo en nuestra jurisdicción.

—Por supuesto. He visto como entraban, pero no han salido. Cada minuto cuenta.

—Ha hecho un magnífico trabajo, no me gustaría que lo echara por tierra.

—No lo haré, señor. Ya sabe todo lo que le he demostrado. Confíe en mí.

Se hizo un pequeño silencio al otro lado de la línea. Se notaba que el interlocutor estaba valorando cómo proceder. Se trataba de un tema delicado.

—Está bien, tiene mi autorización, puede entrar. Espero no arrepentirme.

—Gracias, señor, procedo inmediatamente —dijo, mientras cortaba la comunicación.

Esta conversación la estaba manteniendo la teniente María Aguilar con su comandante y jefe de unidad, Antonio Sarmiento.

María, tal y como sospechaba su comandante, le había pedido una semana de vacaciones, pero no para descansar. Estaba empeñada en que había sido un error abandonar la vigilancia del piso franco de Calpe. Aquella célula alemana secreta había incumplido todos sus protocolos de seguridad, al quedarse demasiado tiempo activa en la misma ubicación. Los alemanes no cometían esos errores. La única conclusión lógica es que no había sido un error. Si permanecían allí era porque tenían órdenes de hacerlo. El siguiente paso en el razonamiento lógico llevaba a la posibilidad de que estuvieran esperando a alguien.

Maria debía de reconocer que había tenido suerte. Sabía que se había producido un ataque a un submarino alemán cercano a las costas de Calpe, pero lo que no se esperaba es encontrarse, justo al día siguiente de su llegada, a una pareja de alemanes, en la playa más próxima al lugar del hundimiento. Parecía un regalo de Dios.

Los recogió en su coche. Tal y como se imaginaba, después de que le contaran el típico cuento de que eran una pareja de alemanes recién casados haciendo turismo por España, le pidieron que les llevara a la casa que tenían alquilada.

Esa casa.

Era el mismo piso franco donde se había ocultado la célula alemana. Estaba claro que ellos eran el «paquete» que estaban esperando, por eso no se habían movido de su posición.

Hizo su papel de turista francesa que viajaba con su novio, al tiempo que les tomaba unas fotografías de forma discreta, desde la distancia.

De inmediato se puso en contacto con su comandante, que, a su vez, pasó las imágenes a la Tercera Sección de Información del Alto Estado Mayor, que se ocupaba de la inteligencia española. Inmediatamente fueron identificados como la capitán Cornelia Schiffer y el teniente Markus Rietschel, pertenecientes al *Sicherheitsdienst,* la inteligencia de élite de las *SS* alemanas.

Se encendieron todas las alarmas.

Al conocer sus identidades, el comandante Antonio Sarmiento ordenó trasladar su unidad especial a Valencia, con carácter inmediato. Tan inmediato que, en apenas unas horas, ya se encontraban todos en la ciudad. Establecieron su cuartel general provisional en una parte de la segunda planta del edificio de Correos y Telégrafos, sito en la plaza del Generalísimo, a apenas cincuenta metros del Hotel Reina Victoria.

La teniente Aguilar estaba en la puerta, junto con la persona que tenía las llaves.

—Ya ha escuchado las órdenes del comandante Sarmiento, abra la puerta de inmediato.

Así lo hizo.

En primer lugar, irrumpieron los dos miembros del equipo de intervención de la unidad, los sargentos Gamón y Verdú, seguidos por el capitán Borrás y la teniente Aguilar, todos con sus pistolas *Astra 400* en la mano, apuntando al frente.

—Está oscuro —afirmó el capitán Borrás.

—¿Qué esperabas, que nos recibieran con las luces encendidas?

—Desde que comandas la unidad, a pesar de ser teniente, te has vuelto un poco antipática —le recriminó.

—Lo siento, Carlos, pero es la tensión —dijo, mientras se giraba hacia el sacristán—. ¡Quiero luz! Ilumine todo esto.

—Señora, el cuadro de luces está inutilizado.

—¿Dónde está el celador?

—Su garita de seguridad se encuentra junto a las puertas principales de la entrada.

—Sargentos Gamón y Verdú, hagan un reconocimiento completo. Vayan con mucho cuidado, nos enfrentamos a una pareja muy peligrosa, aún sin disponer de armas. Si los ven, no pregunten nada, dispárenles a las piernas, los quiero vivos —ordenó la teniente, que ahora se giró hacia el capitán—. Carlos, acompáñame a la garita del vigilante.

Se aproximaron con cautela. La oscuridad les impedía ver con claridad. En dos minutos estaban frente a ella. La puerta estaba cerrada. El capitán Borrás la derribó de inmediato.

En el suelo, estaba el cuerpo del alguacil.

—Tiene pulso, no está muerto —dijo Carlos.

—¡Despiértalo!

El capitán lo tomó por la cabeza y se la levantó. De repente, pareció volver a la vida.

—¿Qué pasa? ¿Quiénes son ustedes? —preguntó asustado el vigilante.

—No se preocupe, somos de la policía.

—¿Qué hacen a estas horas aquí? El templo está cerrado.

—¿No recuerda nada? —preguntó María.

—Bueno, supongo que he pegado una pequeña cabezada y me he caído al suelo, golpeándome.

—¿Usted solo? ¿No ha sido atacado por nadie? —ahora preguntaba el capitán.

—No, señor. ¿Quién lo iba a hacer? Le repito que el templo está cerrado.

El sacristán entró en el cuarto. Ya no cabía nadie más.

—¿Y ese pequeño golpe que tiene en la cabeza?

—No quiero que se enfade conmigo, sacristán, pero creo que me lo he producido yo mismo. Mire esa piedra del suelo, también tiene un poco de sangre. Me he debido caer y perder en conocimiento, porque no he visto ni oído nada extraño en toda la noche.

—¿Se ha mirado bien? ¿No nota que le falta algo?

El alguacil aún estaba aturdido por el golpe, pero se observó a sí mismo.

—¡Mi uniforme! ¿Qué ha pasado con él? —se preguntó, aturdido—. No recuerdo habérmelo quitado.

—En realidad, no recuerda nada —le respondió el capitán.

En ese momento, se aproximó a la puerta la sargento Gamón.

—Teniente, el templo está despejado. La única incidencia es que han robado la corona de la Virgen de los Desamparados.

—¿La corona? —se extrañó María Aguilar. Se giró hacia el sacristán—. ¿Se trata de un objeto valioso?

—No, señora. Es muy reciente y es de plata, a pesar de su aspecto dorado.

—¿Se le atribuye algún poder esotérico o algo por el estilo?

El sacristán se escandalizó.

—¡Señora! Esa corona se fabricó hace tres años escasos. En cuanto a poderes esotéricos, me temo que no le puedo ayudar, pero si lo que me está preguntando es que si se trata de una reliquia religiosa con alguna significación especial para los católicos, le diré que no. No tiene un valor económico ni sentimental más allá de llevar tres años en la cabeza de nuestra *Geperudeta*. Si los ladrones pensaban que estaban robando algo valioso, me temo que se han equivocado.

Maria y Carlos se quedaron mirando.

—Rápido, al hotel. Esto acaba de ocurrir ahora mismo. Se habrán refugiado en su habitación.

—Traeré el coche hasta la puerta —dijo Carlos—. Os recojo allí en un segundo.

Batieron el récord de velocidad. En menos de cinco minutos ya se encontraban en la recepción del Hotel Reina Victoria.

En cuanto el conserje los vio entrar por la puerta, de inmediato salió a su encuentro. Los visitantes se anticiparon.

—Soy la teniente Aguilar y mi compañero el capitán Borrás. Junto con mis otros dos compañeros, formamos parte de una unidad especial de la inteligencia militar.

—¿inteligencia militar? ¿Qué pasa esta noche? —preguntó incrédulo el conserje.

—¿Por qué me pregunta eso?

—Hace poco más de media hora se han presentado dos alguaciles municipales. Me han dicho que venían a hacer una patrulla y que en quince minutos bajarían. ¿Ha ocurrido algo grave? Ya sabe que la fama y el prestigio de este hotel en la ciudad...

—¡Cállese! —dijo María, que ahora se encontraba furiosa consigo misma. Había estado hablando con ellos hacía apenas una hora y no los había reconocido. Era imperdonable—. Esos alguaciles, ¿han salido del hotel?

—No, teniente.

—¿En qué habitación se hospeda esa pareja de curiosos turistas alemanes que llegaron ayer?

—Señora, son casi las tres de la madrugada. Comprenderá que no sean horas para molestar a huéspedes de este hotel.

—Le doy diez segundos o me lo llevo detenido. Yo misma tengo autoridad para mirarlo en el libro registro, ¿me ha comprendido? ¡Deme el número de habitación ya!

El conserje se asustó tanto que casi se cae. Abrió el libro.

—Habitación 111, en el cuarto piso —dijo, acongojado, mientras le daba una copia de la llave.

—Sargentos Gamón y Verdú, suban por las escaleras. El capitán y yo cubriremos el ascensor. Hasta que no estemos los cuatro junto a la puerta, no procederemos a asaltar la habitación. No creo que porten armas, pero no olviden que son extremadamente peligrosos.

En apenas dos minutos se encontraban reunidos. La teniente pegó su oído a la habitación.

—Confirmación positiva, se encuentran en su interior. Las instrucciones son las mismas que en la iglesia. Nada más los vean, dispárenles a las piernas. Les recuerdo que los quiero vivos. No utilizaremos la llave, nos podrían escuchar. Irrumpiremos por sorpresa, derribando la puerta. A mi señal, sargentos Gamón y Verdú, procedan.

—Estamos preparados —respondió la sargento Gamón.

El capitán Borrás y la teniente Aguilar se situaron en posición, con sus armas en la mano.

—¡Ahora! —ordenó María.

47 EN LA ACTUALIDAD, VALENCIA, 30 DE JULIO

—¡Mañana nos vamos, chicas! ¿No estáis emocionadas?

—Casi ni me lo creo —Almu respondió a Carol—. Tantos años invitándoos a mi casa de verano que ya creía que no queríais venir.

—Sabes que no es así, Almu, pero nos teníamos muy vistas. Entre el colegio, luego la universidad y nuestras reuniones semanales en el *pub* Kilkenny's, supongo que, en verano, nos apetecía cambiar —le respondió Rebeca.

—¿Me tenías muy vista?

—Es una manera de hablar, ya me entiendes. Además, no te quejes. Vamos a estar las cuatro juntas, probablemente en el mejor momento de nuestras vidas. Dicen que los veintidós años son mágicos.

—¡Eso! —dijo Carol—. Pienso llevarme el nuevo vestuario que me he comprado.

—¡Pero si decidimos irnos a Denia ayer por la mañana! —intervino Carlota, que estaba muy callada. Con lo que ahora conocía de ella, no sabía cómo mirarla. «Esa pijería es natural, no me creo que pueda ser impostada».

—Tú no sabes un sábado de compras lo que da de sí —le respondió Carol.

—No, no me lo imagino —le respondió.

Se habían reunido las cuatro en casa de Carlota para preparar los pormenores. Era domingo por la tarde y habían decidido que comenzarían sus vacaciones mañana mismo. Curiosamente, había sido Carlota la que había propuesto la fecha. Todas se mostraron entusiasmadas.

A las doce partirían hacia Denia. El medio de transporte estaba decidido. La única que disponía de vehículo era Almu. Carlota y Rebeca ni siquiera tenían carné de conducir. Carol se lo sacó a los dieciocho años, pero, desde entonces, no había vuelto a conducir. Decía que no tenerlo era ordinario, pero aún lo era más utilizarlo, existiendo los chóferes, los taxis y los aviones. Rebeca y Carlota eran de bicicleta y trasporte público.

—No se os ocurra llevaros todo vuestro armario —les advirtió Almu—, que no cabremos.

—¿El apartamento es pequeño?

Almu sonrió. También lo hizo Rebeca, pero nadie se dio cuenta.

—Lo que es pequeño es mi coche. Una maleta cada una será más que suficiente.

—¿Una? ¡Si eso me ocupan solo mis zapatos! —protestó Carol.

—Pues tendrás que prescindir de ellos. ¿Dónde te crees que te vas? Allí la gente viste muy informal, salvo por las noches, que se arreglan un poco más, pero nada de modelos de alta costura ni nada de eso.

—¡Ah! ¿no? —Carol pareció decepcionada.

—Yo ya he hecho mi maleta —dijo Rebeca—. He empaquetado un poco de todo, pero nada de *modelazos*.

—¡Porque no los necesitas, bonita! —intervino Carlota—. Con un saco de patatas ligarías igual que con un *Reem Acra*.

Rebeca se picó con su hermana.

—A ver, la cazadora de tíos buenos, ¿qué herramientas te vas a llevar?

—Para empezar, la falda más corta me llega por la cintura —le respondió.

—¿Te atreves? —le preguntó Almu.

—No solo yo. Pienso llevarme un modelo para ti, que creo que te vendrá como un guante, nunca mejor dicho. Vas a triunfar.

—¿En serio vas a hacer eso? Mira que ya me conoces.

«¿La conozco de verdad?», no pudo evitar pensar. Con todo lo *pija* que era Carol, le parecía más auténtica. Sin embargo, la pose de *mojigata* de Almu le parecía más impostada. «Me parece que me estoy volviendo paranoica». Levantó la vista. Su hermana la estaba mirando, divertida.

—Almu, aprovecha tus curvas. Si sigues mis instrucciones, la primera noche que salgamos, triunfarás.

—¿Qué hay instrucciones para eso?

—Tan solo dos. Estar al lado de Rebeca y luego hacer lo mismo que yo.

Todas se rieron, porque sabían que Carlota tenía razón. Desde luego que ella era guapa y su pelo pelirrojo le daba un cierto toque exótico, que sabía explotar a la perfección, pero no había color al lado de Rebeca, que era un *bellezón* que rompía los cánones. Carlota siempre decía que las lobas siempre cazan en manadas y necesitan un señuelo que, en su caso, era Rebeca. Servía de imán instantáneo para los chicos y también para las chicas. Era aparecer en cualquier local y enseguida captar la atención de todos y todas. Luego ya llegaba Carlota y recogía los frutos. Carol tampoco se quedaba atrás, pero se fijaba más en el vestuario y el estilo que en cualquier otra cosa. Para terminar, Almu era demasiado vergonzosa. Ya que le habían fastidiado las vacaciones en Ibiza, Carlota se había propuesto trasformar a Almu.

—¿Solo haciendo eso ya ligaré? —preguntó con ingenuidad.

—Eso y dejar que te arregle yo.

—¡Esto promete! —Carol seguía emocionada—. Aunque en una maleta no sé qué me voy a llevar. Tendré que repetir modelo más de una noche. Eso resulta embarazoso.

—¿Qué más da eso? ¿Sabes cuál es el mejor modelo para Denia?

—No sé, me pillas. Quizá lo último que presentó en París la modelo Cara Delevingne, *casual* pero sin renunciar a un toque de distinción.

—Te equivocas —le respondió Carlota, que era toda una entendida en materia de moda. Era una *influencer* en redes sociales de gran prestigio. Su cuenta de *Instagram* era todo un referente para sus centenares de miles de seguidores.

—Entonces, según tú, ¿cuál sería el mejor modelo para Denia? —insistió Carol, que estaba interesada.

—El más fácil de quitar.

Todas se rieron, porque sabían que Carlota hablaba en serio.

—Creo que van a ser unos días memorables —intervino Rebeca—. Podremos bajar a la playa, hablar y divertirnos juntas. ¿Qué más se puede pedir?

—Tú lo has dicho —dijo Almu, que las palabras de Carlota la habían animado.

En realidad, Rebeca esperaba mucho más que eso. Una pequeña revolución en su universo, que ni siquiera Carlota era capaz de ver.

Estaba segura de que, después de estas vacaciones, ya nada volvería a ser como antes.

48 VALENCIA, NOCHE DEL 30 AL 31 DE MARZO DE 1943

—¡Esperen! ¡Alto! —ordenó en el último momento la teniente María Aguilar. Los sargentos Gamón y Verdú estaban a punto de echar abajo la puerta de la habitación 111.

—¿Qué ocurre, María? —preguntó el capitán Carlos Borras.

—Por los sonidos que escucho en el interior de la habitación, podrían estar en el baño, dándose una ducha. Si derribamos la puerta nos escucharán. Creo que será mejor idea usar la llave, con sigilo. Podemos pillarlos desprevenidos.

—Parece buena idea —corroboró el capitán.

—Yo abriré la puerta —afirmó la teniente—. En cuanto entremos en la habitación, quiero que ustedes dos —dijo, dirigiéndose a los sargentos—, se aseguren de que la habitación está despejada. El capitán y yo entraremos en el baño. Recuerden todos que los queremos vivos, pero, insisto, se dispara a las piernas antes de preguntar.

—Está claro —respondieron los tres.

Maria introdujo la llave en la cerradura y la giró, con extremo cuidado. No produjo ningún ruido. Con las manos hizo un gesto, quería decir que iba a abrir la puerta. Podría ser un momento crítico.

Así lo hizo. La puerta tampoco hizo ningún sonido al abrirse.

De inmediato, entraron los dos sargentos, que se distribuyeron por la lujosa habitación. Después de ellos, la teniente y el capitán. Miraron a los sargentos, que le hicieron la señal de «todo despejado». Las voces provenían de allí.

—Carlos, tú ocúpate de la ducha. Ni siquiera quites de cortinilla, dispara a través de ella. Yo te cubriré y me ocuparé de la segunda persona, si está en el exterior de la ducha.

Tenemos que completar el asalto en dos segundos. Todo lo que exceda de ese tiempo, es ventaja para ellos —murmuró María.

El capitán asintió con la cabeza.

—Irrumpieron en el baño. Se escucharon dos disparos del arma del capitán y uno del de la teniente. Los sargentos entraron a continuación.

El espectáculo era curioso.

La ducha seguía echando agua y la cortinilla tenía dos agujeros, pero detrás de ella no había nadie. Tampoco en el resto del cuarto de baño.

Las voces que escuchaban provenían de una radio, que ya la había silenciado la teniente descerrajándole un tiro.

—¡No están! —exclamó el capitán.

—Eso es evidente —le respondió la teniente—, pero se han marchado a toda prisa, no creo que haga más de unos minutos. El agua caliente de la ducha estaba encendida, pero los cristales no han llegado a empañarse todavía.

—Está claro que es un escenario preparado. Sabían que íbamos a venir a buscarlos —dijo el capitán.

—La capitán Schiffer me debió de reconocer cuando nos cruzamos cerca de la catedral. Es extraño. Me habló en valenciano y yo le respondí en su mismo idioma, intentando ocultar mi acento mallorquín. ¿Cómo pudo identificarme?

—Eso ahora no importa, María. Cada segundo cuenta.

—Tienes razón —le respondió—. Bajemos de inmediato al vestíbulo a hablar con el conserje. Si han salido del hotel, los ha debido de ver.

Abandonaron la habitación a toda prisa.

María lo abordó de inmediato.

—¿Qué ha ocurrido? —les preguntó el recepcionista, al verlos llegar tan alterados.

—¿Ha visto salir a los dos turistas alemanes?

—No, señora. Ya pasan de las tres de la madrugada. A estas horas, como comprenderá, la recepción del hotel está muy tranquila.

—¿Ha salido alguna otra persona?

—Tampoco.

—¿El hotel dispone de otras salidas?

—No. Por supuesto está la cocina, que dispone de comunicación con el exterior, pero a estas horas está cerrada con llave.

—¿Podemos verla?

—Claro, yo les acompaño.

En dos minutos estaban allí. Los dos oficiales examinaron la cocina y los sargentos lo hicieron con el comedor. No había nadie.

—Por aquí no han salido —concluyó el capitán—. La cerradura de la puerta está intacta.

—Si no han salido por ninguna de las dos puertas del hotel, es posible que aún se encuentren en su interior —le respondió María.

—Como mera posibilidad, podría ser, pero piensa que, si te han reconocido, como todo parece indicar, es que saben que les estábamos siguiendo la pista. Ya tendrían preparado de antemano un plan de escape. No es probable que ese plan de huida consista en quedarse en el interior del hotel. Saben que lo podemos sellar y examinar habitación por habitación, aunque sea mañana por la mañana. No lo veo lógico. Esto es una ratonera —razonó Carlos Borrás.

Maria se quedó pensativa.

—Creo que tienes razón. No volveremos a cometer el error de Calpe, mantendremos la vigilancia sobre el hotel, aunque creo que, de alguna manera que desconocemos, han huido. Volvamos a la recepción. Quiero hablar con el comandante.

María dio instrucciones a la sargento Gamón que se quedara de guardia en la puerta exterior de la cocina y al sargento Verdú que hiciera lo propio con la puerta principal del hotel. No quería que, aprovechando su relajación, si aún seguían en el interior del hotel, huyeran.

—Deme línea —dijo María al conserje, que se puso en contacto con su comandante, que se encontraba a apenas cincuenta metros de ella, en el edificio de Correos y Telégrafos.

—Señor, han escapado.

—¿Cómo es posible, si estaban vigilados?

—Suponíamos que estaban en el interior de la iglesia de la Virgen de los Desamparados, pero consiguieron escapar, quitándole las llaves al alguacil. Se disfrazaron.

—¿Y en el hotel?

—Aquí estamos ahora mismo. Ni rastro de ellos. Por lo visto, debieron advertir nuestra vigilancia. Se anticiparon a nuestros actos y han huido. He ordenado a los sargentos que permanezcan en el hotel, por si volvieran o aún estuvieran en su interior, pero lo considero poco probable. Señor, necesito que ordene de inmediato una cosa.

—¿Qué quiere ahora?

—Si saben que les seguimos la pista, lo más lógico es que intenten abandonar la ciudad, aunque sea por unos días, para despistarnos. Mande un equipo a la Estación del Norte. La manera más lógica de huir de la ciudad es por ferrocarril.

—De acuerdo —le concedió el comandante—. En cuanto al capitán Borrás y a usted, acudan a nuestra base. Hemos de reevaluar la situación.

—Como usted ordene —la teniente Aguilar colgó el teléfono.

—Carlos —dijo María, dirigiéndose a su compañero—, regresamos a la base.

—Pues vamos para allí.

—En cuanto a usted —ahora la teniente se dirigía al conserje—, los dos sargentos permanecerán, de una manera discreta, vigilando las dos entradas del hotel. Por la mañana serán relevados. Quiero que les faciliten todo lo que precisen.

—Por supuesto, teniente.

—Y si observa o recuerda algo fuera de lo normal, nos lo haga saber de inmediato —dijo, mientras le entregaba una tarjeta.

Cuando estaban saliendo por la puerta del hotel, escucharon al conserje.

—¡Esperen!

María y Carlos se giraron de inmediato.

—¿Qué ocurre?

—Cuando ha hecho referencia a algo fuera de lo normal, me ha venido a la cabeza una cosa.

—Dígame —le urgió María.

—No creo que tenga ninguna relación con el caso, pero, poco antes de que ustedes llegaran, el matrimonio Fuster ha abandonado el hotel. Me ha extrañado por las horas, pero me han dicho que debían de regresar a su pueblo, Sueca, porque había enfermado la madre de ella de forma súbita.

—¿No podían ser los turistas alemanes disfrazados?

—¡Por supuesto que no! Los alemanes son una pareja de veinteañeros. El matrimonio Fuster rozará los cuarenta. Además, da la casualidad de que yo nací en ese pueblo y sé reconocer el idioma valenciano con acento de Sueca. Los turistas tan solo chapurreaban el español, además, con un acento alemán inconfundible.

—¡Mierda! —exclamó la teniente.

49 VALENCIA, NOCHE DEL 30 AL 31 DE MARZO DE 1943

—¿No crees que te estás pasando de paranoica? Llevamos un día de lo más extraño.

—Un día más de trabajo en la oficina. En realidad, ha sido muy rutinario, salvo por las prisas finales.

—¿Rutinario? No se me ocurre una palabra más inapropiada para definirlo.

—Te equivocas. Todo lo que ha sucedido hoy estaba previsto y planificado. Aunque no lo creas, mi plan ha salido a la perfección, aunque aún falta que logremos salir de la ciudad.

Markus seguía sin comprender gran cosa.

—O sea, que entrar en la iglesia de la Virgen con el objeto de robar su corona, para luego destruirla y arrojarla por el retrete, en lugar de hacernos con el Santo Grial, ahora resulta que era tu plan desde el principio. Fantástico. No entiendo nada.

—Markus, el cubo de arena que vimos en la casa de Calpe era una señal. Estaba claro que desentonaba de una forma notable con el resto del camuflaje del piso franco. Eso solo podía significar una cosa, que la célula había sido descubierta y habían tenido que huir de forma precipitada, pero tuvieron tiempo de dejarnos una señal, con la esperanza de la comprendiéramos. Probablemente se pasaron del tiempo prudente de espera en una misma ubicación, gracias a que nuestro comandante del submarino, con tu colaboración, se desvió del destino donde nos debía dejar, para dedicarse a hundir mercantes, saltándose las órdenes del *Reichsführer* y perdimos dos semanas preciosas.

—¿Aún me reprochas eso? Ya sabes que creía que tú también lo sabías.

—Markus, eres un oficial del Sicherheitsdienst. Sabes que no debes de dar nada por supuesto.

—Ya te he pedido mil veces perdón.

—Lo único que pretendo es que aprendas de tus errores. Es posible que haya muerto gente de la célula que nos aguardaba por la arrogancia del comandante del *U-Boot* y tu falta de comunicación conmigo. No debe de volver a ocurrir.

—Hablando de falta de comunicación, ahora, que estamos andando en solitario por la calle, camino de la Estación del Norte, ¿me podrías explicar qué ha ocurrido hoy?

—Es muy sencillo. Desde el mismo momento que vi el cubo de arena, comprendí su significado. Como te acabo de contar, la célula fue descubierta. Sabemos que tenían instrucciones de esperarnos. Si no lo hicieron no fue por su propia voluntad. En ese caso, el siguiente paso lógico en el razonamiento es que ese piso todavía podía estar vigilado. Recordarás que antes de entrar, hicimos un reconocimiento perimetral. Estaba despejado. ¿Quién fue a la única persona que vimos en Calpe?

—¡Michelle! Ahora lo entiendo.

—Desde el principio me pareció extraño que una francesa hablara con acento de Mallorca, aunque se esforzara en parecer de París, pero, en ese momento, no le di importancia. En las islas Baleares hay una colonia importante de extranjeros, aprovechando sus playas y su clima.

—No deja de sorprenderme tu dominio de los idiomas. No solo los hablas, sino que eres capaz de reconocer acentos locales.

—Ya te he dicho que estoy bien entrenada. Si quisiera, me podría hacer pasar por una rusa de Moscú y no se daría cuenta ni el propio Stalin bebiendo vodka con él. Pero no nos despistemos, que no tenemos mucho tiempo hasta llegar a la estación. Como te comentaba, después de observar el piso, lo tuve claro, por eso te dije que nos teníamos que marchar de forma inmediata de aquel lugar. La tal Michelle era buena. Me había conseguido engañar, aunque fuera tan solo por unos minutos. Sospechaba que nuestra situación estaba comprometida y que nos podrían estar vigilando. Por eso reservé dos habitaciones en el hotel, aprovechando el cambio de turno del conserje, una con nuestra documentación y otra a nombre de un supuesto matrimonio de Sueca, apellidados Fuster. Sé que es un nombre común allí, así que no llamaría la atención. Además, creo que el conserje que nos ha visto entrar en el hotel hace un momento, disfrazados de alguaciles, también es de Sueca. No sospechó nada cuando me despedí de él. Con ese apellido y simulando el acento, no tuvimos problemas.

—¡Por eso no entramos en la catedral a por el Santo Grial! —exclamó Markus, que empezaba a comprender las cosas.

—Claro. Tenía que confirmar que mis sospechas eran fundadas. Si nos vigilaban, no podíamos arriesgarnos a que sospecharan que nuestro objetivo era el Santo Grial. Por eso elegí montar esa pequeña función de teatro en otro lugar, en este caso, en la iglesia de la Virgen de los Desamparados, a medianoche. Cuando salimos de ella, ya era de madrugada. Si nos estaban vigilando, ya no podrían camuflarse entre el bullicio habitual de la gente, ya que, a esas horas y en ese lugar, no debería haber nadie. Bueno, nadie no. Nuestros vigilantes quedarían expuestos, como así ocurrió. ¿Recuerdas que te llamó la atención que me dirigiera a aquel grupo de jóvenes en lengua valenciana?

—Sí, me pareció extraño.

—Pues era para confirmar que se trataba de la supuesta Michelle. Yo le hablé en valenciano y ella también lo hizo, pero con un acento mallorquín muy marcado. A partir de ahí, creo que ya no hace falta que te explique más. Mi teoría estaba confirmada. Ejecutamos el plan que tenía preparado de escape, y aquí estamos. Parece que no lo he hecho del todo mal.

—¿Mal? Yo nunca me hubiera dado cuenta. Tan solo hablo tres idiomas, pero el español es el peor de todos. Jamás hubiera podido reconocer esos matices, como los acentos.

Estaban a apenas cincuenta metros de la estación, su destino. Se dispusieron a entrar.

De repente. Cornelia le dio un tirón a la chaqueta de Markus.

—¡Qué idiota! —exclamó.

—¿Qué ocurre?

—Hemos de suponer que nuestros perseguidores, a estas horas, ya habrán entrado en nuestra habitación del hotel.

—¿Y qué?

—Markus, dejamos la radio y la ducha encendidas, en el interior del baño, para dar la apariencia que nos encontrábamos en la habitación y hacerles perder el tiempo, que nosotros necesitábamos para alejarnos de ese lugar. Es de suponer que si creían que no sabíamos que nos estaban siguiendo, ahora ya no tendrán ninguna duda de que han sido descubiertos y que tratamos de escapar.

—Bueno, eso lo había comprendido hasta yo. Es lo más lógico.

—No, no es eso. Si saben que les hemos descubierto y que estamos escapando, es muy posible que se planteen que tratamos de huir de la ciudad. Si ese es el caso, ¿cuál es el medio de transporte más evidente?

—¿El tren? —preguntó Markus.

—¡Exacto! —le respondió Cornelia, al mismo tiempo que, con disimulo, cambiaban de dirección hacia la Plaza de Toros, que se encontraba justo al lado de la Estación del Norte.

—Actúa con naturalidad.

Cuando se encontraron a una distancia prudencial de la estación, Markus se dirigió a Cornelia.

—¿Y ahora qué hacemos? Aunque quizá nos hayamos salvado por los pelos, llamamos la atención andando por la ciudad a estas horas.

—Tú lo has dicho, llamamos la atención «andando».

—¿Qué quieres decir?

—Que yo ya te he demostrado mis habilidades con los idiomas, ahora toca que tú demuestres las tuyas con la mecánica.

—¿No estarás insinuando que...?

—Exacto. Vas a robar un coche.

Markus se quedó mirando a Cornelia.

—No tendré ningún problema, pero sabes que nos estamos arriesgando mucho. Necesitaré dos o tres minutos. Estamos en el centro de la ciudad, cualquiera nos podría ver.

—Eso es lo de menos.

—Y una vez tengamos el coche, ¿qué pretendes que hagamos con él? ¿Movernos por la ciudad hasta que se nos acabe la gasolina o se haga de día, lo primero que ocurra?

—No. Como ya te había dicho, nos marchamos de Valencia.

—¿A cualquier lugar? ¿Se trata de huir por huir?

—No, nos vamos al castillo de arena.

50 VALENCIA, NOCHE DEL 30 AL 31 DE MARZO DE 1943

—¿Así que ahora estamos buscando a un matrimonio de Sueca, cuyo aspecto físico desconocemos, pero que no se parecerán en nada a nuestros «turistas» alemanes?

—Eso parece, señor. Por todos los acontecimientos del día de hoy, creo que han estado jugando con nosotros. Se suponían vigilados y se han asegurado de ello. Es un hecho de que disponían de un plan de escape, organizado desde el principio del día.

—Entonces, ¿han huido a Sueca? ¿Cómo se supone que lo han hecho? Hemos controlado a las pocas personas que han entrado en la estación y ninguno eran los que buscábamos.

—Me temo que les hemos perdido. No tengo ninguna prueba de que puedan estar camino de Sueca. Supongo que el acento y el apellido eran una treta para despistarnos, así que no deberíamos tener en cuenta ese detalle. Con toda probabilidad, será otro engaño más.

—Es razonable.

—Pensaba que tenía la situación controlada, pero, en realidad, eran ellos los que nos controlaban a nosotros. Lo siento de verdad, señor, creo que no he estado a la altura.

El comandante Sarmiento se levantó de la mesa y puso una mano en el hombro de la teniente Aguilar.

—Todo lo contrario. Ha hecho una excelente labor. Si no llega a ser por usted, desconoceríamos la presencia de esos agentes infiltrados alemanes. Lo que ocurre es que estamos tratando con un equipo del *Sicherheitsdienst*, no lo olvide. Son la élite de la inteligencia europea.

—Esa no es una excusa, señor. Nosotros también estamos preparados y entrenados. Me debí de dar cuenta de que no tenía demasiado sentido asaltar la iglesia de la Virgen. Lo de la sustracción de su corona, supongo que habrá sido otra treta más, con el objeto de que los periódicos de la ciudad y la propia policía local traten el incidente como un simple robo, por malhechores comunes, sin investigar más allá.

—No sabemos cuál era el motivo de su presencia en Valencia, pero se debía de tratar de algo importante, cuando Himmler se toma tantas molestias para infiltrar a dos agentes suyos utilizando un *U-Boot*.

—Precisamente por eso, debo hacerle una petición.

—Adelante, teniente.

—Mantengamos nuestra base en Valencia. Usted, si lo desea, puede volver a nuestro cuartel en Madrid, pero permita que nos quedemos el capitán Borrás y yo, con tres o cuatro efectivos más. Tengo la impresión de que han huido de la ciudad porque han sido descubiertos, pero regresarán. Fuera cual fuere su misión, no la han podido completar.

El comandante Sarmiento se quedó pensativo.

—Me acaba de decir que cree que han huido de la ciudad y que no sabe dónde se pueden encontrar, ni siquiera ve la población de Sueca como una ubicación posible.

—Así es.

—A pesar de su creencia, en realidad, tampoco sabemos con certeza si van a regresar, ahora que conocemos que han sido descubiertos. Si reflexiona un poco, ya sabe que Himmler dispone de otros agentes en España. ¿No sería más lógico que enviara a otros que no seamos capaces de reconocer?

—No lo creo, señor. Si se ha tomado tantas molestias en enviar, precisamente, a estos dos, será por algo, aunque tengo que reconocer que su razonamiento también es posible.

—Aun así, ¿insiste en que mantengamos este operativo en Valencia?

—Sí, mi comandante.

—¿Me podría dar tan solo un motivo con algún fundamento, para que ordene semejante cosa? Hasta ahora tan solo he escuchado conjeturas rebatibles.

—Señor, por toda la actividad frenética de hoy, no he tenido tiempo de redactar el correspondiente informe operativo del día. ¿Sabe qué lugar han visitado, antes de dirigirse a la iglesia de la Virgen?

—Supongo que ahora me lo dirá.

—La Catedral de Valencia. Han estado una media hora deambulando por ella.

—Bueno, si se supone que son dos turistas alojados en el Hotel Reina Victoria, la Lonja y la Catedral de Valencia son dos de los monumentos más cercanos al hotel.

—No me ha comprendido, señor. ¿Sabe cuál ha sido su primer destino en el interior de la catedral, en el que han pasado más de quince minutos?

Ahora, el comandante cayó en la cuenta.

—¿No me diga que en la capilla del Aula Capitular?

—Exacto, señor. Todos conocemos que Himmler anda buscando el Santo Grial desde hace muchos años. Ya lo intentó a finales de 1940 en España, en Montserrat. ¿Quién no nos dice que ahora se ha fijado en Valencia? ¿Sabe lo que supondría que fuera robado?

—Pero ese tema excede de nuestras atribuciones. Nuestra misión es localizar células alemanas en posesión de máquinas *Enigma*, no proteger reliquias religiosas.

—Si su objetivo es el Santo Grial, tenga por seguro que volverán a Valencia. Podemos matar dos pájaros de un tiro. Ahora mismo, supongo que estarán buscando una máquina *Enigma* para comunicarse con Alemania. En realidad, no estamos contraviniendo nuestras órdenes ni nos excedemos en nuestras competencias, señor. Seguimos tras la máquina de cifrado.

—Me intenta liar, teniente, no crea que me doy cuenta.

—Sabe que tengo razón.

—Eso es lo malo —dijo el comandante—. No sé si esto me causará problemas con la Tercera Sección de Información del Alto Estado Mayor, pero adelante, pueden quedarse, pero lo harán sin cobertura oficial y tan solo usted y el capitán Borrás. Se alojarán en el Hotel Reina Victoria. El resto del equipo regresaremos a Madrid. De lo contrario, llamaríamos la atención. Piense que estamos ocupando unas dependencias de un edificio gubernamental.

—Será suficiente, señor, se lo agradezco de verdad.

—Actúen con cautela e informen si vuelven a localizar a esos alemanes. Si lo hacen, no se enfrenten a ellos sin solicitar refuerzos.

—¿Tan peligrosos son los agentes del Sicherheitsdienst? Son personas como nosotros.

—Se equivoca. No son personas.

51 CAMINO DE ALGÚN LUGAR EN LA COSTA MEDITERRÁNEA, 31 DE MARZO DE 1943

—¿No crees que ha llegado el momento de dejar de ser tan enigmática conmigo? ¿Qué es eso de que nos vamos a un castillo de arena?

—Markus, eres todo un teniente de los servicios de inteligencia de las *SS*. Fuimos compañeros en la academia. Te recuerdo que te graduaste como oficial del *Sicherheitsdienst* con el número dos de tu promoción. Eso es un grandísimo logro.

—Mayor lo fue la persona que logró graduarse con el número uno.

—No te compares con otros. Eso no le resta ni un ápice a tu gran preparación.

—¿Cómo no quieres que me compare a mi compañera de misión? No solo destacaste sobre los demás en la academia con notable diferencia, sino que eres la única de toda la promoción que ya ostenta el grado de capitán, por no hablar de la Cruz de Hierro de primera clase. Si completas con éxito esta misión, tendrás otro ascenso asegurado, por no hablar de que te impondrán la siguiente condecoración de la lista, la Cruz de Caballero. A tu edad, nadie la posee. Además, siendo una mujer. Serás famosa, ya que Goebbels no perderá la ocasión de utilizarte para sus campañas de propaganda.

—¿No crees que te estás pasando? Estamos muy lejos de completar esta misión. Te recuerdo que hemos sido descubiertos y estamos alejándonos de nuestro objetivo. En cualquier caso, que yo sepa, este equipo está formado por dos personas. Es más fácil que te asciendan a ti a *Hauptsturmführer*, mi rango actual, que a mí a

Sturmbannführer, simplemente por mi edad. Dudo que nadie ostente ese rango con veintidós años, cumplidos hace apenas un mes. Además, ahora hemos de centrarnos en escondernos, no en ensoñaciones presuntuosas.

—Eso es lo que te llevo preguntando desde hace tiempo. ¿Dónde lo vamos a hacer? Veo que hemos tomado el mismo camino hacia Calpe.

—Vamos cerca de allí, pero es mejor que no sepas el lugar exacto hasta que lleguemos.

—¿Por qué?

—Por seguridad. Acabamos de robar un vehículo en las cercanías de la Estación de Norte. Dadas las horas que son, no creo que su propietario lo haya advertido todavía. Ten en cuenta que, en cuanto lo haga, lo denunciará. Es muy posible que la gente que nos persigue se entere y ate cabos.

—¿Quieres decir que nos pueden estar siguiendo?

—Nadie nos sigue, ya me he asegurado de eso, pero no sabemos cuándo lo podrían hacer. A estas alturas, ya te habrás dado cuenta de que Michelle y su equipo son bastante buenos. A pesar de todas las precauciones que tomé, nos podrían haber atrapado en el hotel. Nos escapamos por minutos. No me cabe ninguna duda de que acabarán dando con nuestra pista. Tan solo debemos centrarnos en ser más rápidos que ellos.

—O sea, después de todo este rollo que me has soltado, la conclusión es que no me piensas decir adónde vamos.

—En realidad, ya te lo he dicho al comenzar el viaje. Vamos al castillo de arena —Cornelia se permitió una tímida sonrisa.

—Porque vas conduciendo, si no, te pegó un empujón —también sonrió Markus.

Necesitaban liberar la tensión. Algo de humor no les venía mal.

—Tranquilo —dijo Cornelia—. De no mediar incidente, en apenas quince minutos habremos llegado y te lo podré explicar todo. Aguanta un poco esa curiosidad.

—Pues no pienso decir nada más hasta que me expliques las cosas.

«Pues mejor», pensó Cornelia, pero no quiso decirlo en voz alta. Su compañero tenía sus motivos y ella los suyos.

Al cabo de esos quince minutos, entraron en una población costera. Parecía más importante que Calpe.

—¿Dónde estamos?

—En nuestro destino, Denia.

Markus observó el paisaje que se vislumbraba desde la carretera.

—¡El castillo! —dijo, señalando hacia el puerto —. ¿Es ese el motivo de que estamos aquí?

—Tan solo en parte. En Denia hay más de treinta fábricas de juguetes que venden por toda España e incluso fuera de ella, gracias a que dispone de buenas comunicaciones, tanto ferroviarias como marítimas. Resulta curioso que la primera persona que iniciara esta industria en la ciudad fuera un compatriota nuestro, el empresario alemán Juan Ferchen. ¿Sabías que Denia es considerada la capital del juguete, con permiso de Ibi?

—No, pero lo que me intriga es cómo lo sabes tú.

Cornelia se rio.

—En este caso, no es erudición. De pequeña, mis padres me regalaron un juguete fabricado aquí. Aún lo recuerdo, consistía en unas piezas de madera que, una vez ensambladas, formaban un castillo.

—El castillo otra vez, voy a acabar harto.

—¡Mira ese cartel de allí! —exclamó Cornelia—. Mi castillo de madera era muy parecido a ese.

—¿Teléfono 1? ¿En serio? —rio Markus.

—Recuerda de nuevo que esto no es Berlín. Estamos en una pequeña población de la costa alicantina.

—Lo que recuerdo es que me habías prometido informarme de todo cuando llegáramos a nuestro destino. Pues ya lo hemos hecho. Cumple con tu palabra.

—Bueno, nadie nos ha seguido hasta aquí, supongo que ya te puedo informar. Lo voy a hacer muy breve, porque ya conoces una parte de la historia. La célula que nos estaba esperando en Calpe se vio descubierta, probablemente por el mismo equipo comandado por Michelle. Cada célula la forman cuatro personas, dos activas y expuestas y dos inactivas y ocultas. Las dos activas fueron eliminadas y las dos inactivas consiguieron escapar.

—¿Cómo puedes saber todo eso?

—Te lo he dicho mil veces. Nos dejaron una señal, el cubo de madera con forma de castillo. Eso quiere decir que esas dos personas se trasladaron al siguiente piso franco de la lista.

—Por el juguete y el castillo, supones que se trata de Denia, ¿no es así?

—Claro.

—Pero este pueblo es grande. ¿Cómo piensas encontrar una aguja en un pajar? ¿No pretenderás que vayamos casa por casa?

—¡No, idiota! —rio Cornelia—. ¿No te has dado cuenta de que no he detenido el vehículo y nos estamos dirigiendo a una dirección concreta?

—¿Cómo lo puedes haber deducido, viendo tan solo un cubo con forma de castillo?

—¿No te diste cuenta de que estuve examinando ese juguete un buen rato? Desde el principio supuse que se habían trasladado a Denia, pero tenía que haber algo más, hasta que lo encontré.

—¿Qué? —ahora Markus se mostraba muy interesado.

—Es evidente, un lugar más concreto dentro del pueblo.

—Eso no puede ser verdad. Yo también tuve en mis manos ese juguete y no había ningún papel oculto en él.

—Porque no era un papel. Era el fabricante del juguete y su dirección.

—¿La célula se ha ocultado en una fábrica de juguetes? —preguntó incrédulo Markus.

—No, supongo que no, pero, sin duda, lo estará en su misma vecindad.

—¿Y cómo pretendes que la localicemos «en su misma vecindad»? Suena algo vago.

—Ellos saben que los debemos estar buscando. Cuando lleguemos allí, tendremos que encontrar su segunda señal.

—¿Y qué se supone que es su segunda señal?

—¡Y yo qué sé! —exclamó Cornelia—. Soy buena deduciendo cosas, pero no soy adivina. Tendremos que circular a baja velocidad y buscar aquello que nos llame la atención. ¡Y no me hagas más preguntas, que ya te he contado todo lo que conozco!

—¿Falta mucho para llegar?

Cornelia quitó una mano del volante, para darle un pellizco en la pierna de su compañero. Ambos se rieron. Una vez más, dejaban escapar su tensión y nerviosismo a través de las risas.

—Ya hemos llegado. Ahí enfrente tienes la fábrica de juguetes de José Monllor, en la calle del Puente. Esa era la dirección que aparecía en la parte inferior del cubo de madera.

—¿Y ahora qué debemos buscar? —insistió Markus.

—Cualquier cosa que te llame la atención.

Estuvieron moviéndose con el coche, a baja velocidad, por todos los alrededores.

Nada.

—Me parece que vamos a cambiar de táctica. Llevamos más de media hora dando vueltas en círculos. Estamos llamando demasiado la atención, que es lo último que queremos. Aparcaremos el coche, justo enfrente de la fábrica de juguetes, y seguiremos andando.

—Nos vamos a dar una buena paliza a andar.

—Presumo que no. Creo que si nos mandaron a la calle del Puente, es porque deben estar ocultos en la calle del Puente. Vamos a centrarnos en esta zona en concreto. Con el vehículo se nos pueden escapar los pequeños detalles.

Cornelia detuvo el coche. Se quedó mirando a los alrededores.

—Markus, dirígete hacia la derecha y yo lo haré hacia la izquierda. Si ves algo inusual, no grites, tan solo quédate inmóvil y levanta la mano. Yo haré lo mismo. ¡Vamos, que pronto va a amanecer!

Markus se quedó quieto y levantó la mano.

—Sí, lo haces muy bien. Es exactamente así, pero ahora, ¡muévete!

—No me entiendes. Mira esa ventana.

Cornelia levantó la vista.

—¡Es un *U-Boot* de madera! —exclamó Cornelia—. Era tan pequeño que no lo hemos podido ver con el vehículo. Anda, Markus, abre la cerradura del portal. Esta vez no pienso romper la cristalera.

En apenas un minuto estaban frente a la puerta de acceso a la vivienda.

—¿Ahora qué? —susurró Markus—. ¿Abro también esta cerradura?

—No —le respondió Cornelia, que acababa de poner su oído en la puerta—. No se escucha nada, supongo que es normal, dada la hora que es. Estarán durmiendo. No podemos irrumpir en el piso, sin más. Nos podrían recibir a balazos, al no saber quiénes somos, en realidad. Primero, necesitamos atraerlos hacia la puerta.

—No podemos quedarnos aquí, cualquier vecino nos podría ver. Somos dos extraños sentados frente a una puerta. No hace falta que recalce lo sospechoso de nuestra actitud.

—Creo que puedo tener la solución. Es de suponer que los miembros de esta célula habrán sido entrenados en los procedimientos operativos del *Sicherheitsdienst*. Usaremos el toque de «entrada inminente». Ya sé que lo usamos para operaciones de combate y lo hacemos con las manos, sin hacer ruido, pero espero que lo comprendan.

Cornelia golpeó cuatro veces la puerta, con un ritmo muy concreto. Esperaron alguna respuesta del interior.

Nada.

Cornelia repitió la secuencia, con el oído pegado a la puerta.

—¡Atención, Markus! Se escucha algún movimiento en el interior. Estemos preparados, pueden no haber comprendido nuestra señal. Recuerda que están armados y con instrucciones de proteger la máquina *Enigma* por encima de sus propias vidas. Es importante que permanezcas en el suelo y me dejes hacer a mí.

Como esperaban, observaron cómo se abría ligeramente la puerta. En menos de un segundo, Cornelia prorrumpió en el piso con la celeridad de una gacela. Markus no escuchaba nada. A los cinco segundos exactos, Cornelia se asomó a la puerta.

—Despejado, puedes entrar.

Así lo hizo. Vio a dos personas en el suelo.

—¿Los has matado? ¿Era necesario?

—Portaban armas en sus manos. No podía permitir que dispararan. El escándalo habría despertado a los vecinos. He tenido que actuar de inmediato y aturdirlos.

—¿Aturdirlos? —dijo Markus—. ¿A dos miembros armados de las *SS*, en apenas unos pocos segundos y en completo silencio?

—Ya sabes, es otra de mis especialidades —le respondió con una sonrisa—. No te preocupes, en unos instantes recuperarán la conciencia. Toma una de sus armas y yo me quedaré con la otra.

Como había previsto Cornelia, en menos de un minuto, parecieron volver en sí.

Aquellas personas se quedaron mirando con espanto a sus dos intrusos, que portaban sus armas.

Cornelia les hizo un gesto tranquilizador con la mano.

—Somos amigos, no se preocupen. Mi compañero es el Obersturmführer Markus Rietschel y yo soy la Hauptsturmführer Cornelia Schiffer. Ambos pertenecemos al Sicherheitsdienst. Creo que nos estaban esperando.

Se levantaron de inmediato.

—¡A sus órdenes! Yo soy el Scharführer Martin Bauer y mi compañero es el Unterscharführer Walter Krämer. Llegan tarde, les esperábamos hace más de dos semanas.

—Lo sé y lo siento de verdad —continuó Cornelia—. Supongo que, por nuestro retraso, murieron sus dos compañeros.

—No creo que fuera ese el motivo principal, capitán Schiffer. Sabíamos que nos seguían la pista unos agentes franquistas.

—Entre ellos, ¿no estaría una chica rubia menuda, de unos veinticinco años?

—¿Cómo lo sabe? —le respondió el sargento primero Bauer, sorprendido.

—Digamos que también nos localizaron a nosotros, pero conseguimos zafarnos de ellos. Por ello, tengo que darme mucha prisa, no tengo nada claro que no nos hayan podido seguir la pista hasta aquí. Creo ustedes dos tienen instrucciones directas del *Reichsführer* con respecto a mí.

—Sí, capitán. Debemos darle acceso a la máquina *Enigma* para que se comunique de manera urgente con él —dijo, mientras le quitaba la tapa a una antigua máquina de coser.

—Perfecto —dijo Cornelia, mientras la observaba—. Ahora necesito que abandonen todos la habitación. La comunicación es confidencial.

—¡Por supuesto! —dijeron los dos sargentos, abandonando la sala principal de la vivienda y dirigiéndose a una habitación.

—Markus, tú también —le dijo Cornelia—. Ya sabes que tan solo yo estoy autorizada a escuchar las órdenes de Himmler, como jefa del equipo. Luego ya te informaré.

Markus salió del salón a regañadientes.

Cuando Cornelia se quedó sola, tecleó en la máquina la cabecera habitual.

0540 CS RF PRIVAT

Para su sorpresa, a pesar de la hora, recibió una respuesta inmediata.

0542 RHSA CS WARTEN

«¡Caramba!», pensó Cornelia, sorprendida. «En la *Reichssicherheitshauptamt*, la Oficina Central de Seguridad del *Reich*, sí qué están atentos a mi comunicación». Sabía que las oficinas de Himmler, que también hacían funciones de dormitorio privado, se encontraban en el propio edificio del Hotel Prinz Albrecht.

Le ordenaban esperar. Supuso que, en estos momentos, estarían despertando al *Reichsführer*.

A los cinco minutos escasos, recibió otra comunicación.

0537 RF CS PRIVAT TS

Cornelia se volvió a sorprender y, esta vez, no por la rapidez de la respuesta, sino por las dos últimas letras de la cabecera. «TS» era el acrónimo de la frase inglesa «TOP SECRET». Con la secuencia «PRIVAT» ya se suponía que era una comunicación confidencial, pero al añadirle esas dos letras, significaba que, fuera lo que fuese a comunicarle el *Reichsführer*, era solo para sus ojos y que no lo podía compartir con nadie.

«¡Qué extraño!», pensó Cornelia, que no recordaba ninguna comunicación anterior con Himmler que incluyera estas letras. Mientras pensaba a qué se podía deber, colocaba los cuatro rotores de la máquina *Enigma* en la posición indicada, en este caso «RCBR», para comunicarse de extremo a extremo con seguridad.

Otra cosa que le llamó la atención fue la extensión del mensaje. Himmler le había enviado el indicativo «5TLE», que quería decir que el mensaje constaba de cinco partes. Eso no era nada propio en el *Reichsführer*. Recordó que, en su comunicación en el interior del submarino, había recalcado que recibiría nuevas instrucciones para la operación y que eran muy importantes. «Sí que lo deben de ser. No creo que Himmler haya enviado un mensaje tan largo en toda su vida», pensó.

La máquina *Enigma* empezó a recibir el mensaje.

Cornelia empezó a leerlo. A medida que avanzaba, su semblante iba cambiando de color. Concluyó su lectura completa y volvió a empezar desde el principio.

Se puso en pie. Para su sorpresa, se mareó y tuvo que asirse de la máquina de coser, que ocultaba la máquina de cifrado.

No respondió de inmediato. Sintió que le faltaba el aire. Se acercó a la ventana, donde se encontraba depositado esa réplica de madera de un *U-Boot.* Aprovechó para cogerlo e introducirlo en la vivienda.

Volvió a la ventana y sacó la cabeza al exterior.

Necesitaba respirar.

Aquello no podía estar ocurriendo.

Era una auténtica catástrofe.

Escuchó a la máquina *Enigma* funcionar. Se obligó a cerrar la ventana y a acudir frente a ella.

Ante su silencio, Himmler le estaba solicitando confirmación de haber recibido el mensaje. Estuvo tentada de simular problemas técnicos y contestar que no lo había comprendido, pero se lo pensó mejor. Le respondió que confirmara sus órdenes. Sabía que ese mensaje no le iba a gustar al *Reichsführer,* pero aquello suponía un vuelco en su misión de consecuencias imprevisibles. Se suponía que estaba entrenada para estos cambios de escenario. «De todos los posibles, ¿tiene que ser este precisamente?», se preguntó.

No podía pensar con claridad.

Himmler le respondió confirmándole las órdenes, tal y como Cornelia esperaba, aunque no deseaba.

Por un momento, se planteó desobedecerle. Ese pensamiento le duró apenas un segundo. Sabía que no tenía alternativa, aunque aquello supusiera el fin.

«No me puedo engañar, no tengo elección», pensó, mientras tecleaba en la *Enigma* su confirmación de las instrucciones recibidas y su nueva misión.

Himmler le ordenó que las ejecutara con la máxima urgencia posible y cortó la comunicación.

Ahora, estaba ella sola, mirando a la máquina *Enigma.* La sacó de su escondite, la desconectó y la cerró sobre sí misma. Su tamaño se asemejaba a un gran maletín. La dejó sobre la mesa de la sala.

Entró en la habitación donde se encontraban los dos sargentos de las *Waffen-SS* y su compañero Markus. En apenas cinco segundos volvió a salir.

Antes de irse pasó por el baño. En un minuto más salió en solitario de la vivienda, con la máquina *Enigma.*

No tocó el vehículo con el que habían llegado. Lo dejó aparcado en la calle, justo debajo del piso franco.

Se marchó, a un paso rápido, hacia la estación de tren de Denia.

«Vuelta a Valencia», se dijo.

52 DENIA, 3 DE ABRIL DE 1943

—Tres cuerpos —dijo el capitán Sánchez, que era forense militar—. No les voy a aburrir con detalles técnicos, les han rebanado el pescuezo. Por su posición, fue a los tres a la vez y de forma muy rápida. Apenas tuvieron tiempo de reaccionar, por eso no se advierte ningún gesto de alarma en sus rostros.

—¿Quién es capaz de hacer una cosa así? —dijo la teniente Aguilar.

—Sin duda es un trabajo profesional de gran precisión. Esto no es un asesinato cualquiera —le respondió el forense.

—¿Cuándo fallecieron?

—Para una estimación exacta, debería hacerles las autopsias, pero me atrevería a aventurar que les mataron hará unos tres días. Los cuerpos no han empezado a descomponerse todavía, pero no les falta demasiado.

—¡Tres días! —exclamó la teniente, pegando un puñetazo de rabia encima de la mesa.

—No hay rastro de la máquina *Enigma* —comentó el capitán Carlos Borrás.

El comandante Antonio Sarmiento también estaba presente en la habitación. Había sido avisado por María Aguilar, en cuanto localizaron el piso franco en Denia.

—Ha hecho un gran trabajo, teniente. No tiene motivos para enfadarse —dijo el comandante.

—Sabe que no es así. He tardado demasiado. Supuse que escaparían de Valencia en tren y, la noche de su huida, centré mi vigilancia en la Estación del Norte. Una vez más, se adelantaron a mis movimientos. Debieron suponer que la estación estaría vigilada y robaron un coche.

—Esa eventualidad era imposible que la conociera. Nadie denunció el robo de ningún vehículo hasta la tarde del día siguiente. No es adivina, tan solo una buena investigadora.

—Es cierto, pero tuve que reaccionar más rápido.

—Eso era imposible. Tuvo el acierto de pasar el aviso a la policía para que le notificaran la sustracción de cualquier tipo de vehículo. Acertó.

—Pero eso sucedió el jueves 1 por la tarde. No tenía ni idea de adónde se podían haber dirigido.

—Tenía que haberme imaginado antes el lugar. Los restos de la célula que desarticulamos en Calpe no podían haber huido muy lejos. Tuve que ordenar una vigilancia de toda la zona, es busca de este vehículo.

—¡Pero sí que lo hizo!

—Sí, pero el viernes 2.

—Hoy es sábado 3 y ha localizado el piso franco de la célula. ¿No le parece que era difícil hacerlo más rápido?

—Lo único que sé es que una asesina anda suelta, que no tenemos ni idea de su aspecto físico actual y que nos lleva tres días de ventaja. O sea, que ha desaparecido. Ahora sí que no tenemos ni idea de su paradero ni pistas para localizarla.

—¿Qué han dicho los guardias que ha enviado a la estación de tren? Es de suponer que si no tomó el coche, porque sigue aparcado aquí abajo, se marcharía en tren.

—No recuerdan a ninguna muchacha joven tomando el tren.

—Los rasgos físicos de la capitán Schiffer no son ocultables con facilidad. Una mujer de más de 1,90 metros de altura no es común en España.

—¿Cómo sabe que era una mujer? Seguro que se caracterizó de hombre y se pondría unas gafas para ocultar sus ojos azules. Le aseguró que, si huyó en tren, pasaría desapercibida. De hecho, hemos interrogado no solo a los trabajadores de la estación, sino también a las personas que suelen tomar el tren a diario para ir a trabajar. Nadie recuerda nada.

—Bueno, ahora la vigilancia sobre el Santo Grial ha sido reforzada, tanto en el interior como en el exterior. Antes de cerrar la Catedral de Valencia, se hace una inspección ocular a fondo, para asegurarse de que no queda nadie oculto en su interior. Antes tan solo permanecía un alguacil en su interior, en el turno de noche. Ahora son cinco en el interior, más otros cinco en el exterior, vestidos de paisano.

—¿De verdad cree que eso la detendrá? Mire esos tres cuerpos. Murieron de forma simultánea, sin enterarse siquiera de lo que les estaba pasando. Estamos hablando de tres agentes de la inteligencia de las *SS*, no de ciudadanos cualquiera. Los alguaciles serán un juguete para ella.

—¿Insinúa que debemos reforzar aún más la vigilancia? Ya me ha costado mucho convencer a las autoridades locales que destinen a veinte alguaciles, en turnos de doce horas, de forma permanente. No andas sobrados de efectivos.

—Lo que me espanta es que ella quería que encontráramos este piso franco. De lo contrario, hubiera movido el coche a cualquier otro lugar. Al final, hubiéramos encontrado los cuerpos de igual manera, pero cuando los vecinos percibieran el olor a podrido. Podría haber pasado una semana más. Eso implica que le daba igual. ¿No me diga que no le asusta?

—Ya lo había pensado.

—Nos lleva tres días de ventaja. Supongo que habrá calculado que son suficientes para cumplir su misión, sea cual sea, y que no necesita más tiempo.

—Debe ser una agente formidable —dijo el comandante, pensativo.

En ese momento entraron en la habitación dos personas.

—¡Y tanto que lo es! —dijo uno de los recién llegados.

—Perdonen, este es el escenario de un crimen y estamos al cargo —les dijo María Aguilar, interponiéndose en su camino.

—Teniente, déjeles pasar —le ordenó el comandante, que se levantó de inmediato—. ¡A sus órdenes, mi coronel!

«¿Coronel?», pensó de inmediato María. «Si esta unidad está al cargo de un comandante, no hay ningún rango superior».

—No se preocupe, comandante Sarmiento —ahora, el desconocido se giró hacia María—. Usted debe ser la teniente Aguilar. Es un verdadero placer conocerla. Debimos presentarnos antes de entrar.

María se quedó mirando con más atención a aquellas dos personas. Estaba claro que eran militares, pero iban vestidos de civiles.

El desconocido continuó hablando.

—Yo soy el coronel Vicente Fernández y mi acompañante es el capitán Mario Morán.

—A sus órdenes, mi coronel. Disculpe, al principio no me he dado cuenta de que eran militares.

—No se disculpe, teniente.

—El coronel Fernández está al mando del SIAEM, el servicio de información del Alto Estado Mayor, ya sabe, de su Tercera Sección.

María se sintió ridícula. Lo primero que se preguntó es qué hacía allí. El cómo se había enterado ya lo suponía. Aquella persona era el jefe de la inteligencia española.

Los recién llegados entraron en la habitación donde se encontraban los tres cadáveres.

—Espantoso y bello al mismo tiempo. Es fantástico —comentó.

—¿Perdone? —le preguntó la teniente.

—Me temo que les debemos algunas explicaciones —le respondió el coronel.

—¿Explicaciones? —el comandante Sarmiento también se extrañó.

—Han llevado el caso de una forma extraordinaria. Les hemos dejado hacer porque no deseábamos intervenir, ya que estábamos seguros de que acabarían resolviéndolo, como así ha acabado sucediendo. Mi más sincera enhorabuena a su equipo, comandante.

—Muchas gracias, mi coronel, pero el mérito ha sido del equipo que ha encabezado la teniente Aguilar, junto con el capitán Borras y el resto de suboficiales.

—Conocemos los detalles de la operación y quiénes la han ejecutado con brillantez.

—Si me lo permite, mi coronel —ahora intervino la teniente Aguilar—. Nada más entrar en la vivienda ha confirmado las palabras del comandante, acerca de lo formidable que es la capitán Schiffer. Ahora mismo acaba de definir este espantoso crimen de bello. Disculpe si lo ofendo, pero no comprendo sus palabras.

El coronel se quedó mirando a María.

—Me temo que les debo a todo el equipo una explicación, sobre todo a usted —dijo, dirigiéndose a la teniente—. No les hemos dado toda la información de la que disponíamos.

El comandante Sarmiento, el capitán Borras y la teniente Aguilar se quedaron expectantes. El coronel se explicó.

—La Hauptsturmführer Cornelia Schiffer no es un miembro del Sicherheitsdienst, ya saben, de los servicios secretos de las SS.

—¿Cómo qué no? —no pudo evitar preguntar la teniente. Le salió de forma espontánea.

—Pertenece a los *Einsatzgruppen.*

—¡Dios mío! —exclamó el comandante.

—¿Qué es eso? —María no conocía el significado de esa palabra.

—Es la élite dentro de la élite. No ejecutan operaciones de inteligencia como tales. Van mucho más allá. Son grupos de operaciones especiales dentro de las *SS.* Son temibles, hasta el punto que sus propios compañeros de las *SS* los llaman, popularmente, escuadrones de la muerte.

—¿Qué nos quiere decir, coronel? —preguntó el capitán Borrás.

—Que son asesinos, no espías. Desde la muerte de su creador, Reinhard Heydrich, reportan directamente ante Heinrich Himmler y se calcula que han podido ejecutar a cientos de miles de personas. Operan alrededor del mundo y son expertos en camuflaje en su entorno. Si lo desean, son capaces de desaparecer ante sus propios ojos, y ni siquiera se darían cuenta. Por eso he dicho que han hecho un gran trabajo. Estuvieron a un minuto escaso de atrapar a uno de sus miembros, pero casi me alegro de que no ocurriera.

—¿Por qué dice eso? —preguntó la teniente.

—Porque, con absoluta seguridad, ahora no estaríamos hablando, ya me entiende.

«¡Y tanto que lo entiendo!», pensó María.

—Se dice que son capaces de matar sin ser vistos y sin que sus víctimas se den cuenta de ello —continuó el coronel—. Aquí mismo tienen la prueba. Por eso acabo de decir que la ejecución de estos tres pobres desgraciados ha sido espantosa y bella al mismo tiempo. Ni se llegaron a enterar que estaban siendo asesinados. A la capitán Schiffer le llevaría no más de un par de segundos cumplir sus órdenes. Actúan como fantasmas y son letales, despiadados, fríos y, sobre todo, nunca fallan.

Durante un instante, se hizo el silencio.

—Esto le da otra perspectiva a este caso —intervino el comandante.

—Me temo que así es —confirmó el coronel Fernández—. Esta nunca fue una misión de infiltración. Fue una operación de eliminación y ejecución de una célula secreta, al mismo tiempo que la capitán Schiffer ponía a salvo a su preciada máquina *Enigma*. Seguro que se han preguntado el porqué la capitán no movió el vehículo que había robado y lo cambió de posición. La respuesta es muy sencilla. En realidad, no le importaba que localizáramos este piso franco, porque ya se encuentra camino de Alemania. Esta misma mañana partió un vuelo sin identificar de la *Luftwaffe*, desde el aeropuerto de Valencia, además, utilizando el hangar que suelen usar los alemanes. Creemos que su destino era Berlín. Nos enteramos cuando ya había abandonado nuestro espacio aéreo, pero, aunque lo hubiéramos sabido con anterioridad, tampoco hubiésemos podido actuar.

María hacía gestos de negación con la cabeza.

—Señor, si me lo permite, veo algunas cuestiones que no les encuentro una explicación lógica. Si su único objetivo era eliminar esta célula, ¿por qué se infiltró en España con otro miembro del *Sicherheitsdienst*, para acabar ejecutándolo? Por otra parte, yo los encontré en una playa de Calpe, a apenas treinta y cinco kilómetros de este piso. Sin embargo, en lugar de dirigirse directamente hasta aquí, se arriesgan a desplazarse a Valencia, que está a más de ciento veinte kilómetros, y se atreven a alojarse en el Hotel Reina Victoria, a la vista de todos. No acaban aquí sus hazañas, ya que se atreven a asaltar la iglesia de la Virgen de los Desamparados, sin aparente sentido. Como usted acaba de indicar, casi conseguimos atraparlos, para, a continuación, escapar a toda velocidad y acudir a Denia, que, según usted, era el principal objetivo de su misión. ¿No le parece todo un poco extraño?

—Las misiones de los *Einsatzgruppen* son de lo más variadas y extrañas —le respondió el coronel—. Todavía no disponemos de información suficiente como para poder evaluarlas. Lo que está claro es que no siguen los estándares habituales de los equipos de inteligencia. Como usted ha indicado, ¿a qué espía infiltrado se le ocurre alojarse en el mejor hotel de la ciudad, en el mismísimo centro, a la vista de todos? Acude a la pensión más discreta de la ciudad. Pues esa es la marca de los *Einsatzgruppen*. Son letales, pero también diferentes. Eso es lo que los hace temibles, porque jamás conoces cuál puede ser su objetivo. Lo único que sabes, cuando consigues detectar a un equipo o a un simple miembro, cosa nada habitual, es que alguien va a morir. Eso es lo único seguro.

—No sé, mi coronel —continuó María—. No conocía ni la existencia de ese grupo de operaciones, así que nada puedo aportar, pero si era una misión de eliminación, ¿por qué no enviar a dos miembros de los *Einsatzgruppen?* ¿Cuál era la función del teniente Rietschel? ¿Ser ejecutado en España? No le encuentro ninguna lógica.

—Eso son los *Einsatzgruppen.* Actúan sin lógica, así son imprevisibles y dificultan enormemente la determinación de sus objetivos. De todas maneras, este caso está cerrado y jamás ha sucedido. No informaremos a Alemania para evitar posibles roces diplomáticos. Además, ellos conocen mejor que nosotros esta operación y también saben que nosotros estamos informados. Sería hasta ridículo.

—Perdone mi insistencia, mi coronel, pero no creo que ningún grupo de operaciones actúe sin una determinada lógica. Quiero pensar que sí la tienen, lo que ocurre es que no la hemos conseguido comprender todavía.

—Eso enlaza con lo le que iba a decir a continuación —siguió el coronel—. Lo siento, comandante Sarmiento, pero le voy a robar a uno de sus oficiales más valiosos. Con efectos inmediatos, la capitán Aguilar queda reasignada al SIAEM.

—Disculpe, soy teniente —acertó a decir María.

—No, es capitán. Su ascenso ya ha sido firmado.

Maria se quedó sin palabras. Toda esta situación le parecía muy extraña. Seguía sin estar convencida de las explicaciones del coronel y, ahora, de forma repentina, era ascendida y asignada a la sección de inteligencia del Alto Estado Mayor.

«¿Están comprando mi silencio?», no pudo evitar pensar.

53 VALENCIA, 3 DE ABRIL DE 1943

Cornelia seguía devastada.

No había consuelo posible, ni siquiera para una miembro de los *Einsatzgruppen.* Era consciente de que no era la primera vez que mataba, pero esta vez todo había sido diferente.

No se explicaba las instrucciones de Himmler. Ni las comprendía, ni las compartía ni quería ejecutarlas, pero era consciente de que no tenía alternativa.

Había cumplido su misión con éxito. Sabía que dispondría de tres días, como mínimo, antes de que encontraran el piso franco de Denia. Eso le daba una ventaja decisiva en la partida que estaba jugando con Michelle. De hecho, aunque la agente franquista, con toda probabilidad, aún no lo supiera, ya la había perdido, pero Cornelia no tenía la sensación de haber ganado tampoco.

Era extraño.

Le había resultado insultantemente sencillo cumplir con la misión principal, que, por supuesto, no consistía en la ejecución, a sangre fría, de sus compatriotas, sin motivo aparente, ya que se habían limitado a cumplir con su deber con la patria, más allá, incluso, de lo razonable.

Había matado, mirándole a los ojos, a su compañero que, quizá, aunque no quisiera reconocerlo, era algo más que eso, en apenas un segundo, sin vacilar. Luego, a aquellos dos desgraciados miembros de las *Waffen-SS,* que seguro que llevaban mucho tiempo infiltrados, lejos de sus familias, fieles a las órdenes del *Reich.*

Estaba claro que otros movían los hilos y ella era una simple marioneta ejecutora. Eficaz y preparada, pero una marioneta. Se quedó con esta última palabra.

Por otra parte, las instrucciones que acababa de recibir y ejecutar, significaban algo muy claro para ella.

Devastador también.

Era plenamente consciente de que, desde un punto de vista operativo, había sido una misión impecable, si no fuera porque había quedado un cabo suelto.

Ella.

El avión llegaría en apenas unos minutos. Estaba preparada en el hangar que solían utilizar para operar en Valencia. Sabía que la inteligencia española lo conocía, pero les llevaba una ventaja considerable de tiempo. Cuando se enteraran, sabrían que se había escapado con la preciada máquina *Enigma*, sin que pudieran hacer nada por evitarlo.

Tomó su decisión y, cuando lo hizo, supo que, en realidad, ya la había tomado hace años.

Ya era hora de volver a su patria.

Después de lo sucedido estos tres últimos días, todo había terminado para ella. Seguramente, hasta su propia vida.

54 DENIA, 8 DE ABRIL DE 1943

—Es un auténtico placer volver a verles, Brigadeführer Johannes Bernhardt y Standartenführer Ellen Bernhardt.

—¿Ya estamos otra vez así? —dijo el general—, acudiendo a darle un abrazo al *Hauptsturmführer* Otto Skorzeny—. En esta ocasión, le voy a dar mi última orden como general. A mí me llamará Juan y a mi mujer Ellen, prescindiendo de los rangos militares, ¿le ha quedado claro?

Skorzeny no pudo evitar reírse. Tenía que reconocer que el matrimonio Bernhardt era perfecto para la misión que iban a ejecutar.

—De acuerdo, Juan —respondió, mientras le daba dos besos a Ellen—. Para mí también fue un placer mi anterior estancia en el *Tossalet del Oliver.*

—Magnífico —dijo Juan—. Una vez aclarado este tema, permíteme que te ayude con tu equipaje. Esta vez, veo que vienes preparado para una estancia más larga, no como la vez anterior.

—Supongo que el *Reichsführer* ya os habrá informado a través de *Enigma.*

—No —le respondió Ellen—. Tan solo nos ha dicho que llegarías hoy y que nos pusiéramos a su disposición. También nos dijo que había llegado el momento de utilizar el oro, pero desconocemos para qué.

Otto pensó que Himmler había sido prudente.

—Bien, porque, a pesar de que vengo con equipaje, no me quedaré mucho tiempo en vuestra residencia. He querido que fuera mi primera parada en España, después de aterrizar en Madrid, pero, en apenas dos días, deberé trasladarme a Málaga, después a Ibiza y, para terminar, dejarme ver una semana completa en Madrid. Es importante que sepan que mi residencia será en la capital.

—¡Vaya! —dijo Juan—. Parece que la araña teje su tela.

—Y vais a tener el honor de ser los primeros en ayudarme a tejerla —le respondió Otto—. Hoy mismo, se puede dar por inaugurada *Die Spinne*.

—Eso merece una celebración, aunque sea todavía muy pronto para una copa.

—Nunca es pronto para eso —le respondió Otto, sonriendo y recordando el magnífico *whisky* que disponía su anfitrión.

Entraron en la imponente residencia de los Bernhardt.

—¡*Whisky* para los tres! —dijo Juan.

Skorzeny había conducido desde Madrid y agradecía este agradable recibimiento, que le servía, además, como breve descanso.

Otto les puso al día de la situación en Alemania y del apoyo empresarial que iban a contar desde allí.

—He sido informado que habéis hablado con Hermann Göring y que os ha dado todas las autorizaciones precisas —les dijo.

—Sí, claro. El conglomerado de empresas que conforman la Sociedad Financiera Industrial, más conocida como *Sofindus*, está a tu disposición. Ya sabes que son más de trescientas cincuenta empresas, que, además de la minería, están establecidas en sectores estratégicos tales como el naviero, el banquero, los seguros, industrias agrícolas, alimentarias a través de decenas de mataderos y un largo etcétera.

—Desde luego es de destacar el emporio financiero que has logrado levantar. Debes de tener un talento enorme.

—Más que talento, creo que son contactos. Ya sabes que el Generalísimo lo conoce todo y lo autoriza. Sin la dupla Franco-Göring en materia de negocios, nada de todo esto hubiera sido posible.

—¡Toma! ¡Ni Franco sería Generalísimo! —no pudo evitar exclamar Otto—. Ganó la guerra gracias a tu mediación y la ayuda militar del *Reich*. Todos los negocios que nos permite regentar aún son pocos.

—Bueno, pero ahora nos podremos beneficiar de ellos.

Skorzeny sonrió.

—En un primer momento, no me interesan tus negocios.

Juan y Ellen se sorprendieron. Dejaron que Otto concluyera su explicación.

—Lo que necesito es el servicio que te prestan tus testaferros españoles del grupo *Sofindus*.

La sorpresa inicial del matrimonio Bernhardt fue evidente.

El gobierno de Franco había permitido que los alemanes extrajesen de minas de España un material muy valioso para ellos, el wolframio, un elemento químico fundamental para su industria armamentística, Se extraía, sobre todo, de los montes gallegos y salmantinos y se enviaba en grandes cantidades a Alemania. Este material se utilizaba, sobre todo, para blindar los modernos y letales carros de combate alemanes, los *Panzer*.

A cambio de este preciado elemento, Franco recibía ayuda militar y mucho oro procedente del *III Reich*, pero el general no era tonto. Una vez había vencido en la Guerra Civil, receloso del excesivo enriquecimiento de los empresarios alemanes involucrados en estas actividades, como era el caso de Johannes Bernhardt, promulgó una ley que impedía que ninguna empresa extranjera pudiera controlar más del 25 % de una sociedad española.

Hecha la ley, hecha la trampa.

Lo que hicieron los alemanes fue buscarse hombres de paja, que regaban con una buena cantidad de dinero, para que figuraran al frente de los cientos de empresas, que, en realidad, estaban controladas por el *III Reich*, con Hermann Göring como cerebro en Alemania y Johannes Bernhardt en España. El ejemplo más claro era el emporio empresarial del matrimonio Bernhardt, el grupo *Sofindus*, que era gestionado, en teoría, por José María Martínez Ortega, conde de Argillo. Hasta la fantástica propiedad donde se encontraban, no figuraba a nombre del matrimonio Bernhardt, sino de Juan Barber Aladente, gerente de Trasportes Marion S.A., una de las múltiples empresas del conglomerado *Sofindus*, que se encargaba de trasladar el wolframio de España a Alemania.

—¿Los testaferros? ¿Para qué? —preguntó Juan, *extrañado*.

—Porque vamos a comprar un pueblo.

Juan y Ellen no pudieron evitar reírse, ya que se imaginaban de que Otto se refería a Denia.

—¡Siempre a lo grande! ¡Ese es nuestro *Reichsführer*!

—Como comprenderéis, no queremos utilizar a las empresas. Ya están muy involucradas con las actividades del

III Reich desde hace bastantes años. Necesitamos personas de nacionalidad española afectos a la causa.

—Si te refieres afectos a la causa económica, los vas a encontrar a miles. La posguerra está siendo muy dura y la gente está verdaderamente necesitada, sobre todo en esta zona.

—Pues a Denia le ha tocado un premio. Establecemos dos ejes y tres refugios en España. El eje principal y centro de la tela de araña será Madrid, donde tendré mi residencia permanente. Eso no quiere decir que no me desplace por otros lugares. Así lo haré, pero la araña madre debe situarse en el centro. Otro eje será San Sebastián. En cuanto a los refugios, ya os los he contado, Denia será el primero, seguido de la costa malagueña y las playas ibicencas. Tres paraísos en España.

—No habéis elegido mal, desde luego —dijo Ellen.

—Se trata de establecer una población permanente de ciudadanos alemanes. No todos serán militares, también habrá empresarios no relacionados con la industria armamentística.

—Pillo la idea —dijo Juan—. Se trata de crear colonias que no puedan ser relacionadas directamente con las *SS*.

—Exacto. Ciudadanos que montarán sus negocios, sobre todo en el ámbito turístico, que llama menos la atención, y que puedan acoger a otros miembros que pretendemos ocultar. Estos empresarios darán empleo y riqueza a la gente del pueblo y se comportarán de una manera discreta, sin hacer ostentación ni de sus ideales nazis ni de su dinero. Me servís de ejemplo perfecto. Los dos, con los nombres de Juan y Ellen, estáis perfectamente integrados en Denia. Habéis conseguido formar parte del paisaje del pueblo, aunque todos saben que sois alemanes. Os comportáis con sencillez y os habéis ganado el cariño de vuestros vecinos.

—Creo que te estás pasando —dijo Juan, modesto.

—Ni un ápice. Ya he hecho mis deberes. Para mí, es todo un honor que vosotros seáis las primeras arañas de Denia.

—¿Por qué Denia en concreto? Hay poblaciones más discretas en la costa alicantina —preguntó Ellen.

—En primer lugar, por la filoxera.

—¿Qué tiene que ver ese insecto con *Die Spinne*?

—Tiene que ver con Denia. Sabréis, porque ya lleváis mucho tiempo aquí, que en siglo pasado, este pueblo costero era próspero por el cultivo de la vid y la venta de la uva pasa. Pero llegó una plaga que no se esperaban, la filoxera, que marcó un punto de inflexión en la economía de la zona. Ese insecto, que penetró en Europa desde América por la importación de cepas de esa procedencia, infectó a las cepas europeas, que no estaban preparadas. Las mató. La economía se vino abajo de forma brusca, ya que los agricultores se vieron obligados, en su mayor parte, a arrancar las vides. La crisis trajo miseria, hambre y emigración. La comarca ya no fue la de antes, que se caracterizaba por las imponentes residencias, que los potentados se construyeron en la zona costera. Muchas de ellas se encuentran en estado de abandono, aún hoy en día.

—¿Quieres esas residencias? —siguió preguntando Ellen.

—Residencias y terrenos frente a la costa, todo lo que esté en venta.

—En la zona de *Les Rotes* hay algunas espectaculares.

—Quiero que las compréis, a través de los testaferros de vuestras empresas, de una manera discreta, como si se trataran de acaudalados miembros afectos al régimen franquista que adquieren una residencia para pasar sus vacaciones.

—Todos cumplen esas condiciones —sonrió Juan.

—Entonces, perfecto. No deseo que parezca una operación del *III Reich* para hacerse con una zona importante del pueblo, ya que podría interpretarse como la preparación de una huida masiva de los jefes, que, ahora, ven posible perder la guerra.

—¿Pero no se trata exactamente de eso?

Otto no pudo evitar reírse.

—Por supuesto, Juan, por eso no se debe de saber y hay que tomar todas las precauciones necesarias. Esta guerra aún está en juego y, a pesar de nuestros últimos reveses, la podemos ganar. Se trata, tan solo, de una precaución. No debe ser interpretada como un reconocimiento implícito de una derrota que no se ha producido. Por eso es tan importante que no la relacionen con el *Reich*. En caso de victoria, habremos invertido nuestras fabulosas ganancias empresariales en activos con mucho futuro, pero, ante una hipotética derrota, dispondremos de zonas donde poder refugiarnos y pasar desapercibidos. Si eso llegara a ocurrir, los activos serían vendidos por los testaferros a las personas que se establecerían en el pueblo, como otra transacción cualquiera.

—Comprendido —dijo Juan.

—¿Tenéis un mapa de Denia?

—Claro, además enmarcado en una de las habitaciones de la casa. Ahora lo traigo —dijo Ellen.

En apenas diez minutos, los tres miembros de las SS estaban panificando cómo comprar la parte del pueblo que estaba en venta.

Skorzeny pretendía hacer la misma operación en Málaga y en las Islas Baleares.

Comprar pueblos.

55 EN LA ACTUALIDAD, DENIA, 2 DE JULIO

—¡Te había dicho una sola maleta!

—Te juro que lo he intentado, pero esto es lo mínimo imprescindible que necesito. Y aun así, siento que me voy desnuda.

—¿Con tres maletas? —Almu estaba indignada.

—Dos maletas y un neceser.

—Me da igual. Para empezar, el neceser lo llevas encima de ti, dentro del coche. Ahora veremos el *Tetris* que tenemos que hacer para encajar todo el equipaje en el maletero.

—La maleta más pequeña es la mía —dijo Carlota.

—¡Claro! Con la poca tela que llevarán tus trajes, te habrán cabido diez modelos, por lo menos —le lanzó una pulla su hermana.

—También el no llevar ropa interior libera bastante espacio —le respondió.

—¿En serio no has cogido ropa interior? —preguntó Almu, sorprendida.

—¿No ves que te está tomando el pelo? —dijo Rebeca—. Pues claro que lleva, pero le gusta dar ese aire de *hippie* pelirroja trasnochada de los sesenta del siglo pasado. Le falta lo de «*Love and Peace*» y la tiara de margaritas en el pelo.

—Los *margaritas* me los beberé y te aseguro que lo de «*Love*» sí que lo he empaquetado en la maleta. En cuanto a lo de «*Peace*», si eso ya por las mañanas, en la playa.

—No tienes remedio —le respondió Rebeca, riendo.

—Recuerda que eres mi gemela, ADN idéntico. A mí no me puedes engañar.

«Si tú supieras...», pensó Rebeca, divertida.

—¡Venga, todas al coche! Ahora solo falta que, con el peso que llevamos, logremos llegar hasta Denia.

El viaje fue de lo más divertido. Carlota se dedicó a lanzar pullas a todas. «Ahora me salen gratis, que empezamos unas vacaciones», se decía, pero las mantuvo a todas entretenidas.

—¿Has pensado cómo nos vas a distribuir en el apartamento? —preguntó Carol—. Porque yo, con Carlota, no duermo por nada del mundo. Se ríe de mí.

—La verdad es que no lo he pensado —reconoció Almu—, pero ¿acaso importa?

—No hagas caso ni a Carlota ni a Carol, que te van a liar —le recomendó Rebeca.

—¿Pero vamos a dormir alguna noche en tu apartamento? —preguntó ahora Carlota—. Desde luego, yo, si lo puedo evitar y para no quitaros espacio, intentaré hacerlo lo mínimo imprescindible.

—Esta noche todas nos quedaremos en casa —dijo Almu—. Mañana saldremos.

—¿Por qué?

—Porque hoy es lunes de la primera semana de julio. Aunque los locales de moda llevan abiertos desde mayo, mañana inauguran oficialmente la temporada de verano. Organizan grandes eventos —explicó Almu.

—Pues nos sacrificaremos y pasaremos la primera noche en tu apartamento. ¿Podemos hacer un fuego de campamento en la terraza y asar *marshmallows*?

—No hará falta utilizar la terraza para eso —respondió Almu a Carlota.

—¿Qué pretendes? ¿Qué le peguemos fuego a tu apartamento?

—Eso será difícil —dijo, sonriendo—. Por cierto, al final de este callejón estrecho se encuentra nuestro destino definitivo.

—No se ve nada —continuó Carlota.

—No te preocupes, que en cinco segundos lo verás —le contestó Rebeca, con una sonrisa que no le gustó nada a Carlota, ya que pensó que algo ocultaba.

—Bienvenidos a la entrada de mi apartamento —dijo Almu, también con una ligera sonrisa en los labios.

Dos se quedaron con la boca abierta, otra sonriendo y la última bajó del coche, para avisar de su llegada a los guardas de la finca.

—Pero esto es... ¡una mansión! —dijo Carol, que estaba asombrada. Almu era muy discreta y jamás les había dicho que fuera tan rica—. Además, se llama como su apellido, «Bremer», junto con el año de su construcción, 1954. ¡Qué pasada!

Carlota estaba en silencio.

—No es una mansión, para ser exactos —intervino Rebeca—, sino un conjunto de mansiones. Aún no la habéis visto por dentro. Quizá sea la construcción costera más impresionante de toda Denia. Es un lugar de auténtico lujo.

—¿Ya has estado aquí antes?

—No, es la primera vez que vengo, como vosotras, pero he hecho mis deberes antes de acudir. Deformación profesional, supongo. Lleváis dos horas haciendo el ridículo llamándolo apartamento.

Almu volvió al coche.

—Ahora nos abrirán la puerta.

—¡La puerta! —exclamó Carlota, mirando a Rebeca, asombrada ante lo impresionante que era.

—No será que no te lo había advertido —le respondió, guiñándole el ojo.

—¿De qué habláis?

—De lo preciosa que es la puerta y la entrada en sí misma —intervino Rebeca—. Antes de entrar, ya intimida.

—La mandó construir mi bisabuelo, que ya murió hace años. Mi padre no quiso modificarla ni un ápice, a pesar de mi insistencia.

—¿Por qué? —le preguntó Carol—. ¡Menudo estilo!

—Pues a mí me recuerda a la entrada del campo de concentración nazi de Mauthausen. Creo que la deberíamos derribar y construir otra más discreta, pero mi padre siempre se niega. Cualquier día lo haré yo misma.

—¡Por Dios. Almu! ¿Cómo se te ocurre hacer esa comparación? —dijo Carol.

—A mí me parece más a la entrada de *Parque Jurásico* —opinó Carlota, que aún estaba impresionada.

—Te aseguro que no hay ningún dinosaurio dentro —le respondió Almu.

—Las *dinosaurias* están llegando —contestó Rebeca.

Dos personas, de mediana edad y de procedencia claramente germánica, les abrieron la puerta. Almu les dio un abrazo y se quedó hablando con ellos un par de minutos. Al cabo de ese tiempo, volvió al coche.

—Estamos solas y no se espera a mis padres en las próximas dos semanas.

—¿Eso te lo han dicho los guardas de la finca? —le preguntó Rebeca, un tanto sorprendida.

—Digamos que la comunicación entre mis padres y yo no es muy fluida. No es que estemos enfadados ni nada de eso, en realidad, nunca lo ha sido. No somos una familia demasiado tradicional.

Entraron con el coche y lo que vieron les dejó más impresionadas que la entrada, que ya era difícil. Tal y como había anticipado Rebeca, no existía una única construcción, sino que era como una urbanización peatonal. Había, al menos a la vista, rodeados de frondosa vegetación, seis *bungalows*. Cada uno era una casa independiente. También se observaba un frontón, una pista de pádel, una gran piscina, otro edificio que tenía el aspecto de un bar marinero y hasta un carrusel de caballitos de estilo parisino, que tenía el aspecto de ser bastante antiguo, aunque impecablemente conservado.

—¡Esto es maravilloso! ¿Todas estas edificaciones son para tus padres y para ti?

—Sí. Bueno, de vez en cuando vienen mis primos de Alemania con su familia y pasan alguna semana, pero la finca está completamente desaprovechada.

—Tiene el aspecto de una urbanización.

—Es que lo era. Cuando construyó mi bisabuelo todo lo que veis, en el siglo pasado, era un negocio turístico. Cuando falleció, mi padre los cerró al público. Se gastó una fortuna en modernizarlas y dotarlas de todas las comodidades. Entonces construyó el edificio que tenéis enfrente, que es un restaurante.

—¿Un restaurante aquí adentro? —se extrañó Carol—. ¿Para quién?

—Mi padre es aficionado a la cocina y le hacía ilusión. En su interior tiene una barra de bar, chimenea y mesas. Por tener, hasta posee una cocina profesional completa, que ya querrían muchos restaurantes, amplia y moderna. Mi padre, de vez en cuando, se reúne con sus amigos y organizan veladas, solo para hombres. La familia apenas lo hemos utilizado cuatro o cinco veces. La terraza del bar es a lo que más uso le damos, es muy agradable. Mis padres también construyeron el frontón y la pista de pádel. La piscina la modernizaron, pero ya existía en origen.

Almu se dio cuenta de que Carlota estaba hipnotizada con el carrusel de caballitos.

—Fue un regalo que me hicieron mis padres cuando tenía cuatro años. Es original del año 1895. Lo compraron en París, lo desmontaron pieza a pieza y lo trajeron hasta aquí. Funciona perfectamente.

—No me pienso ir de aquí sin probarlo.

Rebeca, sin embargo, estaba fijándose en detalles que ninguna de las otras dos lo estaba haciendo. Por ejemplo, las medidas de seguridad existentes. Había un sistema de cámaras por todo el recinto, que, además, estaba rodeado por un imponente muro que mediría más de tres metros.

—Almu, es todo precioso y, además, en primera línea de mar. Esto es como un complejo esos de «todo incluido», pero sin los ordinarios turistas —dijo Carol.

—Las ordinarias turistas somos nosotras —le respondió Carlota.

—Bueno, ¿y cómo nos distribuimos, para dejar nuestro equipaje? Tan preocupadas que estabais hace un rato por las habitaciones del apartamento y ahora no decís nada —dijo Rebeca, burlona.

—Cada uno de los seis *bungalows* dispone de salón, dos amplias habitaciones con baño incorporado y terraza. Los cuatro que están situados en primera línea, tienen, además, unas vistas fabulosas, sobre todo al amanecer y al anochecer. Están los seis en perfecto estado, limpios y listos para ser usados.

—Instalarnos una en cada uno me parece una tontería —dijo Rebeca—. Mi hermana y yo lo haremos en cualquiera.

—Pues Carol y yo lo haremos en otro —dijo Almu—. Si os parece bien, utilizaremos, de los cuatro que están en primera línea, los dos centrales. Tienen la puerta directa al paseo marítimo justo enfrente. No hará falta utilizar la entrada principal ni molestar a Juan y su mujer, que son los guardas de la finca, cada vez que queramos salir y entrar.

—Decidido pues —dijo Carlota, que se apresuró a tomar su maleta y a dirigirse a uno de ellos. Rebeca le siguió.

—No le hemos pedido la llave de la puerta a Almu —cayó en la cuenta Carlota.

—No creo que haga falta —dijo, mientras accionaba el pomo de la puerta, que se abrió.

—¿Cómo lo sabías?

—No te hagas la disimulada. Has observado, tan bien como yo, mientras aparentabas interés por el carrusel, el tipo de finca en la que estamos. Esto no es una residencia cualquiera, es una auténtica fortaleza. Cámaras perimetrales e interiores, incluyendo sensores de infrarrojos y muros sólidos de más de tres metros de altura, por no hablar de la pareja de guardas, que no tienen pinta de jardineros precisamente. Estamos dentro de un gran búnker al aire libre. ¿Para qué iban a necesitar cerrar con llave las puertas? Aquí no se cuelan ni los gatos.

Carlota asintió con la cabeza, confirmando que también lo había observado.

—¿Para qué necesitará Almu estas medidas de seguridad tan exageradas?

—No creo que tardemos en saberlo.

56 DENIA, 25 DE JULIO DE 1954

—Es para estar orgulloso —le dijo Johannes Bernhardt a Otto Skorzeny.

—No te quites los méritos Juan, todo esto ha ocurrido, en gran parte, por tus magníficos consejos.

—Pero tú eres la araña madre que ha tejido toda la tela. Lo has conseguido. Fuisteis unos visionarios. Perdimos la guerra, pero estábamos preparados. *Die Spinne* estaba lista para acoger a todos los compatriotas que desearon huir de Alemania. Burlamos a la pretendida justicia contra nosotros, además, viviendo a cuerpo de rey.

—En eso consistía el plan.

—Además, sabes que estoy en deuda contigo por conseguir mi traslado a Tandil, en Argentina. Ya conoces que figuraba en la lista que las ratas judías entregaron a Franco. Estaba en la posición número siete de las ciento cuatro personas más buscadas en España, por sus relaciones con el *III Reich*.

—Estuve encantado de ayudarte, como lo estoy que hayas tenido el detalle de acudir a este acto tan señalado, aunque regreses mañana mismo a Argentina. Sabes que el general Franco jamás te hubiera entregado. Hasta te concedió la nacionalidad española. Ya conoces que hablé con él en persona, cuando me comunicaste tu decisión de abandonar España. Me confirmó que estabas a salvo.

—Lo sé, yo también hablé con él. Hasta me regaló un cuadro de El Greco en mi despedida, que tengo colgado en mi salón, pero la cuestión es que allí me siento más seguro. Ya llevaba demasiado tiempo en Denia y estaba quemado. Quizá Franco no me habría entregado, pero no me fio de los judíos. Se han vuelto a infiltrar en todas las organizaciones europeas.

—También lo sé, pero mientras tengamos amigos como Franco en España o Juan Domingo Perón en Argentina, no tendremos problemas. Son nuestros auténticos santuarios. De hecho, mi trabajo ha concluido, ya estáis todos en vuestros lugares, a salvo e integrados en la sociedad. Los jerarcas más señalados con identidad ficticia, pero los menos importantes, como Bremer, ni siquiera se esconden. Mira cómo va vestido.

Ambos se rieron. Ni siquiera los años que había pasado en la cárcel, después de la Segunda Guerra Mundial, le habían apaciguado en sus ideales nacionalsocialistas.

—Soy bueno en mi trabajo —dijo Juan—, pero, de momento, aún no soy capaz de obrar milagros. Conseguir que todo un pretencioso oficial de las *Waffen-SS* como Gerard Bremer, en posesión de la *Cruz de Caballero con Hojas de Roble*, una de las máximas distinciones del *Reich*, se haya integrado de esta manera en Denia, me costó mi trabajo.

—No lo dudo ni por un momento. Además, Denia es uno de nuestros refugios más seguros. En Málaga, de vez en cuando, nos hostigan, como en Ibiza, pero aquí todo va como la seda.

Se encontraban en el complejo turístico llamado «*Bremers Park Bungalows*», que hoy se inauguraba, justo el mismo día en que celebraba el cumpleaños su propietario, Gerhard Bremer. En su día, hacía ya once años, había sido uno de los terrenos que compraron en la zona de *Les Rotes*, con los fondos de *Die Spinne*. También esos mismos fondos habían subvencionado la construcción del magnífico complejo turístico, que, además de ser un negocio legal, servía de refugio a nazis huidos, a la vista de todos, sin que nadie sospechara, mientras se integraban con turistas legítimos.

—Tienes que venir a visitarme, aunque sea por una semana. Nuestra finca, que se llama *La Elena*, no tiene nada que ver con el *Tossalet del Oliver*. Es grandiosa.

—¿Le has puesto el nombre de tu mujer, en español?

—Sí, me pareció un bonito homenaje a Ellen. Además, ella tiene raices argentinas. Es hija del antiguo cónsul alemán en Rosario.

—Ese detalle no lo sabía.

—Pues será de los pocos —se rio Juan.

—¿Qué hacéis los dos, ahí escondidos, cuchicheando? Venga, venid a la fiesta. No he hecho acudir a la banda del pueblo para que no participéis de la fiesta —les dijo Bremer.

—¿Cómo has conseguido que acudan a esta fiesta? —le preguntó Otto.

—Siguiendo tus consejos. Fijaos en sus instrumentos nuevos. ¿Quién creéis que se los ha comprado?

Skorzeny sonrió.

—¿Están tocando el *Coro de los Peregrinos*, de la ópera *Tannhäuser*? —preguntó Juan, asombrado.

—¡Richard Wagner siempre! —le respondió, con una sonrisa—. Les he hecho traer las partituras de la ópera.

Wagner fue un gran compositor, director de orquesta e incluso ensayista y poeta. Vivió en el siglo XIX. Sin duda fue un gran músico, sobre todo los legados que nos dejó con sus llamadas «óperas dramáticas», pero sus ideales eran muy extremistas. Creía en la superioridad de la raza germánica y era un declarado antisemita. En 1850 se atrevió a publicar un ensayo, titulado *Das Judentum in der Musik*, los judíos en la música, en el que ataca a los judíos en general, aunque es recordado por sus críticas a los compositores alemanes Giacomo Meyerbeer, autor de la ópera *Los Hugonotes*, o a Felix

Mendelssohn. Es una de las obras cumbre del antisemitismo alemán del siglo XIX, por ello los nazis se apropiaron de sus óperas.

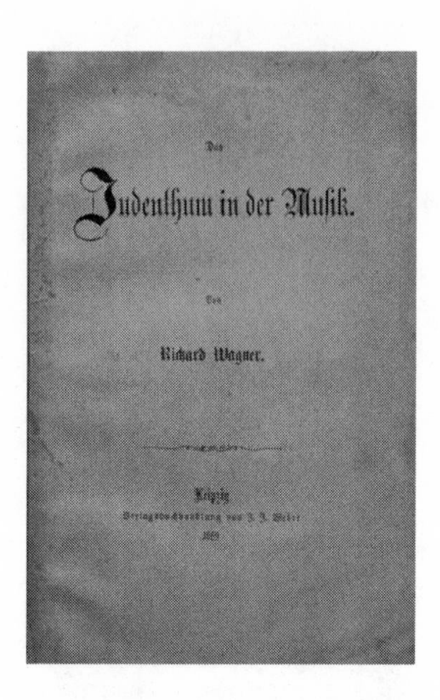
Judenthum in der Musik.

Richard Wagner.

—¡Eres todo un personaje! —rio Skorzeny.

—No te creas que solo tocan música alemana. También pasodobles españoles, que son muy animados —respondía, mientras los tomaba de los brazos y los llevaba junto con los otros invitados.

Siguiendo los consejos de Otto, Gerhard Bremer había invitado a la fiesta no solo a los alemanes habituales, *sino* a medio pueblo de Denia, incluido a su alcalde. Se trataba de agasajarlos y que los vieran como amigos. Es lo mismo que hizo, durante muchos años, el propio Juan, en el *Tossalet del Oliver.*

—Os presento a Anton Galler —dijo Bremer.

—Encantado, soy Johannes Bernhardt.

—¡Mi general! —le respondió Anton—. Disculpe que no le haya reconocido, pensaba que ya no residía en España.

—Y no lo hago. He vuelto, tan solo para ver la culminación del trabajo de una década.

—Bueno, nosotros ya nos conocemos —dijo Skorzeny, mientras le daba un abrazo a Galler. Él había sido el artífice que se estableciera, a caballo entre Denia y Málaga.

Anton Galler era un capitán de las *Waffen-SS* que había conseguido escapar a los *Juicios de Núremberg*, que fueron un conjunto de procesos que encausaron a los dirigentes y colaboradores del régimen nacionalsocialista de Hitler, entre noviembre de 1945 y octubre de 1946, por crímenes y abusos contra la Humanidad. Galler consiguió eludir estos procesos por un error administrativo y la red de *Die Spinne*, encabezada por Skorzeny, le prestó apoyo para que se estableciera en España.

Galler era un criminal de guerra, responsable de la llamada *Masacre de Stazzema*. Dirigía un batallón que, durante su retirada de Italia, rodearon a más de quinientas personas, en la plaza del pueblo del mismo nombre. Los fusilaron a todos y, después, quemaron sus cuerpos. Algunos aún se encontraban con vida cuando fueron pasto de las llamas. Hasta el año 2004, no hubo juicio contra esta masacre. Todos sus responsables fueron condenados a cadena perpetua, pero ya era tarde. Ni uno solo de ellos pasó por prisión. *Die Spinne* se ocupó de ponerlos a salvo. En la fecha del juicio, ya habían fallecido todos.

—Venid con todos nosotros —les dijo Galler.

Se dirigieron a un pequeño grupo de personas, que hablaban alemán entre ellas.

—Señores, ya conocerán a Skorzeny —dijo Bremer—, pero tengo el honor de presentarles al *Brigadeführer* Johannes Bernhardt, antiguo miembro del *Sicherheitsdienst*.

Al escuchar su nombre y rango, todos se pusieron firmes e hicieron el típico saludo nazi, levantando el brazo derecho.

—General, yo soy Aribert Heim y es todo un honor conocerlo en persona. Ya había oído hablar de usted. Todos les estamos muy agradecidos a usted y al coronel Skorzeny. Les debemos la vida.

—Antes que nada, debo de decirles que me ayudó mucho en el diseño de este complejo turístico —intervino Bremer—. La entrada al mismo es todo un homenaje a su labor. Esta fiesta también es en su honor.

Aribert Heim, más conocido por sus apodos de «El carnicero de Mauthausen» o «Doctor muerte», era un personaje de lo más siniestro. Era médico ginecólogo y realizó experimentos con los judíos, con los rusos e incluso con los judíos sefardíes y con los republicanos españoles, que le apodaron «El banderillero». Se dedicaba a la misma labor que Josef Mengele hizo en el campo de concentración de Auschwitz, pero en Mauthausen. Sus experimentos eran de lo más variado, pero casi siempre concluían con la muerte de la persona. Fue capturado en 1945 por soldados estadounidenses, pero gracias a agentes infiltrados de *Die Spinne*, consiguió que lo liberaran y escapar de una segura condena a muerte. Ahora estaba bajo la protección de Skorzeny.

Otros se presentaron igualmente. Alfred Radeke, Wolfgang Jugler y Hans Hoffmann eran antiguos agentes de la *Gestapo*, huidos de la Justicia. Este último, además, era el cónsul honorario de Alemania en Málaga.

Mantuvieron una animada y agradable conversación, al ritmo de aquella mezcla curiosa de música, pasodobles y Wagner.

—Gerhard —dijo Juan—. Me temo que os debo dejar.

—No me llames así, con Gerd es suficiente.

—Mañana parte mi avión a Buenos Aires y antes debo despachar un asunto privado con Otto. Ha sido un verdadero placer ver que todo nuestro trabajo ha concluido felizmente.

Gerd le dio un abrazo.

—Nunca olvidaremos lo que habéis hecho por nosotros. Ya sabes dónde tienes tu casa. Si te apetece pasar un verano en mis *bungalows*, junto con tu mujer y tus hijos, no tienes más que decírselo a Otto y yo me encargo de todo.

—Te lo agradezco, Gerd, pero no creo que vuelva a pisar España. Ha sido un placer conocerte —dijo, mientras se separaba de Bremer, tomaba por el brazo a Skorzeny y se separaban del resto de invitados.

—Supongo que te tienes que marchar ya —le dijo Otto.

—Debo partir hacia Madrid, pero, antes que eso, ¿me lo cuentas?

—Que te cuente, ¿qué?

—Venga, ya sabes. No me creo que me hayas hecho venir desde Argentina para asistir a un cumpleaños y una inauguración.

Skorzeny sonrió.

57 EN LA ACTUALIDAD, DENIA, 2 DE JULIO

—Sé lo que pensáis y tenéis razón —dijo Almu, que estaba sonrojada.

Estaban las cuatro cenando en la terraza, enfrente del restaurante particular que su amiga tenía dentro de su finca. Se le quedaron mirando.

—No tienes por qué avergonzarte —le respondió Carol—. Tener dinero de familia no es algo que una elija y, mucho menos, motivo de bochorno.

—No se trata únicamente de eso.

—No te entiendo. Yo tuve la fortuna de tener unos padres ricos y no voy pidiendo perdón por las esquinas —insistió Carol—. Además, me permite ayudar a los demás.

Almu soltó la bomba.

—Soy nazi.

—Pero ¿qué tonterías dices? —Carlota no se pudo contener.

—Toda mi familia lo es. Ya os he contado que este complejo fue construido por mi bisabuelo Gerd, al que no llegué a conocer. Fue un aviador de la *Luftwaffe* que alcanzó el grado de capitán. En 1954 era una especie de apartahotel. Alquilaba los *bungalows* a turistas, pero la verdad es que no se trataba de eso. Escondía a nazis huidos de Alemania. Su hijo, es decir, mi abuelo, que también se llamaba Gerd, continuó con el negocio y las mismas actividades de mi bisabuelo. Cuando murió, mi padre terminó con el negocio turístico y lo convirtió en lo que veis ahora, una residencia de verano particular.

—¿Y por eso eres nazi? —Carlota no daba crédito a lo que estaba escuchando—. Mi madre trabajó para el antiguo Centro

Superior de Información de la Defensa, el antiguo CESID, es decir, los espías españoles. Eso no significa que ni mi hermana ni yo seamos la versión femenina de James Bond.

Rebeca se permitió una pequeña sonrisa.

—No me entendéis —insistió Almu—. Mi padre también es un nazi. ¿Qué tipo de reuniones creéis que se celebran en el interior del restaurante? Lo sé desde pequeña, porque no les importaba hablar en mi presencia, mientras me bañaba en la piscina que tenemos al lado. Pensaban que no les entendería.

—O sea, nos quieres decir que eres nazi porque tus padres hablaban de Hitler. Si hubieran hablado de viajar a las estrellas, ¿serías astronauta?

—No frivolices con un tema así. Hay sociedades secretas que la gente cree disueltas desde hace mucho tiempo, pero que aún permanecen activas en la sombra. Aquí se reúnen dos de ellas, la *Thule-Gesellschaft* y la *Ahnenerbe*. Mi padre es el anfitrión y celebran sus actos aquí mismo —afirmó Almu.

Rebeca se atragantó y empezó a toser. Ahora comprendía las extraordinarias medidas de seguridad.

—Claro —Carlota insistía—, y ahora me dirás que el guarda de la finca y su mujer pertenecen a las *SS*, que también están en activo.

—No, eso no, pero ella es bisnieta de un miembro de la *Kriegsmarine*, la armada nazi. Murió en un ataque a un submarino que se dirigía hacia aquí mismo, durante la Segunda Guerra Mundial.

—¿Pero qué cuento nos estás largando, Almu? El submarino, ¿qué pensaba hacer aquí? ¿Atracar en un *bungalow*?

—En aquella época no existía este complejo, ya sabes que se construyó en 1954, pero el terreno era propiedad de alemanes que representaban a la *Gestapo*.

—¿Y para qué iba a querer la *Gestapo* unos terrenos frente a la costa de Denia?

—Porque debajo de esta finca existe una base secreta de submarinos, que los alemanes utilizaron durante la Segunda Guerra Mundial. Se trata de una base de apoyo logístico, no armamentístico. Se utilizaba para renovar el agua y las provisiones de los *U-Boot*.

—Definitivamente, has perdido el juicio. Vale que tu padre pueda ser un chalado extremista. Para desgracia de todos, eso no se puede negar que exista, lo vemos a diario en las redes sociales y en la televisión. Pero ¿una base secreta de submarinos nazi? Ahí te has pasado tres pueblos.

—Almu puede tener razón —intervino Rebeca—. Es cierto que, durante la Segunda Guerra Mundial, la aviación británica consiguió hundir un *U-Boot* muy cerca de aquí, en Calpe. Siempre ha sido un misterio qué es lo que hacía ese submarino tan cerca de la costa, en un lugar tan inusual. Lo hemos estudiado en la Facultad. Existen teorías para todos los gustos, hasta una que afirmaba que trasladaba un cargamento de oro de Hitler a España. El submarino está perfectamente localizado en el lecho marino, a menos de cien metros de profundidad. Incluso se ha filmado un documental, con imágenes increíbles, donde se observa lo que queda de su casco. Lo más llamativo es su característica torreta. Evidentemente, no tenía oro en su interior, pero si lo que Almu afirma de la base de submarinos fuese cierto, le daría explicación a aquel extraño incidente. Podría estar dirigiéndose hacia aquí.

—Eso, ahora volveos todas locas —Carlota no daba crédito.

—Se puede acceder a la base desde esta finca —dijo Almu, muy seria—. La entrada está parcialmente obstruida, pero, de pequeña, recuerdo que bajé unas cuantas veces. Aquello siempre me pareció una cueva mágica.

—Nos estás tomando el pelo, pero tengo que reconocer que te lo estás currando.

Carol estaba extrañamente nerviosa. Rebeca y Carlota se dieron cuenta, porque no era nada habitual verla así. Lo normal, en una conversación de este tipo, es que se evadiera y no le prestara la más mínima atención, pero este no era el caso, ahora mismo.

—Almu —ahora hablaba Rebeca—, supongo que sabes cuáles son esas dos sociedades secretas que nos has nombrado.

—¿Le sigues dando crédito? —Carlota estaba sorprendida.

Almu ignoró a Carlota y se dirigió a Rebeca.

—Por supuesto. Hemos cursado el mismo grado en Historia y asistido a las mismas clases.

—Pero eso no lo hemos estudiado en la Facultad.

—Tienes razón, no —admitió Almu, cabizbaja—, pero, a raíz de esas reuniones, me interesé por esas sociedades y me informé acerca de sus actividades.

Ahora, Carlota se dirigió a Rebeca.

—¿No me digas que tú también las conoces?

—Por supuesto. También las he estudiado. Se supone que la primera se disolvió en 1935 y la segunda algo más tarde, con la derrota de Alemania en la Segunda Guerra Mundial. Al fin y al cabo, la *Deutsches Ahnenerbe* estaba vinculada a las *SS* de Himmler.

—¡Las *SS*! ¡Lo que decía yo! —exclamó Carlota.

—Almu —continuó Rebeca—, yo te creo. Si tú me dices que tu padre es de ideología extremista radical, lo será. Nadie va contando esas cosas por ahí y menos si son mentira. También te puedo creer en lo de la base de submarinos. Desde luego esta se ha mantenido el secreto, porque nadie conoce su existencia, pero están documentadas otras bases logísticas en otros puntos de la costa mediterránea, así que no es algo inusual.

Rebeca se estaba dirigiendo a Almu, pero no dejaba de observar a Carol, que cada vez podía disimular menos su intranquilidad. Continuó su explicación.

—Ya ves que te creo y te doy la razón, Almu, pero nos conocemos muchos años. Eres la amiga con la que más tiempo he pasado de toda mi vida. Llevamos juntas dieciséis años, desde los seis. Colegio, universidad y las reuniones semanales del *Speaker's Club*. Puedo afirmar con rotundidad que te conozco muy bien. Tú no eres nazi, aunque lo fuera tu bisabuelo, tu abuelo y lo sea tu propio padre.

—Todo lo que soy, todo lo que poseo y todas mis raíces son de procedencia nazi. Llámalo como quieras.

—Oye, Almu —por fin parecía que Carol había reaccionado—. Ya es tarde y creo que todas estamos cansadas. ¿Por qué no nos enseñas la entrada a esa base de submarinos mañana por la mañana, cuando haya luz?

—Claro —le contestó—. Estoy segura de que os va a sorprender. Hace lo menos quince años que no bajo y no sé en qué estado se encontrará el acceso, pero vais a ver con claridad que se trata de un pasadizo secreto.

—Pues entonces, damos el tema por cerrado —concluyó Carol—. Almu, mañana verás las cosas de otra manera. Y ahora, me voy a retirar, ya son las doce de la noche y también quiero playa.

—Nos vamos todas a dormir —dijo Rebeca—. Carol tiene razón. Mañana será un día interesante. Submarinos y playa.

—Y de caza por la noche —recordó Carlota—, que parece que se os olvida.

Las cuatro rieron. Parecía que la tensión de la conversación había disminuido.

Carol y Almu se fueron a su casita. Rebeca y Carlota hicieron lo propio.

En cuanto estuvieron solas, Carlota abordó a su hermana.

—Te has dado cuenta, ¿verdad?

—Pues claro, igual que tú.

—¿Por qué estaba tan nerviosa Carol? La conversación era un tanto surrealista. Almu nazi, bases de submarinos alemanes y sociedades secretas. Parecía un programa de Iker Jiménez.

—No lo sé, pero presumo que no tardaremos en averiguarlo. Te dije lo mismo con respecto a las exageradas medidas de seguridad de esta finca, y nos acabamos de enterar.

—No sé. Nunca, en toda mi vida, había visto tan nerviosa a Carol, además, esforzándose en no parecerlo, lo que empeoraba más las cosas.

—Yo tampoco —confirmó Rebeca—. Ha resultado extraño.

—¿Tendrá algo que ver con lo que sabemos a través de *Los tres cerditos*?

—No creo, no sé cómo puede encajar eso con las revelaciones de Almu.

Carlota cambió súbitamente de conversación.

—Bueno, vayamos al grano, creo que ya ha llegado el momento.

—¿Qué momento?

—¡Cuál va a ser! Abrir la carpeta con el nombre de «Denia» del historiador Bennassar —dijo, mientras se dirigía hacia la maleta de Rebeca y se ponía a rebuscar.

No encontró nada. Se giró hacia su hermana, que estaba sonriendo. Rebeca sacó una de las manos de su espalda. En ella estaba el sobre.

—Lo prometido es deuda, hasta te voy a permitir que hagas los honores tú, pero ábrelo con cuidado, no vayas a rasgar lo que sea que contenga —dijo, mientras se lo entregaba.

Carlota lo abrió en apenas un segundo, sacó la carpeta y descubrió su secreto.

Allí tan solo había una cosa.

Una fotografía.

Rebeca y Carlota se miraron, con la estupefacción reflejada en sus rostros.

58 DENIA, 25 DE JULIO DE 1954

—¿Qué me estás diciendo? ¡No lo puedo creer!

—¿Te crees que te habría hecho volver a España si no fuera cierto?

—Pero tú estás aquí, la situación en Argentina no es la que describes.

—Ten en cuenta que llevas una vida de lujos, en tu hacienda *La Elena*, pero no te enteras de lo que ocurre entre bambalinas. Ese es mi trabajo, no lo olvides.

—Entonces, ¿debemos huir otra vez?

—No, no hace falta. Ese es el motivo de que estés aquí. Yo no me puedo trasladar hasta Argentina. En Madrid todos me conocen y Franco, aunque me protege y somos amigos, sé que me tiene vigilado. Pero tú, en cambio, eres residente en Argentina y has venido a la inauguración de un complejo turístico que se levantó en unos terrenos que eran de tu propiedad, a través de un testaferro amigo de Franco. Es la cobertura perfecta, nadie ha sospechado de tu venida a España y nadie lo hará de tu regreso a Argentina.

—No me has dejado nada tranquilo.

—Eso es, precisamente, lo que necesito ahora de vosotros, de toda la colonia alemana en Argentina, tranquilidad.

Esta conversación la estaban manteniendo, en la misma puerta de acceso al complejo «*Bremers Park Bungalows*», dos antiguos amigos, Otto Skorzeny y Johannes Bernhardt.

Skorzeny le había puesto al día de la situación política real en Argentina.

—Ya sabes que Juan Domingo Perón entró en el gobierno de la Nación Argentina en 1943, después de participar en la llamada «Revolución del 43». Después de un pacto con los socialistas y los sindicalistas, desempeñó su labor al frente del Departamento de Trabajo. Unos meses después, en julio de 1944 ya compatibilizaba ese cargo con la vicepresidencia del país. Hizo grandes reformas en favor de la clase obrera, lo que le granjeó poderosos enemigos. Además, siempre colaboró de manera entusiasta conmigo y con la organización que lidero, acogiendo a compatriotas huidos de los Juicios de Núremberg. Sé que el embajador de los Estados Unidos, llamado Spruille Braden, se reunió en numerosas ocasiones con él, para pedir que dejara de protegernos, en vano. En 1945, toda la oligarquía del país se unió, auspiciada por los Estados Unidos, y consiguieron arrestarle.

—Todo eso ya lo conozco, pero lo que me has contado antes me ha dejado muy preocupado.

—Los argentinos tienden a repetir su historia. Ya sabes que ese mismo año, en 1945, Perón se casó con María Eva Duarte y una gran movilización obrera y sindical consiguió su liberación. Al año siguiente, se presentó a las elecciones, que las ganó, convirtiéndose en el presidente de la nación, que todavía lo es. Pero, una vez más, ha conseguido granjearse poderosos enemigos. No le bastaba con los que ya tenía, sino que ahora ha sumado a la Iglesia Católica. En lugar de tender la mano a estos sectores, ha endurecido su política hacia ellos, con represiones hasta en los medios de comunicación hostiles con su política. Sabes que aún tenemos gente fiel al nacionalsocialismo infiltrados en las altas esferas, como ocurre aquí, en España. La gran diferencia es que Franco está siendo inteligente y, a pesar de reprimir lo mismo que Perón, controla la situación. En Argentina, pronto ocurrirá algo muy importante. Mucho me temo que se repetirá la historia de 1945, pero esta vez, puede ser definitiva. Eso es lo que te pretendía explicar.

—¿Y quieres que esté tranquilo?

—Todos estáis perfectamente camuflados. Tú, siendo de los más recientes en llegar, manifiestas que te sientes seguro. Imagínate los que llevan en el país más de ocho años. Ya forman parte del paisaje argentino. Sus identidades falsas están consolidadas. Nadie sospecha ni sospechará de ellos, pero es un hecho que cuando se produzca la caída de Perón, que no creo que tarde mucho más de un año, perderemos toda la capacidad de influencia. Nuestros agentes ya no dispondrán de la información que tenemos ahora.

—Insisto, ¿y eso no te preocupa?

—Eso es lo que quiero que entiendas. A mí sí que me preocupa, pero a vosotros no debe de hacerlo. Necesito que te pongas en contacto con Federico Wegener, que trabaja para la Cruz Roja.

—¿Qué tiene qué ver la Cruz Roja?

Otto sonrió.

—Nada. Realmente Wegener es la identidad ficticia del capitán Eduard Roschmann, miembro de las *SS*, en concreto de la inteligencia del *Sicherheitsdienst.* Es mi hombre de confianza y coordinador sobre el terreno de nuestra organización. Al tener un pasaporte de la Cruz Roja, avalado por la propia Iglesia Católica, dispone de cierta libertad de movimientos, sin despertar sospechas. Ya no me fío de las comunicaciones no verbales. Desde que los israelíes disponen de su propio Estado, cada vez son más peligrosos, con la inestimable ayuda de los Estados Unidos. Disponen de una tecnología superior a la nuestra. Creo que, en la actualidad, ya constituyen un peligro añadido a nuestra tela de araña, y la situación irá a peor. Por eso es tan importante tu misión. Todos debéis estar informados de los hechos que ocurrirán y conservar la calma.

—No creo que estas noticias contribuyan mucho a ello.

—Sabes que en Argentina se ocultan los compatriotas más buscados, tanto por Estados Unidos como por Israel. Aunque intentan localizarnos, nada sospechan de nosotros y así debe seguir. Por eso es tan importante la tranquilidad y que cada uno continúe con sus labores cotidianas. Si no hay filtraciones ni nadie se pone histérico, nada ocurrirá. Viviréis una vida de lujo, burlando a esos perros judíos, por mucha ayuda estadounidense que tengan.

—Lo curioso es que nada de lo que nos cuentas lo percibimos.

—Y así seguirá siendo, pero vuestra seguridad es mi responsabilidad, desde que el *Reichsführer* Heinrich Himmler me puso al frente de toda la estructura. Ya has memorizado la dirección de Federico Wegener y las palabras exactas que le debes de trasmitir. Tienen que ser literales para que te reconozca como un miembro de la organización. En caso contrario, es posible que te pegue un tiro, si se cree descubierto.

—Eres único tranquilizando a la gente —bromeó Juan.

Ambos sonrieron y se abrazaron.

—Ha sido un placer conocerte, pero me temo que ya no nos veremos más. Ahora, debes marchar para cumplir tus últimas instrucciones. Luego, continúa viviendo la vida y disfruta de tu mujer y tus hijos.

—El placer ha sido mío, coronel Skorzeny. Creo que nunca un general ha servido con tanta satisfacción a un coronel.

—Siempre has sido una gran persona, general. Tu manera de ser me ha inspirado para crear todo lo que he conseguido.

—No creo que te haya ayudado tanto. Himmler estaría orgulloso de ti. Como siempre te decía, se rodeaba de los mejores. Este es el mejor ejemplo.

Johannes Bernhardt abandonó Denia y España. Una vez en Argentina, cumplió su última misión. No tuvo ningún problema en comunicarse con Federico Wegener. Después de aquello, vivió feliz en su finca *La Elena* hasta 1967, cuando volvió a su verdadera patria, Alemania, falleciendo en Múnich en 1980.

La noticia de su muerte fue todo un acontecimiento, también en España. Incluso el diario *ABC* publicó su esquela.

D. JUAN E. F. BERNHARDT

FALLECIO CRISTIANAMENTE
EN MUNICH (ALEMANIA)

EL DIA 13 DE FEBRERO DE 1980

a los ochenta y tres años de edad

D. E. P.

Su esposa, Ellen Wiedenbrüg; sus hijos, Marion, Ralph y Jürgen; hijos políticos, Leopoldo Dietl, Christa Scheibe e Hilde Sutor; nietos y demás familia

RUEGAN una oración por su alma.

(4)

59 EN LA ACTUALIDAD, DENIA, 3 DE JULIO

—¡Quiero una explicación!

Rebeca se llevó un buen susto.

—¡Por favor, Carlota! ¿Llevas ahí toda la noche?

—No, solo desde hace una hora. He estado esperando que te despiertes, pero no había manera.

Rebeca miró el reloj.

—¡Pero si son las siete de la mañana! Es mi segundo día oficial de vacaciones y, ¿me despiertas a estas horas de la madrugada?

—Tú, por lo menos, has dormido algo. Yo no he podido.

—Pues te recuerdo que esta noche vamos a salir a tomar unas copas. No vas a estar a tu altura.

—No te preocupes por eso, tengo toda la mañana en la playa para dormir. Pero ahora quiero respuestas.

—Carlota, yo tampoco sé lo que significa esa fotografía.

—La he analizado, he tenido tiempo suficiente. Está claro que es una foto muy similar a la que nuestros padres se tomaron con Bartolomé Bennassar, en el interior de la iglesia de Santa Catalina de Alzira, ¿te acuerdas?

—Claro. A pesar de descubrir que el «árbol judío» no se encontraba oculto allí, posaban los tres muy sonrientes.

—Exacto. En su día no le encontramos ningún sentido a esa sonrisa. Fracasan en su búsqueda del árbol y, para celebrarlo, se toman una foto con alegría.

—Sí, así es —le respondió Rebeca, que seguía medio dormida.

—Pues creo que esta foto explica la otra.

—¿Qué? —Rebeca se incorporó de la cama.

—Que ahora tenemos la otra mitad.

—¿Qué mitad? ¡Si no tienen nada que ver! ¿Por qué crees eso?

—Si te fijas bien, son idénticas poses, pero hay dos diferencias fundamentales. La primera es el lugar, esta foto está tomada entre unas rocas, con unos acantilados de fondo. La segunda diferencia es la tercera persona que aparece con nuestros padres. No es Bennassar, sino una mujer.

—Carlota, por favor, eso es obvio. ¿En esa cuestión tan evidente has estado pensando toda la noche? Eso también lo sabía yo antes de dormirme.

—Listilla, a ver si te sabes la siguiente pregunta. ¿Por qué tendría Bennassar en su poder una foto en la que no aparece, además, en un lugar en el que no está?

—Pues no tengo ni idea —Rebeca estaba bostezando—. ¿Acaso tú tienes la respuesta?

—Pues resulta que sí. La única explicación lógica es que sí aparezca y sí que esté.

Ahora Carlota sí que consiguió captar la atención de su hermana, que se sentó en la cama.

—¿Has perdido la razón? ¡Pero si es un hecho que no aparece! ¿No estarás insinuando que esa mujer puede ser Bennassar? Lo siento, no me lo puedo imaginar con peluca y disfrazado.

—Rebeca, estás haciendo el ridículo. Voy a tener que explicártelo como si se tratara de un programa de televisión infantil. Vamos a ver, en una foto de tres personas, en una época en la que no existían los *selfies*, ¿cuántas personas hacen falta?

Ahora, Rebeca comprendió a su hermana.

—¿Estás insinuando que siempre fueron cuatro personas y no tres? ¿Qué en Alzira también eran cuatro?

—¡Pues claro! Tres en la foto, más el fotógrafo, que nos habíamos olvidado de él. Por eso te decía que esta foto explica la otra. Ya sabemos qué cuatro personas forman parte de esta historia.

—Podría ser —Rebeca ahora estaba pensativa—, pero necesito despejarme un poco—. Si la primera fotografía estaba guardada en una carpeta que ponía «Alzira» y se tomó en Alzira, es de suponer que esta, que estaba dentro de otra que pone «Denia», debe haber sido tomada en algún lugar de este pueblo.

—¡Bravo, Einstein! —Carlota hizo el gestó burlón de aplaudir con las manos.

—Pero tenemos un problema —le dijo su hermana.

—¿Por qué?

—Porque no creo que podamos mostrar esta foto a cualquiera, con libertad. No conocemos su significado, no sería prudente. Recuerda que aparecen nuestros padres.

—Esta noche también he pensado en eso. Podemos hacer una foto con el móvil de la fotografía original, editándola y recortándola, en la que no aparezcan nuestros padres ni la señora que los acompaña. Supongo que la gente del pueblo reconocerá el lugar donde fue tomada. Incluso puede ser que lo haga la propia Almu. Recuerda que ha pasado todos los veranos de su vida en Denia. Supongo que conocerá el pueblo.

—Es una buena idea. Probaremos primero con Almu, a ver si tenemos suerte. Debemos localizar donde fue tomada esa foto.

—Bien, veo que ya te vas despertando —fijo Carlota, al ver más animada a su hermana.

—Bueno, después del madrugón que me has hecho pegar, vamos a ver esas maravillosas vistas del amanecer en Denia.

Salieron a la terraza de su casa. Para su sorpresa, Almu estaba sentada en una hamaca, en la terraza de la casa contigua.

—¡Almu! —le gritaron—. Anda, vente con nosotras.

—¿Qué hacéis despiertas a estas horas? —dijo, mientras recorría la escasa distancia que separaba ambas casas.

—No queríamos perdernos el amanecer —dijo Carlota.

Almu se quedó mirando a Rebeca, que todavía parecía dormida. Era evidente que no se lo creyó, pero no hizo ningún comentario.

—Antes que nada, quería pediros disculpas —dijo.

—¿Por qué? —le preguntó Carlota.

—Por lo de ayer por la noche. No sé qué me pasó. Supongo que me siento muy lejos de mis padres. Odio su manera de ser y de pensar. Como ellos saben que no soy como les gustaría que fuera, jamás me han dado ningún cariño. En secreto, creo que se avergüenzan de mí, por eso siempre me he sentido mucho más a gusto con vosotras. Cuando, en el colegio y en la universidad, os decía que erais mi verdadera familia, no era una manera de hablar. Aunque sé que debo estar sonando muy ñoña, así es como os siento.

—¡Almu! —dijo Rebeca, dándole un abrazo. Carlota se unió.

—Os vais a perder el reflejo del sol sobre el agua —dijo Almu, que, en el fondo, estaba avergonzada hasta por lo que acababa de decir.

Se separaron y se quedaron mirando la maravillosa estampa.

—Tenías razón, las vistas desde aquí son preciosas —dijo Rebeca.

—Hablando de vistas —intervino Carlota, mostrándole una foto en su móvil—. ¿Reconoces estos acantilados? Se supone que están aquí, en Denia.

Almu tomó el teléfono y se quedó mirándola.

—¿Qué antigüedad tiene esta foto?

—Unos veinte años.

—Entonces puede ser casi cualquier sitio. La fuerza del mar y las olas contra los acantilados los erosiona constantemente. Es habitual que haya desprendimientos de rocas. El mejor ejemplo lo tenéis en esta zona, en *Les Rotes*. El mar se ha comido hasta parte del paseo marítimo. Pensad que, en los últimos veinte años, ha habido grandes temporales que han cambiado la fisonomía de la costa. No creo que sea fácil de identificar, a no ser que alguna persona, con más edad que nosotras, lo recuerde.

—¿Qué hacéis despiertas a estas horas? —las tres vieron a Carol acercarse hacia ellas.

—Hemos visto el amanecer y el reflejo dorado del sol sobre el mar.

—Estupendo —respondió Carol, que no parecía nada entusiasmada.

—Ya que estamos despiertas todas, vamos a desayunar —dijo Almu, dirigiéndose hacia el restaurante.

Observaron que sus puertas estaban abiertas y había una mesa puesta para cuatro personas. Ante el asombro de sus amigas, Almu les explicó que Helga, que era la esposa de

Juan, el guarda de la propiedad, hacía unas mermeladas caseras deliciosas, con arándanos y moras que cultivaba en un extremo de la finca. Además, le encantaba que los demás apreciaran su trabajo y desde luego que lo hicieron.

Decidieron darse un chapuzón matinal en la piscina. Aún era muy pronto para acercarse a la playa.

Sobre las once del mediodía bajaron a la playa. La única de las cuatro que ya estaba morena era Carol. Rebeca y Carlota eran de piel muy blanca y a Almu no le gustaba el sol, así que iban equipadas con tres sombrillas, una pequeña nevera y hamacas plegables. Parecían cuatro turistas extranjeras en Denia, estaban perfectamente integradas con el entorno.

Carlota se tumbó debajo de una sombrilla. A pesar de ello, se aplicó una crema solar de altísimo factor de protección solar. Uno más y sería yeso. Se puso un sombrero de paja sobre la cara y les dijo que no la despertaran «hasta el anochecer». Carol, toda estupenda, extendió su toalla y se tumbó a tomar el sol. Almu y Rebeca la observaron. Por su mente pasó la misma idea. No sabían si sería más cara la toalla o el modelo de *bikini* que lucía, ambos de la conocida marca francesa *Eres* de París.

A la una y media, Almu les indicó que era hora de regresar a la finca. Así lo hicieron.

—Tenéis media hora para daros una ducha rápida y vestiros, que hoy no comemos aquí. A las dos y cuarto en punto saldremos —les dijo.

Las cuatro fueron puntuales. Para su sorpresa, Juan les estaba esperando, con un flamante *Mercedes* negro. Parecía un coche de ministro.

Almu se anticipó a las preguntas de sus amigas.

—Es el coche de servicio de la finca. Mi padre lo utiliza con sus invitados. Yo no lo uso nunca, pero he pensado que, por un día, tampoco pasaba nada.

Cruzaron la población de Denia y pasaron por enfrente del puerto, sin detenerse. Para su sorpresa, Juan detuvo el vehículo y les abrió la puerta en un lugar inesperado.

—¿Vamos a comer aquí? —preguntó una alucinada Carol—. ¡Pero si hay lista de espera! Hay que reservar con mucha antelación.

—Además, es carísimo —observó Carlota, mirando a su hermana. A pesar de que eran muy ricas, Rebeca trataba de hacer la mínima ostentación posible.

—Pero es todo un espectáculo gastronómico —se justificó Almu—. Tan solo he venido un par de veces, pero mis padres son asiduos. En cuanto a la lista de espera, siempre hay una mesa para los Bremer. Ahora que lo pienso, quizá sea de las pocas ventajas que tiene ser hija de ellos.

Rebeca era la única que parecía desconocer el local.

—Carlota —le dijo—, cuando has comentado que es caro, ¿de qué cifra estamos hablando? ¿Setenta u ochenta euros por persona?

—Estás enfrente del restaurante de Quique Dacosta. Multiplica esa cifra por tres o cuatro —le respondió, sonriendo.

—¡Por Dios! —se le escapó a la agnóstica de Rebeca, que sí que conocía el nombre del gran cocinero, con tres estrellas *Michelin*, pero no a su restaurante.

—No os preocupéis por el dinero —les dijo Almu, que sabía que Carol era rica, pero no tenía ni idea de que sus otras dos amigas también lo eran—. Mis padres tienen cuenta.

Entraron en el restaurante. Si por fuera ya imponía, por dentro no lo hacía menos.

—¡Almu! ¿Eres tú? —oyeron, nada más cruzar la puerta.

—¡Marco! —le respondió, sorprendida—. ¿Qué haces aquí?

—Eso mismo te iba a preguntar yo. Hace lo menos dos veranos que no te veo.

—Ya sabes que no salgo mucho, pero hoy es un día especial. He venido con mis tres mejores amigas a comer. Vamos a pasar unos días de vacaciones en *Les Rotes*, aprovechando que no están mis padres.

—¡Qué casualidad! Yo también he venido con dos amigos y dos amigas —dijo, señalando una mesa.

—¿Esa es Kaia Gerber? —preguntó Carol, que no se pudo aguantar.

—Sí, además de amigos, los cinco somos colegas de trabajo —le respondió Marco.

—¿Colegas de trabajo? —Carol parecía alucinada.

—Antes de que os sentéis, vamos a presentarnos todos. Cuando terminéis de comer, nos tomamos algo juntos, si os apetece.

—¿Kaia Gerber es la que creo que es? —susurró Carlota a Carol, que asintió con la cabeza.

Se acercaron a la mesa de Marco y se presentaron todos. Después de una breve conversación, las cuatro amigas fueron acompañadas por el jefe de sala hasta la suya.

—Son todas y todos guapísimos —reconoció Rebeca—. ¿No dicen que Dios los cría y ellos se juntan?

—En este caso no ha sido Dios —le respondió Carlota—, sino Prada, Versace, Saint-Laurent, Jimmy Choo y Vuitton, que, a su manera, también son dioses.

Rebeca cayó en la cuenta.

—¡Son modelos!

—Y de los buenos —dijo Almu—. Marco Armas es un amigo de toda la vida. Es del pueblo. Sus padres también tienen una casa en *Les Rotes* y formaba parte de mi pandilla de amigos de la infancia y juventud. Ya apuntaba maneras desde bien niño.

—¡Adjudicado! —dijo Carlota—. Qué conste que me lo he pedido la primera.

Todas se rieron.

—Por cierto, ¿quién es la tal Kaia, que la habéis reconocido antes de que nos la presentaran? —preguntó Rebeca.

—¿Te suena Cindy Crawford? —dijo Carol.

—Claro, la que fue *supermodelo* en los años 80 y 90 del siglo pasado.

—Pues es su hija. Ese es el nivel de la mesa.

—¿No me digáis que es toda una señal, en nuestra primera salida? —dijo Carlota, sonriendo de una manera pícara—. Una mesa de modelos *tiernecitos*.

Disfrutaron de la comida de Quique Dacosta. Fue un auténtico festival de los sentidos, que duró más de dos horas. Carlota no perdía de vista la mesa de Marco, que parecían ir al mismo ritmo que ellas. Por fin, la explosión de sensaciones llegó a su fin. El propio Quique acudió a su mesa para saludarlas. Mantuvo una breve conversación con ellas y dio recuerdos a Almu para sus padres.

—Anda, venid a tomar el postre con nosotros —escucharon decir a Marco.

«Mi postre eres tú», pensó Carlota, con cara de diablesa.

Se juntaron los nueve. Ellas cuatro, más Marco y Pablo, eran españoles. Tanya era rusa, Enzo italiano y Kaia estadounidense. Sin embargo, entre todos ellos se entendían en español. Viajaban por todo el mundo y los idiomas eran fundamentales para ellos.

—¿Estáis aquí por trabajo o diversión? —le preguntó Almu.

—Ambas cosas. Esta noche terminaremos de grabar un anuncio para Prada en el *Zensa*, pero nos llevará apenas media hora. Después, aprovecharemos la noche, que no te creas que ahora tenemos demasiadas oportunidades —respondió Marco.

—Nosotros también acudiremos al *Zensa*, pero antes nos pasaremos por el *Paddy*, ya sabes, a escuchar en directo a los *Black Glitter*. Si no lo hacemos, Rebeca me mata —dijo, mientras la miraba.

Marco también se giró hacia ella.

—¡Oye! Ahora que me fijo, ¡tú eres Rebeca Mercader!

—Ni se te ocurra acapararlo —le susurró al oído su hermana.

—Sí, lo soy. Lo siento, no termino de acostumbrarme a que me reconozcan —le contestó, tímida.

—¡Pues imagínate a nosotros! —dijo Marco—. ¿Sabes lo embarazoso que es que te paren por la calle y te pregunten si te llamas *Chanel*, por el anuncio?

—Bueno, a mí me llaman *Ana Rita*, por el programa de televisión en el que colaboro, no sé qué es peor.

Todos y todas se rieron, menos una.

—¿Os importa que nos hagamos una foto todos juntos? —les interrumpió Carlota, mientras sacaba su móvil del bolso.

—Claro que no —dijo Tanya, sonriente—. Las fotografías son lo nuestro.

Un camarero inmortalizó el momento. Le devolvió el móvil a Carlota.

—Marco —dijo—. Almu nos ha dicho que eres de aquí, de Denia.

—Así es. Hasta hace tres años he vivido en este maravilloso pueblo, ahora ya no sé de dónde soy. Supongo que ciudadano de un país llamado mundo.

Carlota sacó el móvil de su bolso y le mostró la fotografía de los acantilados.

—Rebeca y yo somos hermanas. En el álbum de fotos familiares de nuestros padres, ya fallecidos, nos encontramos con esta fotografía. Debajo de ella aparecía escrito «Denia». ¿Te suenan de algo estos acantilados?

Marco tomó el móvil con sus manos y se quedó observando la fotografía, con bastante detenimiento.

—No te creas que sé lo que estás haciendo —ahora le susurró Rebeca a su hermana.

—Me lo había pedido yo primero.

—¡Mira, Almu! —le dijo Marco, con expresión de sorpresa.

—Ya he visto la fotografía.

—¿Y no la has reconocido? Son *Les Rotes* hace veinte años por lo menos. Ahora luce algo diferente, el mar le ha recuperado terreno a la costa y hay más rocas desprendidas.

—No estoy tan segura, Marco. Toda la zona se parece mucho.

—Bueno, siempre le podéis preguntar a «La reina del mar».

Marco y Almu se empezaron a reír. Los demás los miraban, sin comprenderles.

—Es una antigua leyenda del pueblo —empezó a explicarse Almu—. Los viejos del lugar cuentan que, todas las tardes previas a las noches de luna llena, una anciana se aparecía en los acantilados. Nadie sabe de dónde salía, pero llevaba consigo una silla. La apoyaba en una piedra y se quedaba mirando al mar. Desaparecía con la noche. Dicen que lo hacía por pena, porque su marido se había matado en esos mismos acantilados.

—¿Por qué la llamaban así? —Carlota parecía interesada, sin embargo, a Rebeca le daba la impresión que le intentaba alejar de su presa.

—A eso te puedo contestar mejor yo —dijo Marco—. Su majestuosidad sentada en esa silla, con su melena blanca mecida por el viento, le otorgaba un aspecto elegante y regio. Pronto se ganó ese apelativo en todo el pueblo. Parecía una reina en su trono, frente al mar.

—Es una leyenda, Marco. Nunca ha existido —dijo Almu.

—De niños ya teníamos esta misma discusión. Tú no me creíste jamás. Ya te dije que la vi en dos ocasiones, hasta mi padre lo hizo —dijo, mientras le devolvía el móvil a Carlota.

—Te repito, Marco, es una leyenda —Almu insistía—. Si fuera real, existiría alguna fotografía de ella y, que yo sepa, no hay ninguna.

Carlota pareció desentenderse de la conversación. Estaba mirando su móvil, posiblemente subiendo a sus redes sociales la foto de los nueve. De repente, se levantó de la mesa.

—Ha sido un placer conoceros. Me parece que esta noche vamos a coincidir en un local. ¿Os tomaréis algo con nosotras?

—¡Por supuesto! —respondieron los cinco, casi a coro.

—Pero ¿no vamos ya? —preguntó Carol, que estaba en animada conversación con Enzo, Tanya y Kaia, sobre toda esta última, ya que, a pesar de su juventud, era una auténtica *celebrity* internacional.

Almu, Rebeca y Carol se quedaron extrañadas, mirando a Carlota.

—No estoy nada acostumbrada a la playa. Esta mañana hemos estado más de dos horas y me duele un poco la cabeza. Prefiero descansar ahora y reservarme para la fiesta de después.

«Carlota no se ha reservado nada en su vida», pensó Rebeca, extrañada.

—Pues nada, esta noche nos vemos en el *Zensa Lounge*, no os preocupéis —dijo Marco, mientras todos se besaban.

Juan las estaba esperando en el exterior del restaurante. Enseguida les abrió la puerta del vehículo. Entraron las cuatro.

Rebeca, mientras tanto, seguía atenta a su hermana. Sabía que algo estaba ocurriendo, pero la cara de Carlota no dejaba traslucir nada. Bajó la vista. Aún tenía su móvil en la mano. Se fijó mejor. Tenía abierta una aplicación meteorológica.

Ahora lo comprendió todo.

Esta noche había luna llena.

60 EN LA ACTUALIDAD, DENIA, 3 DE JULIO

—Supongo que querrás descansar —le dijo Almu a Carlota, cuando entraron en su residencia—. Yo, desde luego, lo voy a hacer. Ya veo que esta noche nos vamos a correr una buena juerga.

—En realidad, no. Cuando me paso demasiado tiempo en la playa, lo que mejor me sienta es un paseo, sintiendo la brisa marina en mi cara. Me relaja.

«¡Qué actriz se ha perdido Hollywood!», se dijo Rebeca.

—Bueno, de eso no te va a faltar aquí. Si bajas a los acantilados, te vas a hartar de brisa —le respondió Almu, mientras las dejaba y se iba hacia su casita.

—Yo creo que también me voy a retirar —dijo Carol.

—Ni hablar —le contestó Carlota, muy seria—. Te vienes a pasear con Rebeca y conmigo.

Por un instante, pareció que Carol iba a poner alguna objeción, pero no lo hizo.

—Está bien, todo sea por tu cabeza.

—Mi cabeza se encuentra perfectamente.

Rebeca estaba muy atenta a la conversación y fue testigo del cambio en la mueca de Carol, que se giró hacia ella.

—Tenemos que hablar, ¿verdad? —dijo.

—Ya sabes que lo debimos hacer hace tiempo, pero la culpa es enteramente mía —reconoció Rebeca.

—Pues vayamos a sentir esa brisa marina en la cara —dijo Carol—. No solo os sentará bien, sino que la necesitaréis.

Salieron por la pequeña puerta que daba acceso al paseo marítimo y bajaron hasta los acantilados de *Les Rotes*.

Anduvieron todo el camino en silencio, hasta llegar al borde del agua. Comenzaron a andar.

—Supongo que si estamos las tres, aquí y ahora, es porque, por fin, comprendiste el significado de *Los tres cerditos* —le dijo a Rebeca.

—Demasiado tarde, pero así fue. En realidad, ya me lo dijiste en Madrid, en tu casa de la sierra, cuando me regalaste el cuento. Eso ocurrió el 7 de octubre del año pasado. Ha trascurrido casi nueve meses. Un embarazo.

—Sí, intenté avisarte de una manera que pensaba que comprenderías.

—Embarazoso —siguió Rebeca, con el juego de palabras.

—No te reproches nada. Ambas me veíais como la «*ultrapija*» del grupo y ese camuflaje me venía de maravilla. Pasaba desapercibida. En eso consistía ser undécima puerta, ¿no?

—Ya sé que yo no lo hice demasiado bien —Rebeca se continuaba lamentando—. Tú cumpliste tu papel a la perfección. Nadie jamás sospechó de ti, sin embargo, yo me dedicaba a hacer todo lo contrario, a que todas las miradas se posaran sobre mí.

—Bueno, eso fue siempre lo pretendido, ¿no lo recuerdas? Una undécima puerta visible y otra oculta. Cada una con una mitad del Gran Mensaje, que conduciría hasta el emplazamiento del gran tesoro judío. Ese fue el plan que trazó don Alonso Manrique de Lara, en el siglo XVI. Así ha perdurado hasta el día de hoy, con notable éxito.

—Desde luego, pero el descubrimiento de que eras la segunda undécima puerta fue un auténtico terremoto.

—Ya lo imagino.

Carlota estaba escuchando la conversación en silencio. Ahora decidió intervenir.

—Entonces, yo nunca fui la segunda undécima puerta.

—No, era una opción demasiado obvia. Rebeca ya estaba expuesta, la segunda no podía ser alguien tan cercano a ella. Debía ser alguien próximo a ella, por si necesitaba ayuda, pero no tan unido. Recordad que todo el Gran Consejo sospechó de vosotras dos desde el principio. Es la mejor prueba.

—¿Sabes eso también? —Rebeca estaba sorprendida.

—Lo sé todo. Aunque no os dierais cuenta, siempre estuve a vuestro lado, durante toda la aventura. Si ahora, con lo que sabéis, echáis la vista hacia atrás, quizá comprendáis que, en muchas de las cosas que ocurrieron, estuvo mi mano detrás.

Rebeca y Carlota parecían abrumadas. Ya habían llegado hasta el extremo de *Les Rotes*, donde unas rocas desprendidas, evitaban el poder seguir caminado. Las tres amigas se sentaron en una de ellas.

—Entonces, ¿yo jamás he pintado nada en esta historia? —dijo Carlota.

—Te equivocas —le replicó Rebeca, casi de forma instantánea. Se giró hacia Carol—. Anda, ¿se lo cuentas tú o lo hago yo?

Ahora, la sorprendida fue Carol.

—¿Lo sabes?

—Digamos que me lo imaginaba desde lo de *Los tres cerditos*.

—¿Me podéis explicar de qué estáis hablando? —preguntó Carlota, que no se estaba enterando de nada.

—Vamos a caminar de vuelta, creo que la brisa te vendrá bien —le dijo Carol.

Durante el primer minuto del paseo, ninguna pareció atreverse a hablar. Visto que Carol no sabía cómo sacar el tema, Rebeca se decidió a romper el hielo. Lo hizo de forma directa, al estilo de Carlota.

—Somos hermanas.

—¡Vaya revelación más estúpida! Eso ya lo sé —le respondió.

—No has entendido a Rebeca —dijo ahora Carol, repitiendo la misma frase con más énfasis—. Somos hermanas.

Ahora, Carlota se detuvo en seco.

—¿Os referís a las tres? —preguntó, incrédula.

—Nuestros padres no tuvieron un parto de gemelas, sino de trillizas —explicó Rebeca.

—¿En serio? ¿No me estaréis tomando el pelo? —dijo, mientras reanudaba la marcha. Sus ojos reflejaban el desconcierto.

—¿Crees que bromearíamos con una cosa así? —dijo Carol.

Carlota no parecía reaccionar, pero, en su interior, supo que era verdad.

—Disculpa, Carol, que no te dé un abrazo y todas esas cosas que se suponen que hacen las hermanas, pero, como podrás ver, aún no he reaccionado. Es la segunda vez que me pasa lo mismo.

—¿Quieres ver la prueba definitiva? —le preguntó Rebeca.

—¿Qué prueba? —Carlota aún estaba en una nube.

Rebeca se giró hacia Carol.

—Anda, enséñasela.

—¿También sabes eso? —Carol pensaba que iba a sorprender a Rebeca, y resulta que lo sabía todo, incluso lo que se suponía que no debía conocer.

—Estoy segura de que la llevas en el bolso.

—Sí, es cierto —le respondió, mientras lo abría y extraía un sobre plastificado.

Se lo entregó a Carlota, que lo abrió de inmediato.

—Esta es la verdadera segunda parte del mensaje que conduce al «árbol judío milenario» —dijo.

Era una fotografía de Julián Mercader, su padre, junto a una pequeña niña, que era Carol. Tanto Rebeca como Carlota tenían una foto idéntica. Tan solo existían dos significativas diferencias entre las tres fotografías. La primera era obvia, en cada una de ellas aparecía una hermana diferente, pero la otra era sutil. En la estantería del fondo del salón, cada una tenía un objeto diferente.

En la de Carlota había una talla de una Virgen, en la de Rebeca había tres libros muy antiguos. Siempre pensaron que esos dos detalles eran las dos mitades del mensaje que conducía al árbol judío, pero si la foto de Carlota era un señuelo y la verdadera era la de Carol, ¿qué objeto había en la de Carol?

Se fijaron. La foto era oscura, como las de ellas. Tuvieron que centrar la vista mucho para poder advertirlo.

—¿Qué es eso? —dijo Rebeca—. Parece un pez alargado.

—¡Es una especie de pequeño submarino! —exclamó Carlota.

Las tres se quedaron mirando, con ojos de evidente excitación. Estaban pensando lo mismo.

—¿Os acordáis de la extraña historia que nos contó Almu acerca de esa supuesta base de submarinos alemanes de la Segunda Guerra Mundial? —preguntó Rebeca.

Sin darse cuenta, habían llegado justo debajo de la finca de Almu. Sin poderlo evitar, se giraron hacia el acantilado, mirando hacia el agua.

—¿Es posible que ahí se encuentre…?

—Carlota —le interrumpió Rebeca—, no mires hacia el agua. Mira hacia arriba.

Levantó la vista. Se quedó como hipnotizada.

—¡Estos son los acantilados que hemos estado buscando! —casi gritó—. Los teníamos justo debajo de nosotras y no nos habíamos dado cuenta.

Ahora era Carol la que no entendía nada.

—¿Se puede saber de qué estáis hablando?

Rebeca se dispuso a sacar la fotografía original de sus padres, tomada hace veinte años, en ese mismo emplazamiento.

No tuvo tiempo.

Las tres se quedaron sin aliento.

61 EN LA ACTUALIDAD, DENIA, 3 DE JULIO

De la nada, había surgido una anciana con una silla en sus manos. No llevaba el pelo largo ni parecía una reina, pero hizo exactamente lo mismo que se le suponía a «La reina del mar», sentarse de espaldas al acantilado, mirando hacia el agua. Las tres la estuvieron observándola durante un par de minutos, no por curiosidad, sino porque no eran capaces de reaccionar.

¿Qué se suponía que debían de hacer?

Al final, como siempre, fue Carlota la que se dirigió a ella, abordándola sin rodeos.

—Disculpe, señora, pero ¿es usted «La reina del mar»?

Aquella anciana no contestó de inmediato, se tomó su tiempo.

—Creo que así me conocen en el pueblo, pero no soy la reina de nada.

Ahora, Rebeca y Carol se acercaron hasta Carlota, que intentó entablar una conversación con aquella anciana. Lo primero que hizo fue enseñarle la fotografía de su móvil, con los acantilados de fondo.

—¿Los reconoce? —le preguntó Carlota.

La anciana se quedó mirando la pantalla del teléfono.

—Claro que los reconozco y vosotras también, pero eso ya lo sabíais antes de preguntármelo, ¿verdad?

Carlota, instintivamente, se apartó un poco. No se esperaba esa respuesta tan directa. Ahora fue Rebeca la que intervino. Su hermana era demasiado impulsiva y, en ocasiones, se olvidaba de las más elementales normas de educación. Intentó reconducir la conversación.

—Disculpe a mi hermana por abordarla de esta manera. No pretendíamos molestarla.

—No lo hacéis, no os preocupéis.

—¿Es cierto que su marido se mató aquí, como dicen en el pueblo? Cuentan una historia muy triste.

—Sí, es cierto. Ocurrió hace tantos años que ya casi ni me acuerdo. Esa noche también lucía la luna llena. Me parece un bonito homenaje.

Les estaba contestando sin apartar su mirada del mar, tan solo desviada para mirar el móvil de Carlota durante apenas un segundo. No se había girado a ver con quién estaba hablando.

—Ni siquiera nos hemos presentado —continuó Rebeca.

—No hace falta que lo hagáis —les contesto la anciana.

—¿Por qué? —la pregunta le salió de forma espontánea, quizá había sonado un poco brusca.

La anciana seguía sin apartar sus ojos del mar.

—Porque ya os conozco.

—Es cierto que nos alojamos en la residencia de los padres de Almudena Bremer, que está justo encima de estas rocas, pero apenas llevamos un día —Rebeca intentó ocultar su sorpresa por la respuesta de aquella señora.

Ahora sí, apartó la vista del mar. Se giró y se quedó mirando a Rebeca.

—Anda, enséñame la fotografía original. Está claro que la que he visto en el teléfono estaba recortada.

Rebeca se quedó pasmada con aquella anciana. Aunque estaba muy bien conservada, desde cerca se podía apreciar su avanzada edad. Superaría los noventa años seguro, quizá hasta pudiera rozar los cien. Además, estaba claro que mantenía su lucidez mental intacta, si se había dado cuenta de que la foto que le había enseñado Carlota estaba editada y recortada.

Abrió su bolso y le mostró la fotografía original, en la que aparecían sus padres.

La anciana se quedó mirándola durante un buen rato. Para sorpresa de las tres, les pareció que una lágrima le brotaba de uno de sus ojos, recorriéndole la mejilla.

—Disculpad, creía que ya no me quedaban —les dijo, mientras se sacaba un pañuelo de uno de sus bolsillos.

Rebeca observó ahora a Carlota. Había iniciado la conversación, pero estaba extrañamente callada. De hecho, pudo observar en sus ojos ese característico brillo, que quería decir que su cerebro estaba a pleno rendimiento. Para espanto de Rebeca, Carlota dio un paso adelante.

—¿Por qué aparece en la foto con nuestros padres? —le preguntó.

La anciana pareció sorprenderse con la pregunta.

—¿Por qué supones que soy yo?

—Porque, aunque la foto tenga más de veinte años, sus ojos son los mismos.

Ahora, «La reina del mar» se permitió una pequeña sonrisa.

—No sé por qué me sorprendo —respondió.

—¿Eso es un sí?

—Claro. Catalina y Julián me encontraron, hará poco más de veinte años, igual que lo habéis hecho vosotras, ahora mismo.

—Usted siempre ha sido la «cuarta persona». Catalina, Julián, Bartolomé y usted —afirmó Carlota.

—En todo caso, sería la primera.

Rebeca también estaba muy pensativa. Había algo en toda la conversación que le llamaba poderosamente la atención. Decidió salir de dudas.

—Cuando he intentado presentarnos, ha dicho que ya nos conocía, pero no es por estar alojadas en la casa de los Bremer, ¿no?

—No, desde luego que no —la anciana no había perdido esa sonrisa tan enigmática.

—Entonces, ¿de qué nos conoce?

—Es más que evidente. Sois las tres hijas de Cata y Julián. Rebeca, Carlota y Carolina, si no recuerdo mal vuestros nombres.

—¿Les hablaron de nosotras nuestros padres, cuándo se vieron aquí?

—Claro, hasta me mostraron una fotografía vuestra, recién nacidas.

Las tres se miraron entre sí. No acababan de comprender aquella situación.

—¿Por qué tendrían que hacer eso con una perfecta desconocida? —preguntó Carlota—. Yo me enteré hace un año de que Rebeca era mi hermana y lo acabo de hacer ahora con Carol.

La anciana las seguía observando, pero su mirada ya no recogía la melancolía del mar, sino una ternura que no comprendieron.

—Porque no soy una desconocida.

—¿Y quién es usted? —preguntó Rebeca.

—En tiempos muy lejanos, fui como tú.

—¿Qué quiere decir?

—Que fui undécima puerta y también me tocó salvar el árbol.

Ahora, las tres se sorprendieron. No se esperaban esa respuesta.

—¿Cómo puede saber eso? Se supone que es un secreto y la acabamos de conocer.

La anciana se levantó de la silla, la tomo en sus manos, la giró y dio la espalda al mar, por primera vez en su vida.

—Creo que ya no hace falta que mire al horizonte mucho más. Ahora mismo, lo tengo delante de mí.

Las tres permanecieron calladas, observando a aquella anciana. Mirándola a los ojos, ahora sí que les parecía una verdadera reina.

—Os preguntaréis por qué vuestros padres vinieron a buscarme. La respuesta es muy sencilla. Yo era la abuela de Catalina Rivera.

Si ya se habían sorprendido con la respuesta de la undécima puerta, ahora aún lo hicieron más. El rostro de las tres hermanas reflejaba el desconcierto. Se miraron entre sí. Estaba claro que ninguna parecía atreverse a continuar con la conversación. Aún estaban asimilando sus palabras, que habían caído como un rayo sobre sus cabezas.

—Entonces, ¿es usted nuestra bisabuela? —preguntó Rebeca, con timidez.

—Me parece que es la conclusión obvia, ¿no? —les respondió.

Ahora, Carlota pareció reaccionar.

—Usted parece conocernos, pero nosotras no. ¿Cómo se llama? —preguntó, de forma directa. En sus ojos se veía, con absoluta claridad, la incredulidad que sentía ante las palabras de aquella anciana.

—Veo que no terminas de creerme. Es normal. Aunque hace muchísimos años que no lo pronuncio, mi nombre es Cornelia Schiffer.

Carlota seguía muy seria.

—Nos está engañando. Usted no puede ser nuestra bisabuela.

—¿Por qué crees que os diría una cosa así, si no fuera cierta?

—Eso nos lo debería contestar usted.

Rebeca consideró que debía intervenir. Su hermana Carlota parecía enfadada.

—Comprenda —dijo, dirigiéndose a la anciana— que no nos sea sencillo asimilar lo que afirma. Personalmente, jamás escuché a mis padres pronunciar su nombre.

Carlota se explicó.

—Ninguna lo hemos escuchado porque no es nuestra bisabuela. Os preguntaréis por qué estoy tan segura. Resulta que, cuando me enteré de mi verdadera identidad, de que no era una Penella sino una Mercader Rivera, investigué un poco mis verdaderas raíces. Hasta hice mi propio árbol genealógico. No tengo ninguna bisabuela llamada Cornelia Schiffer. Es un hecho contrastado.

Cornelia sonrió.

—Ya veo que es cierto todo lo que cuentan de vosotras. Sois iguales a vuestra madre, no solo físicamente, sino también intelectualmente.

—Esa no es una respuesta.

—No te falta razón Carlota, no tienes ninguna bisabuela que se llame Cornelia Schiffer.

—Entonces, ¿por qué nos ha mentido?

La anciana se aproximó más a ellas. Ahora, se encontraban a menos de un metro. Rebeca pudo mirarla fijamente a sus ojos. Lo que vio, le sorprendió. Tuvo muy claro que no les estaba mintiendo.

—Tantos años llamándome Cornelia Schiffer que casi no lo recuerdo. Hace mucho tiempo, mi nombre era Gisela Bernhard, o todavía mejor, Gisela Font.

FIN
La reina del mar

¿Te atreves a continuar con Rebeca y Carlota?
¿Creías que todo había acabado?

¿Qué sucede a continuación de "La reina del mar"?

LA AVENTURA CONTINÚA EN EL MISTERIO DE NADIE

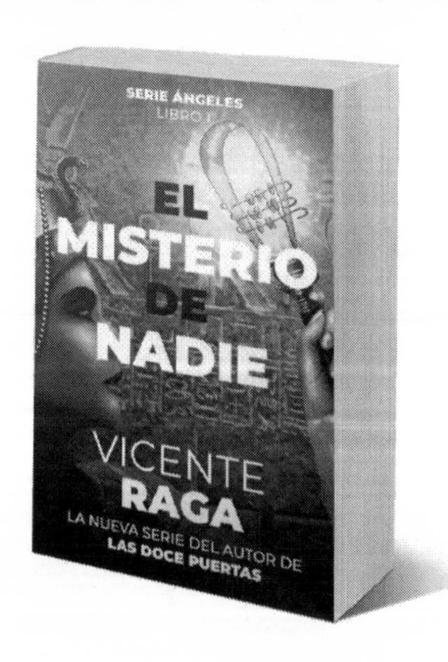

¿Te apetece leer algo diferente?

Nueva trilogía en un solo volumen. Escrita con mi estilo de misterio e intriga y basada en hechos reales.

Jaque a Napoleón: La trilogía completa: apertura, medio juego y final

¿Qué tienen que ver un genio americano del ajedrez, un nacionalista italiano y Napoleón? Parece que nada, ¿verdad? Pues lo tienen. Una historia basada en hechos reales, donde la aventura, el misterio y la intriga bailan al ritmo de la mejor partida de ajedrez de la historia, disputada en el Teatro imperial de la Ópera de París, el 21 de octubre de 1858.

Se trata de una trilogía editada en un solo volumen, por lo que su extensión es de 700 páginas. Los tres libros que contiene "Jaque a Napoleón" se llaman "Apertura", "Medio juego" y "Final", como las tres partes en las que se divide una partida de ajedrez, aunque sea una novela basada en la historia y no un libro de ajedrez.

"Adictivo hasta el final. Vicente Raga nos atrapa de nuevo con una aventura histórica donde no puedes parar de leer hasta acabarla. Como siempre, esperen de este autor sorpresas hasta

la última página. Un libro inteligente y muy recomendable para todos los públicos. Cinco estrellas". **Harald Brook, Tribuna Libre**.

"Esta novela es puro arte, entretenimiento, música y ajedrez, todo ello unido en un solo libro. Tal logro está al alcance de Vicente Raga y muy pocos más. Como siempre sucede con este autor, tomen asiento, pónganse cómodos y prepárense para disfrutar. Es la novela que más me ha enganchado de este año, les aseguro que no la podrán soltar". **Roberto Marín, Florida Books.**

Al misterio, la intriga y la historia, se le unen el ajedrez y la música.

¡Apasionante!

Apuntes históricos finales

La historia narrada del submarino alemán *U-77* y la suerte que corrió es cierta. El *U-Boot* descansa en el lecho marino, en las mismas coordenadas que incluyo en la novela. De sus 47 tripulantes, sobrevivieron 9, que fueron repatriados a Alemania. Aparecieron 36 cadáveres, que fueron enterrados, en un principio, en dos cementerios. Los cinco cuerpos que recogieron las embarcaciones de Altea, incluido el de su comandante Otto Hartmann, en el cementerio de la localidad. Los otros 31, lo fueron en el cementerio de Alicante. Posteriormente, ya en el año 1983, fueron trasladados al cementerio alemán de Cuacos de Yuste, en Cáceres, España. En cuanto a los dos tripulantes que jamás aparecieron, siempre se pensó que se habían hundido con el submarino, pero esta hipótesis ha quedado descartada por recientes investigaciones, que han accedido al interior de los restos del submarino. Oficialmente, nadie sabe qué fue de ellos. Hasta ahora. La base de submarinos ubicada en *Les Rotes*, Denia, existe en la realidad, aunque está clausurada y no se puede visitar.

Por otra parte, existe cierta controversia histórica acerca de existencia o no de la llamada organización ODESSA, que es el acrónimo de su supuesto nombre en alemán, *Organisation der ehemaligen SS-Angehörigen*, o sea, la organización de antiguos miembros de las *SS*. Fue popularizada por el novelista Frederick Forsyth, en 1972, a través de su libro *The Odessa File*. Posteriormente alcanzó mucho eco con diversas películas de gran alcance internacional.

No obstante, resulta improbable que esta organización, en el caso de existir como tal, fuera la responsable de la masiva huida de cientos de criminales de guerra nazis. Según los datos históricos aportados, ODESSA se fundó en 1946, cuando existen evidencias de una organización bastante anterior, que ya operaba desde 1943. Esta explicación resulta más plausible, ya que los santuarios ya estaban preparados y organizados con bastante antelación a la finalización de la Segunda Guerra Mundial, en 1945.

Las últimas revelaciones históricas tienden a pensar que el régimen nacionalsocialista dio forma a una estructura en tela de araña, cada hilo conectado entre sí pero al mismo tiempo descentralizada en su organización, llamada *Die Spinne*. Fue la verdadera responsable de coordinar y preparar, bastante antes del final de la guerra, toda la logística, apoyándose en otras organizaciones que, en apariencia, se disolvieron, como la *Sociedad Thule*, que aún perviven en la actualidad, bajo otras denominaciones.

Die Spinne organizó varias rutas de escape. Una de ellas pasaba por España. Algunos de los criminales nazis se quedaron en santuarios como Málaga, Denia o las Islas Baleares, pero los jerarcas nazis más notables, como Josef Mengele o Léon Degrelle, utilizaron la vía española para huir a Argentina. Otros utilizaron rutas alternativas, como la que tenía su sede en Roma, que, vía Génova, conducía a Buenos Aires. Esta ruta fue utilizada, entre otros, por Adolf Eichmann, que fue capturado por el *Mossad*, el servicio secreto israelí, en 1960.

Es sorprendente los lazos que, incluso en la actualidad, tienen estas organizaciones con la sociedad mundial y, en particular, con la española. A este respecto, resulta muy interesante leer el libro de investigación del periodista Joan Cantarero, titulado *La huella de la bota*.

En cuanto al Santo Grial, parece que el verdadero se encuentra en la Catedral de Valencia. Recientes investigaciones así lo parecen confirmar. Resulta muy reveladora la tesis de la doctora en Historia del Arte, Ana Mafé García, concluida en noviembre de 2018, donde aporta innumerables datos históricos y científicos. Esta tesis aparece resumida y explicada de forma muy amena en su libro, publicado en 2020, titulado *El Santo Grial*, de recomendable lectura. También son de destacar las aportaciones de Chema Ferrer en su libro *La ruta del Grial*.

El Gran Consejo judío, aún pervive en la actualidad, formado por destacados personajes de la vida pública española.

Agradecimientos profesionales

Estas breves palabras las quiero dedicar a los verdaderos instigadores de esta saga. Magníficos escritores, profesores universitarios e historiadores de los que he aprendido mucho, al margen de mis propias investigaciones, ya que estas novelas también contienen material histórico inédito. Tengo que reconocer el gran trabajo de Abraham M. Hersman, José Hinojosa, Manuel Montalvo, Francisco Danvila, Matilda Azulai, Estrella Israel, Salvador Aldana, Luis Suárez, Luis del Rey, Henry Kamen, Angelina García, Ricardo García Cárcel, Miguel de la Pinta Llorente, José Maria de Palacio (marqués de Villareal y Álava), Carlos G. Noreña, Isabel Montes, Moisés Orfali, Ricardo Cappa, Juan Antonio Llorente, José Rodrigo Pertegás, J. Díez Arnal, Raphäel Carrasco, Ángel Gómez-Hortigüela, Yom Tov Assis, Raquel Ibáñez-Sperber, Francisco Roca-Traver, Leopoldo Piles Ros, Julia C. García Casarrubios, Carlos Soria, Patricia Banères, Jose María Cruselles, Jose Peña González, Teresa Ferrer Valls, Eduardo Galván y muchos otros que no nombro, porque harían este listado casi interminable. Que me perdonen. También quiero agradecer la amabilidad del personal de todos los archivos y bibliotecas que he visitado. Nada hubiera sido posible sin vosotros.

Agradecimiento personal

Ha sido un verdadero placer compartir contigo esta aventura. Para mí, ha supuesto casi dos años de documentación en cinco idiomas diferentes. Todo un desafío,

Una vez superada esta primera fase y disponía de los conocimientos históricos adecuados, tuve que imaginar un universo bitemporal, con sus propios personajes y tramas, desarrollados durante ocho novelas. Para que te hagas una idea, antes de escribir la primera palabra del primer libro, ya conocía la última frase del octavo. Esa fue la segunda fase, la imaginación. La tercera fase fue la escritura de las ocho novelas, que me llevó casi otros dos años.

He empleado, en toda la saga, un estilo desenfadado de escritura, muy ligero y dinámico. Está hecho a propósito. Aunque a algunas personas les pueda parecer simple, os aseguro que no lo es. Quería que mis novelas las pudiera leer y las disfrutara hasta mi hija, menor de edad. No quería escribir libros de historia ni aburrir con excesivos datos. De hecho, tan solo habré trasladado un 5 % de mis conocimientos en la materia. Pretendía que mi saga fuera un simple y sencillo entretenimiento, sin más pretensiones, aunque riguroso en todos los detalles históricos. Ya lo formuló Albert Einstein en el siglo pasado:

e = mc2 → entretenimiento = misterio multiplicado por curiosidad al cuadrado

En cualquier caso, casi cuatro años de trabajo te contemplan. Espero que te haya gustado y hayas disfrutado como yo.

Gracias por compartir conmigo el universo de Las doce puertas.

Ahora, si te apetece, puedes continuar con Rebeca y Carlota en “El misterio de nadie”. La acción comienza donde termina “La reina del mar”.

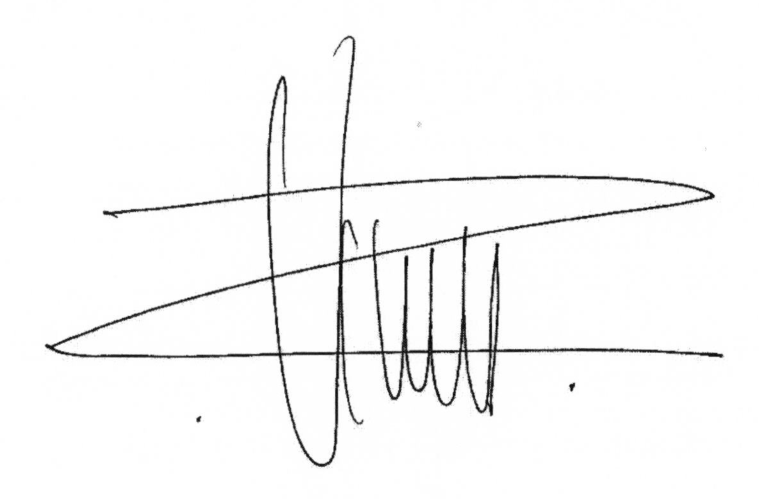

Vicente Raga

CLUB VIP

Si has leído alguna de mis novelas, creo que ya me conoces un poco. **Siempre va a haber sorpresas y gordas.**
Si quieres estar informado de ellas y no perderte ninguna, te recomiendo apuntarte a mi club, llamado, cómo no, **Speaker's Club**.

Es gratuito y tan solo tiene ventajas: regalos de novelas y lectores de ebooks, descuentos especiales, tener acceso exclusivo a mis nuevas novelas, leer sus primeros capítulos antes de ser publicados, etc.

Lo puedes hacer a través de mi web y no comparto tu email con nadie:

www.vicenteraga.com/club

REDES SOCIALES

Sígueme para estar al tanto de mis novedades

Facebook

www.facebook.com/vicente.raga.author

Instagram

www.instagram.com/vicente.raga.author

Twitter

www.twitter.com/vicent_raga

BookBub

www.bookbub.com/authors/vicente-raga

Goodreads

www.goodreads.com/vicenteraga

Web del autor

www.vicenteraga.com

COLECCIÓN DE NOVELAS «LAS DOCE PUERTAS» Y BILOGÍA «MIRA A TU ALREDEDOR»

Todas las novelas pueden ser adquiridas en los siguientes idiomas y formatos en ***Amazon y librerías tradicionales***

ESPAÑOL

Formato eBook
Formato papel tapa blanda
Formato tapa dura (edición para coleccionistas)
Audiolibro

ENGLISH

eBook
Paperback
Hardcover (Collector's Edition)
Audiobook (coming soon)

Las doce puertas (Libro 1)
The Twelve Doors (Book 1)

Nada es lo que parece (Libro 2)
Nothing Is What It Seems (Book 2)

Todo está muy oscuro (Libro 3)
Everything Is So Dark (Book 3)

Lo que crees es mentira (Libro 4)
All You Beleive Is a Lie (Book 4)

La sonrisa incierta (Parte V)
The Uncertain Smile (Part V)

Rebeca debe morir (Libro 6)
Rebecca Must Die (Book 6)

Espera lo inesperado (Libro 7)
Expect the Unexpected (Book 7)

El enigma final (Libro 8)
The Final Mystery (Book 8)

BILOGÍA / DUOLOGY «MIRA A TU ALREDEDOR» "LOOK AROUND YOU"

(Forman parte de «Las doce puertas»)

Mira a tu alrededor (Libro 9)
Look Around You (Book 9)

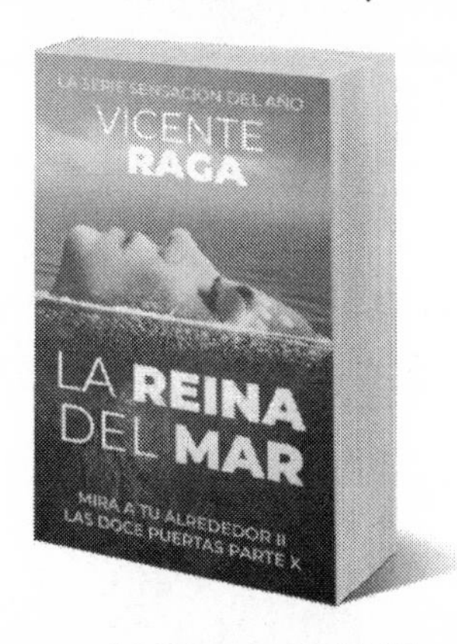

La reina del mar (Libro 10)
The Queen of the Sea (Book 10)
Fin de la serie «Las doce puertas»
End of «The Twelve Doors» series

SERIE DE NOVELAS «ÁNGELES»

Formato eBook
Formato papel tapa blanda
Formato tapa dura (edición para coleccionistas)
Audiolibro

El misterio de nadie (Libro 1)

El faraón perdido (Libro 2)

Las puertas del cielo (Libro 3)

Para vivir hay que morir (Libro 4)

CONTINUARÁ...

TRILOGÍA EN UN SOLO VOLUMEN DE VICENTE RAGA «JAQUE A NAPOLEÓN»

“CHECKMATE NAPOLEÓN”

Jaque a Napoleón, la trilogía: apertura, medio juego y final

ESPAÑOL

Formato eBook

Formato papel tapa blanda

Audiolibro

INGLÉS

eBook

Paperback

Audiobook (coming soon)

Made in the USA
Middletown, DE
25 June 2023